文春文庫

美貌の女帝

永井路子

文藝春秋

美貌の女帝／目　次

美貌の女帝

単行本　昭和60年6月毎日新聞社刊

月傾きぬ

誰が言いだしたのだろう。

「ひめみこの瞳はすみれ色だ」

と。幼い日からの彼女の美貌を、人々はそんな言い方で噂しあった。細いうなじを心持ちかしげるようにして、少女が相手をみつめるとき、黒眸がちのその瞳の奥に、ふとすみれ色の翳がよぎるのだという。

「母君の阿閉皇女を黄金に輝くたわわな山吹の花とすれば、ひめみこは？」

そこで人々は口をつぐんでしまう。

「さあ……」

その美しさは花にたとえるにしては、﨟たけすぎている。まだ十四歳にしかならないというのに、ひめみこ氷高は、みつめられた者が思わず顔を伏せ、ひざまずきたくなるような……そんな気品をそなえていた。

生れついての血すじの高貴のゆえにか？

そうかもしれない。氷高の父は、草壁。壬申の戦の覇者、天武を父に、そして現帝持統を母に生れた皇子だ。そして、母の阿閉は天智の皇女。が、すでにひめみこは父を失っている。彼女が十歳のとき、父は二十八歳の若さでこの世を去った。母の阿閉はいま三十三歳、太り肉の華やかな美貌の持主だ。女盛りのいま、衣の下にかくしもあえないほどの胸乳のゆたかさも、背筋をまっすぐに伸ばしたゆるやかな歩み方にも、夫を失った女の翳は感じられないが、その阿閉がふと顔をくもらせるのは、人々が、ひめみこの美貌について語るときである。さらに、

「あのお美しいひめみこは、どのようなお方と結ばれるのでしょうか」

とでも言おうものなら、

「めっそうもない」

阿閉は、禍々しい言葉でも耳にしたように、むっちりした白い手を振る。

「そのようなことを言ってはなりませぬ、そして……」

声を低める。

「かりにも、ひめみこの耳に、そのようなことを入れまいらせぬように」

人々は、なぜ阿閉が、そのときに限って憂いを含んだ表情を見せるのかを知らない。

ひめみこ氷高には、弟と妹がいる。弟の軽皇子は三つ違い。蒼白い皮膚を持つ十一歳の少年は、ひよわなたちである。病弱だった亡父の資質をうけついだのかもしれない。

妹のひめみこ吉備はさらに三歳年下で、色も浅黒い活発な少女。父を失ったときに幼すぎたせいか、かえって悲しみは彼女の上に翳を落さなかったかにみえる。男の子にしてはおとなしすぎる軽に代って、このひめみこが男皇子だったらという声も聞かれないではない。そんな噂には、微笑してうなずいてみせる母の阿閉であったが、侍女たちが、

「姉君とは違ったおかわいらしさで」

「大人になられたら、心ひかれる男たちがさぞや多くていらっしゃいましょう」

などと言おうものなら、たちまち眉根をひそめるのである。もっとも、当の氷高も吉備も、母の周囲のささやきなど、知りはしない。

目下の吉備の関心は乗馬にある。兄の軽が乗馬を習い始めた二年前、

「私も乗るの」

厩（うまや）の前から動こうともしなかった。

「ひめみこさまは、まだお早うございます」

侍女たちがなだめてもすかしても、

尼子娘
天武天皇
遠智娘（おちのいらつめ）
天智天皇
姪娘（めいのいらつめ）
持統女帝
高市
草壁
阿閉
御名部
氷高
軽
吉備

「乗るの、どうしても乗るの」

頑として聴かず、ついに舎人（とねり）に馬の背に抱きあげられて馬場を一周し、やっと納得したという一幕がある。八歳のいまは、自分用の若駒もきまって、むしろ兄より上手に跑足（だく）をうたせる。ときには、

「まあっ、およしなさいませ」

侍女が悲鳴をあげるほどの速さで馬場を駆けぬけてはらはらさせるが、伸びかけてきた黒髪をなびかせての疾走が吉備には何よりも得意なのだ。

——なのに……

彼女の不満は、こんなに巧みな乗り手である自分をおいてけぼりにして、兄が、大がかりな狩に行こうとしていることだ。

「私も連れていって」

さんざんねだったが、

「お母さまのお許しがないから」

と兄は言う。そして母も、

「今度はあなたはだめ」

と許してくれない。

「じゃ、いいわ。帝（みかど）にお願いしてみるから」

吉備は小さな唇をとがらせて、一計を案じる。そしてこんなとき、最も頼りになるのは、姉の氷高なのであった。

「ね、お姉さま、行きましょ」

帝というのは女帝持統。父草壁の母という意味では、お祖母（ばあ）さまだが、同時に母の阿閇の異腹の姉である。年の違うこの異母姉妹（きょうだい）は、ほとんど全生涯をいっしょに過ごしてきた。阿閇が草壁の妃となったのも、その親しさから、どちらが言いだしたということなく、最も望ましい形で結ばれたのであった。

こうした絆（きずな）の強さだから、ひめみこたちはお祖母さまになついている。女帝はじつは、

「深沈（シンチン）トシテ大度（タイド）アリ」

と評され、寡黙冷静、その度胸のよさを恐れられている存在なのだが、彼女たち孫娘は、そ

んなことは知る由もない。ただし彼女たちの勘によれば、お祖母さまへのおねだりは、内裏(だいり)の正殿で政務についている間は禁物である。仕事が終って、夕暮にその北側の寝殿に帰ってくつろがれてから——そこなら彼女たちの殿舎からも近いのだ。

玉石に軽い沓音(くつおと)をひびかせながら、手をとりあって、お祖母さまの寝殿の階(きざはし)を上る。扉を押し、並みいる女官たちに、ちょっと眼くばせをして、そっと帳(とばり)の隙(すき)からまぎれこむ。

「お祖母さま」

倚子(いし)にもたれていた黒い影が、燭のゆらめきの中でゆっくりふりかえった。無口なお祖母さまは孫娘たちにも、とりわけやさしい言葉はかけない。が、瞳に湛(たた)えられたやわらかな光が、その心のすべてを物語っている。

「お祖母さま……」

吉備はおそれげもなく、その膝(ひざ)にもたれかかるようにした。

その日のおねだりは、しかし残念ながら、効を奏さなかった。吉備が手をかえ品をかえて甘ったれたにもかかわらず、

「遠いところだから」

「今度は、ふつうの遊びではないから」

と、女帝は願いを容(い)れてはくれなかったのだ。それに頼みの綱の姉の口添えも、思いなしか力が入っていなかった。吉備は自分よりも姉からのお願いの方が、お祖母さまにはききめがあることを知っている。なのに、姉は、今日に限って、自分のために、さほど熱心に祖母をくど

いてくれなかった。たしかに静かな透きとおるような声で、一、二度祖母に頼んではくれたけれど、駄目とわかると、

「さ、おいとましましょう」

むしろ吉備をうながして立たせようとした。

——つまんないの。

階を下りてから、吉備は、姉に肩をぶつけるようにして言った。

「もっとお願いしてくださればよかったのに。お姉さまの言うことなら、お祖母さまは何でも聞いてくださるじゃないの」

「ええ、でも、いまは……」

姉の腕が、やさしく吉備の肩を抱いた。

「あまりお祖母さまを困らせちゃいけないわ」

「なぜ」

「お祖母さまはお疲れよ」

「あら、そうだったかしら」

「都うつりが近いから……」

ここ飛鳥浄御原宮（あすかきよみはらのみや）から、さして遠くない藤原の地に、いま女帝は新都を建設中なのだ。そのほか、さまざまな重荷が、五十歳を迎えようとしている女帝の肩にのしかかっている。その実体は知らないながらも、氷高はそれを感じているらしい。すみれ色の翳をよぎらせる瞳は、思いのほかにものごとを深いところまで見透す力を持っているのだろうか。

数日後、秋霧のたちこめる朝、軽皇子一行は狩に出発した。そのいでたちを見たとき、さすがの吉備も、自分が同行を許されなかったわけを、納得したはずである。数十人の供人は、みな新しい甲に身をかためていた。それぞれが弓をたずさえ、胡籙にびっしり矢を並べての出発は、単なる遊猟行以上のものものしさがあった。

「整列！」

「歩兵前へっ！」

「騎馬隊、進めっ」

号令とともに、黒々とした兵士たちの塊が無言で動き出し、霧の中に溶けていった。晩秋の遊猟行というよりも、むしろ、出陣に似た緊張がそこにはあった。その行列を見送りながら、氷高は一行が道を東にとって泊瀬の山路を越えていくことを知った。

「今夜は安騎野にお宿りになるのです」

そう語ったのは、皇子の身辺に近侍する県犬養三千代であった。

「何やら天気が変りそうでございます。今夜はこの分では冷えましょう。皇子さまのお体に障らなければよろしいのでございますが」

軽が生れ落ちてすぐからかしずいている、乳母、三千代が、まず気遣うのはそのことであった。

案の定、その日の霧は霽れず、そのまま時雨れて、陰鬱な一日となった。三日の予定を終えて皇子の一行が帰る日、天気は回復したが、秋の気配は一気に拭われて、空はきびしい冬の群青色に変っていた。

「もうお帰りになってもよろしゅうございますのに」

三千代はその日はそわそわとして、何度も殿舎を出たり入ったりした。まるで五つ六つの幼児の帰りを案じるようなその有様に、侍女たちがしのび笑いを洩らすのに、三千代は気づいていない。

軽たちが戻ってきたのは昼下り、野営の埃にまみれて、甲姿の供人たちの顔は、出発のときよりさらに精悍に見えた。内裏の正殿の前に整列した彼らの中から、軽が進み出て階を上り、待ちうけた女帝に、

「帰ってまいりました」

頰を紅潮させて報告した。十一歳の少年には甲が重そうだったが、それでも日頃よりずっと凜々しげに見えた。彼にとっては最初の遠出の遊猟行であったためか、持統は特に正殿の廂近くまで進んで、一同へのねぎらいの言葉を与えた。

持統をかこんで、皇子や皇女たちをまじえた内輪の宴が催されたのは、その夜のことである。正殿にすっくと立って、まるで閲兵をするかのように供人たちを見渡したときの持統は、あたりを払う威厳にみちた女帝であったが、寝殿で一族とともにあるとき、彼女の眼には、さすがにやさしい光が湛えられている。

「寒くはありませんでしたか、安騎野は」

寡黙な彼女にしては珍しく、自分の方から軽皇子に声をかけた。

「は、夕方から雪になりまして」

「ま、雪が……」

一座に軽いどよめきが起った。連なっているのは皇子の母の阿閉、そして姉妹の氷高と吉備。持統の傍に侍するのは高市皇子だが、彼は太政大臣としてより、身うちの一人としてその座にある。彼は天武の長子、持統の所生ではないが、阿閉の同母の姉、御名部皇女を妻にしている。

その御名部も高市の隣で杯を含んでいる。持統も、阿閉も夫を失ったいま、彼女たち姉妹が最も頼りとする男性は高市である。彼が太政大臣として、皇太子に准じる形で持統を補佐しているのもこのためなのだ。高市と御名部の間には、長屋、鈴鹿の二王子がいるが、今夜の席には連なっていない。

一座の間には、変りやすかったこの数日の天候のことがひとしきり話題になった。

「それでは猟の方も成果に乏しかったであろう」

高市が言うと、軽皇子はうなずいたが、

「それでも野兎やら、鹿やら……。私も鹿を一頭射止めました」

「それはみごとな」

「もっと天気がよければ、と皆も申しておりましたが」

「あそこは山も近いゆえ……」

と阿閉が相槌をうった。

尼子娘
天武天皇
遠智娘
天智天皇
姪娘
持統女帝
草壁
阿閉
高市
氷高
軽
吉備
御名部
長屋
鈴鹿

「この辺で降らなくても、吉野の峰の雪が吹きつけてくるのです」

そのとき、女帝が静かな声で皇子にたずねた。

「吉野の峰は見えましたか」

「はい、わずかな霽れ間がありまして……」

それなり、ふいに一座の声が途絶えた。

重い沈黙だった。

人々は、わざと灯から顔をそむけ、それぞれの思いにふけるかのようだった。ややあって、沈黙を破ったのは、女帝の静かな声であった。

「皇子」

「はい」

「そなたの父の皇子も、そなたと同じ十一のとき、安騎の野をお通りになりました。あのとき、私たちは、そなたの見た吉野の山の中から出てきたのですよ」

御名部と阿閉がうなずいたとき、高市がぽつりと言った。

「二十一年めか、今年は……」

氷高は一座のただならぬ沈黙に身を固くしている。今度の遊猟がいかなる意味をもって計画されたかに気づいたのだ。

大人たちは壬申の戦の日々を思い出しているのだ。とすれば、今度の安騎野への遊猟行は弟の軽に、その日を追体験させようためではなかったか。

六七一年、近江の天智帝と袂を分って大海人皇子は吉野に隠った。そして、兄の天智の死後、近江勢力と対決すべく、吉野を発ったのが翌年六月――。

ひそかに、そして全速力で東進し、やっと小休止したのが安騎野だった。そしてその総帥大海人こそ、彼女たちの祖父、のちの天武なのである。一行の中には、鸕野讃良皇女と呼ばれていた持統もいた。そしてまだ十一歳だった氷高たちの父草壁もいた。

自分たちの生れる前の、激しかったこのときの戦とその勝利について、氷高は何度聞かされたことだろう。中でも勇敢だったのはいま太政大臣の座にある高市だった。

――高市の伯父さまは十九歳。近江側を脱出して、お祖父さまをお助けしたのだわ。

亡き父と同じ年齢になった弟を、その思い出の安騎野に立たせたい、と思ったのは多分お祖母さま――と思ったそのとき、氷高は母の声を聞いた。

「お父さまは安騎野がお好きで、あれからも度々狩においでになったのですよ」

思いだしたように軽皇子が上衣の懐をさぐった。

「そういえば……」

取り出したのは、一枚の紙片だった。

「人麻呂が歌を献じてくれました」

「人麻呂？　あの柿本の？」

「そうです」

「人麻呂はお父さまのお傍に親しくお仕えしていましたから」

阿閉は、受けとった紙片を女帝に献じた。人麻呂はすでに当代の歌人としてその名を得ている。筆太なその字は、女帝の一族にもすでに馴染みのものだった。

書かれているのは長歌一首と短歌四首。女帝から受けとった御名部が読みあげた。

八隅知之　吾大王　高照　日之御子……

輝く日の皇子、軽皇子が泊瀬の山を越えて安騎の野に来られた……というその歌をゆっくりと読みあげ、

「続いて短歌を」

一座を見廻して、御名部は言った。

阿騎乃野尓　宿旅人　打靡　寝毛宿良目八方　古部念尓
真草刈　荒野者雖有　葉　過去君之　形見跡曾来師
東　野　炎　立所見而　反見為者　月西渡
日双斯　皇子命乃　馬副而　御獦立師斯　時者来向

ひととき、燭が暗くまたたくのを氷高は見た。一座の沈黙がいよいよ深まる中で、彼女は、今度の弟の旅が、単なる勝利への回想のためではなかったことに気づく。大海人側の勝利はたしかに輝かしいものだった。が、そのとき未来を嘱望されていた少年草壁はもうこの世にいないのだ。

人麻呂の長歌は、軽皇子の、はじめての大がかりの遊猟を、彼らしい雄勁な叙景で謳いあげ

ている。が、最後に、それが亡き父草壁の曾遊の地であることに触れたとたん、彼もまた胸の中にあふれる思いを堰きかねて、一気に追憶の四首をよまずにはいられなかったのではないか。

この安騎野に来てみれば、すべては草壁の思い出に連ならないものはない。つい四年前までは元気だった皇子草壁――。その思い出を語りはじめたとき、眠りにおちるものは、誰ひとりいなかった。何も知らない者にはただの荒野としか見えないこの野に来たのも、すべて過ぎし日の思い出のためなのだ。そのことを語りあかしているうちに、すでに東には陽炎が立ちそめ、月は傾きかけていた。そしていよいよ、狩の時刻が来た。颯爽と馬上の人となった草壁をはじめ、人々が、馬を並べて狩に出たあの日、あのときが……。

人麻呂は草壁の幻影を、朝霧の中に見出していたのかもしれない。

――東の野にかぎろひの立つ見えて……

氷高はそっと胸の中で口ずさんでみた。

――かへり見すれば月傾きぬ。

一度口にしたら忘れられない歌だと思った。

――月傾きぬ……月傾きぬ……

そのとき、眼の前にいる母が、白い手でゆっくりと顔を蔽うのを見た。

――二十で私を産み、そして九年後には、もうお母さまはお父さまを失ってしまわれたのだわ。

人麻呂の追憶よりも深い悲しみに堪えて、いま、母は生きている。戦いの勝利の後もその人生は決して平坦ではなかった。勝利と悲しみと、それぞれの追憶のために今度の安騎野行は行われたのだ。

夜ふけて宴が終って女帝の寝殿を出ると、暗がりの廊に、三千代が立っていた。

「皇子さまがお風邪を召していらっしゃるような気がしまして」

片時も傍を離れていると心配でならないらしい。

「お帰りになったときからお顔が紅らんでいらっしゃいました。大事なお体なのですから、ほんとうにお気をつけ遊ばさないと……」

それで宴がすむまでここに立って待っていたのだと言った。皇子の傍に駆けよりながら、

「あ、そうそう」

手に持っていた小さな包みを氷高に渡した。

「これを、狩にお供した舎人が」

「舎人が？」

「はい、さる方から皇女さまへと、お預りしてまいりましたそうで……」

あざやかな紅葉が一枚。

そして小さな布切れ。

包みの中にはそれしかなかった。

一夜明けてからも、氷高は一人で、そっと紅葉を眺めている。手に持てば指まで染まりそうな紅の色だった。安騎野のどこかで、この紅葉をひろったというのか。小さな布切れには、小さな文字で、

天雲（あまぐもの）　棚引山（たなびくやまに）　隠在（こもりたる）　吾下心（あがしたごころ）　木葉知（このはしるらむ）

と、それだけあった。

いったい、誰が何のために？　いや、何のためにと聞くのはよそう。それが相聞の歌であることがわからないほど稚い氷高ではない。恋というものが、こうした歌を贈りあうことから始まることは、すでに知っている。

——でも、これが恋の歌なの？

もしそういうものを貰ったら、どんなに胸がときめくだろうと思っていたのに、そういう気分とは程遠いのはどうしたことか？　いま自分の胸の中にあるのは、

——十四歳、私もその仲間入りする年頃になったのか。

何かひとごとのような思いだった。闇の中で三千代から手渡された包みの中に、書き手の手がかりになるようなものが、ひとかけらも混っていなかったせいだろうか。

「あが下心木の葉知るらむ」

氷高は小さく口ずさんでみた。それよりもう一方のてのひらにのせた紅葉の方が美しい。こんな色に裙を染めることができたなら……。

しかしやはり氷高はこの小さな事件に心を奪われていたのだろうか。明るい陽ざしをうけた殿舎の縁に近く、小倚子にかけた体を柱にあずけるようにしていた彼女は、背後に近づく足音に気づかなかったのだから。そして、あっ、と思ったときには、すでに小さな布切れは、風に

でも舞うかのように、するりと掌からぬけだしてしまっていた。

立っていたのは、母の阿閉だった。

「あっ、お母さま」

華やかな頰に笑みをうかべて母は言った。

「預っておきますよ、これ」

「あ、それは……」

「見覚えのない字だけれど、誰かしら」

「さあ、私も……」

「知らないの、そなたも」

「はい、ゆうべ三千代から渡されました」

「そう」

うなずいたとき、阿閉は真顔になっていた。

「知らない相手ならそのままにしましょう。そしてこれはないことにしておきましょうね。とにかく、私が預っておくから」

手放してしまうことはさすがにちょっと惜しくもあった。

「あの、でも、それは……」

阿閉はかぶりを振った。

「忘れておしまい、氷高」

「え？」

「これから先、美しいそなたにはこういうことが多いと思うけれど。心を動かさないでね」

それから、少し悲しそうな瞳になった。

「なぜですの、お母さま」

阿閉は苦しげに首を振った。

「まだ、そなたに語る時期ではありません」

「おっしゃってください。お母さま、ぜひ。私ももう十四です」

しばらく沈黙してから、阿閉は思い決したように氷高をみつめた。

「夕占問（ゆうけどい）というのを知っていますね」

「夕占問……」

極北の星

この日母から聞かされたことを、氷高は決して忘れないだろう。

「そなたはいずれ、今まで誰も身に享けたことのない栄光に恵まれる」

「天の極北に輝く星にも似た、その宿命」

それを口にするとき、母は眼を閉じていた。祈りとも予言ともつかぬ言葉の一つ一つが、まるで夜空から降ってくる星のように、きらめきながら自分の身にまつわりついてくるのを氷高は感じた。

——栄光？　栄光って何かしら？

それを語る母の声もいつもとは違っていた。それに、そんなすばらしいことを打ちあけてくれたというのに、母の頰には、なぜか翳があった。

——聞かなかったほうがよかったみたい。こわいわ、何だか……

そう思ったとき、母はゆっくりうなずき、

「そうなの、聞かなかったほうがよかったのよ、私も……」

まるで十四歳の少女の心の声を聞きとったかのように言ったのである。

「まあ……」

ぎょっとしたとき、閉じられていた母の瞳が見開かれた。そこにはいつもの母のゆったりした眼差があり、語りかける声も、ふだんの調子に戻って、

「ちょうど、そなたより一つか二つ年上のころでした」

静かに話しはじめた。夕闇にまぎれて大路に立っていると、どこからともなく、白い衣をまとった女が現われる。その女に自分の未来のことをたずねれば、まるで絵に描いたようにはっきりと、それを語ってくれるだろう……そのころの女たち誰もが、半ば信じ、半ばたわむれにしてみることを、母もやってみたのだという。

「それで……白いきものの女が現われたの？」

「ええ」

「どんな人？」

思わず氷高は身を乗りだしていた。

「わからなかったわ、顔を袖でかくすようにしていたから……かなりの年齢のようだったけれど」

「そう。それで、その女の人が言ったのね」

「ええ、すばらしい御運です。高貴の方と結ばれますって……。それはあたったわね」

なるほど、のちに母の夫となったのは、天武の皇子、草壁。次の帝位に一番近い距離にある人物だった。

「でも、お母さま……」

美貌の少女は考え深そうな瞳で問いかえす。

「それは、お母さまが阿閉皇女(あへのひめみこ)と知ってのことじゃないかしら」

「いいえ」

母は確信ありげに首を振った。

「私はね、そのとき、わざとみすぼらしい恰好(かっこう)で立っていたの。そして女に言ってやったわ。私、そんな高貴の方と結ばれるような身分のものじゃありませんって」

「そしたら？」

「女はとりあわなかった。でも、そういう宿命ですって……。そのかわり、天の秤(はかり)は正確です。おしあわせが大きいだけに、お苦しみも覚悟しなければなりませんって。そうだったわね、お父さまはあんなに早く死んでおしまいになったのですもの」

「……」

「お子さまにも恵まれます、稀有(けう)なる御運をお持ちの方々ですって……。だから私は聞いたの。たとえば女の子なら、よい夫にめぐりあい、よい子に恵まれるというようなことでしょうか、って。そうしたら女は——」

母はそこで口を閉じた。その先を言ってしまうことにためらいがあるようだった。ひとたびは意を決するように、顔をあげかけてまたうつむき、それから声も低く語ったのは次のようなことだった。

「多分あなたの産む女の子には、世の常の幸福は恵まれないだろう。それに数倍する栄光が待ちかまえているからだ。もしその子が世の常の女のように恋をし、子供をもうけるなら栄光は消えよう。それどころか、そこにはおそるべき運命が待ちうけているだろう……」

母が語る間、氷高は黙っていた。

栄光もおそるべき運命も、すべて自分のこととは思えなかった。何か遠い国の物語でも聞いているような気がする。

「お母さま」

氷高の瞳の底に、すみれ色の翳がよぎった。

「ね、お母さま、そのお話、お信じになるの？」

母のふくよかな頰に、一瞬苦しそうな微笑が浮かんだ。

「いいえ、私は余り信じないたちなの。夕占問だって、おもしろ半分にやってみただけ。それに、夕占問だって、あたらないときが多いというわね。でも——」

母は静かに氷高の肩を抱いた。

「お母さまはね、そなたたちに不幸が押しよせてくることだけは防ぎたいの。信じなくてもいいことかもしれないけれど、わざわざ不幸を選びとることはないでしょう」

「でも」

氷高は十四歳の少女とは思えない落ちついた口調で言った。

「それは、私のことなのかしら、妹のことなのかしら」

「さあ、それはわからないわ。まだそなたたちのお父さまと結ばれる前のことですもの。女の子が何人生まれるかなんて考えてもみなかった。でも、そなたにも吉備（きび）にも、不幸になってほしくはないのよ」

「では、栄光を望んでいらっしゃるのね。栄光って何かしら？」

母の答は思いがけないものだった。

「苦しみ……かもしれない」

「え？」

「でも苦しみは不幸ではないの。わかるかしら？」

「……」

「恋をし、子供を産んで不幸になるのだったら、むしろ栄光の道を選ぶことね。そう、後へは退けないのよ、私たちは」

最後の言葉は、娘を力づけるというより、自分たちに負わされている宿命を確認し、凜乎としてそれを受けとめようとする響きさえも含んでいた。

「私たち蘇我の娘たちには、どのみち平坦な生涯は許されていないのだから」

月の出が夜ごとに遅くなると、それだけ星の光は冴えてきた。勾欄に身を寄せて、氷高は、蒼白い光を放つそれらの群の中に、極北の星を探す。

——どの星なのかしら、それは。

全天の星が一夜の中に大きく位置を変えるというのに、それだけは、じっと虚空に佇みつくすという、その星。

——その星が私の星。私をみつめてくれるというのか。

夕占問の女の言ったのはどういうことなのか。苦しみは不幸ではない、と言った母の言葉も、十四歳の氷高の理解にはあまる言葉だった。母は女の言葉を信じるというよりも、宿命から眼をそむけるなと言いたかったのだろうか。

が、氷高の思考はそこで中断された。背後の扉が開かれ、

「お姉さま」

妹の吉備の、よく透る声が響いたからである。

「もう寝みましょう。外は寒いわ。風邪をひくといけないわ」

「そうね」

氷高は勾欄を離れた。前からの習慣で、姉妹は枕を並べて寝ている。それぞれ乳母や侍女たちにかしずかれているのだが、

「私、お姉さまの傍がいい」

吉備が言いだしたのはいつのことだったろうか。末っ子の甘ったれが受けいれられるのはいつものことで、以来二人はどちらかが寝息をたてるまで、床の中で二人きりのおしゃべりを楽しむ。それも、おもに話すのは吉備のほうだ。氷高は妹のとりとめもないおしゃべりを聞いてやる役に廻るのが常だった。このところ吉備の関心は専ら馬にある。今日はどこまで走らせたとか、愛馬が、どんなふうになついてきたか、どこの邸に新しい馬が運びこまれたか……。そのうち、コトンと話が途切れたかと思うと、もう軽い寝息が聞えている、ということも度々だった。

「ね、お姉さま……」

その夜も、例によって馬の話をしていた吉備だったが、そのうち、

「しいっ」

口をすぼめて、指を立てた。

「音がするわ」

まさしく、枕上の壁を、遠慮がちに、こつこつ、と叩く音がする。

「誰かしら」

二人は床の上に起きあがっていた。

氷高の頭をかすめたのは、数日前渡されたあざやかな紅葉のことだった。

吾下心　木葉知

と書き送ってきたそのひとが、大胆にもしのびよってきたというのか。

こつこつ——。

音はまだ続く。

「開けてみる？」

吉備がささやく。

「………」

氷高は無言である。そのひとが訪れたとすれば大胆すぎる。いや、誰か使いをよこしたのだろうか。

「ね、お姉さま」

床をすべりおりようとしている妹の手をおさえ、

「しいっ」

小さく氷高は言った。

「灯を消して」

床近くにゆらめいていた燭が吹き消され、部屋が真闇に蔽われたとき、ひそやかな訪れの音は、いよいよはっきりと伝わってくるように思われた。

戸を開けるべきかどうか。

開けよう、という思いが、石を投じられた池の面の波紋のように氷高の胸にひろがってゆく。

それでいながら、眼に見えない紐で縛られてしまったかのように、体が動かない。

――開けてみよう。

――いえ、いけないわ。

――もしかすると木の葉の方かもしれない。その顔をたしかめるだけなら……

氷高の心は制しきれなくなっている。さっと床に下りたって、足早に戸に近づこうとしている……。

が、現実の彼女は、妹の手をじっと握ったままだった。その彼女が、はだしのまま走りよって戸を開けようとしているもう一人の自分を眺めていた。

どのくらい時が経ったろうか。

しのびやかな訪れはやんでいた。厚い壁に隔てられて、その足音を聞きつけることはできなかったが、そのひとはすでにこの殿舎を離れていったらしい。

氷高はふと、極北の星が静かにそのひとの肩を照らしている光景を思いうかべた。

「惜しいこと」

耳の許で妹がささやいたのはそのときである。

「木の葉の方だったかもしれないのに……」

「えっ、何ですって」

ふ、ふ、ふ、とあどけない、それでいてふしぎにませた含み笑いを吉備は響かせた。

「知っていたの？　あなた」

それに答えず吉備は言った。

「誰なのか、私も知りたかったのに……」

「どうして知っているの、あなたは」

「お姉さま」

「……」

「それが誰かってことを知っても、別にそれは恋をうけいれたことじゃないわ。そのひとを愛することでもないわ」

あどけない少女の口から漏れる、「恋」、そして「愛」という言葉が、大まじめであるだけに、ひどく透明で、いささか滑稽でもあった。

「おませねえ、あなたって」

氷高はどぎまぎして、そういうよりほかはなかった。その言葉を無視するように、

「でも、そうね……」

考え深げに吉備は言った。

「一度めに開けたりしてはいけないわね」

「まあ……」

「お姉さま」

さらに彼女は、姉の息をとまらせるようなことを口にしたのである。

「お母さまのお言いつけを、そのまま守ることはなくてよ」

「えっ、あなた、聞いていたの？」

「ごめんなさい」

にわかに、あどけない口調になって、吉備は姉の首にかじりつきながら床の中に倒れこんだ。

「聞いちゃったの私、ごめんなさいね」

「まあ、呆れた」

油断のならない子だ。ちゃんと甘ったれて許しを請うすべも心得ている。姉の耳にしゃにむにくちづけをし、温かい息を吹きかけるようにして言った。

「でも、私はお姉さまの味方よ」

「あら」

「お母さまがああおっしゃっても」

「いいえ、そうではないの」

氷高が、はっきりした口調でそう言い、妹の手を握りかえしたのはこのときだった。

「私は別に、お母さまのお言いつけどおりにした、というわけじゃないの」

「まあ、ほんと？　はじめから木の葉の方（かた）には御返事もしないつもりだったの」

「ええ」

「どうして？」

戸に走りよろうとしている自分を、もう一人の自分がみつめていたあの瞬間を、どうやって妹に語ることができるだろう。

吉備はまだ不審げであった。

「ああいう歌を贈ってくる人は、お好きではないの？」

「いえ、そうではないの」

氷高は身をよこたえると妹の手を放した。

「さ、もう寝（やす）みましょう」

しかし眠れる夜ではなかった。その耳許に響くのは、母の声であった。

「私たち蘇我の娘たちには、どのみち平坦な生涯は許されていないのだから」

母の声は、ひと夜じゅう、この美貌の少女の耳許で語り続けていた。

蘇我の娘たちの宿命（さだめ）について、母が語るのは、これがはじめてではなかった。それを語るとき、母の声はいつも誇にみちている。

「私たちは飛鳥の王者の娘」

代々そう思って生き、そのことを、女から女へと語り伝えてきた、と母は言った。

「ごらんなさいな、女の身ではじめて皇位に即（つ）かれた額田部皇女（ぬかたべのひめみこ）（推古（すいこ）女帝）、その母君は堅（きた）

塩媛、蘇我稲目大臣の姫君です。その稲目大臣こそ、私のお祖父さまの曾祖父さま……」

稲目こそ、蘇我一族に繁栄をもたらした人。そしてその繁栄は堅塩媛が、欽明天皇のきさきの一人となったことからはじまった。というより、欽明以降の帝位は、まさに蘇我一族をよりどころにして続いてきたのだ、と、母は口癖のように言うのだった。

そうかもしれない。堅塩媛は欽明との間に七男六女を産んだ。また彼女の妹の小姉君も欽明のきさきとなって四男一女を産んだ。そして、欽明朝以来、ほぼ百五十年の間、蘇我の娘たちはいつも天皇のきさき、あるいは天皇の母でありつづけた。

母は確乎とした口調で、いつもそう言いきった。

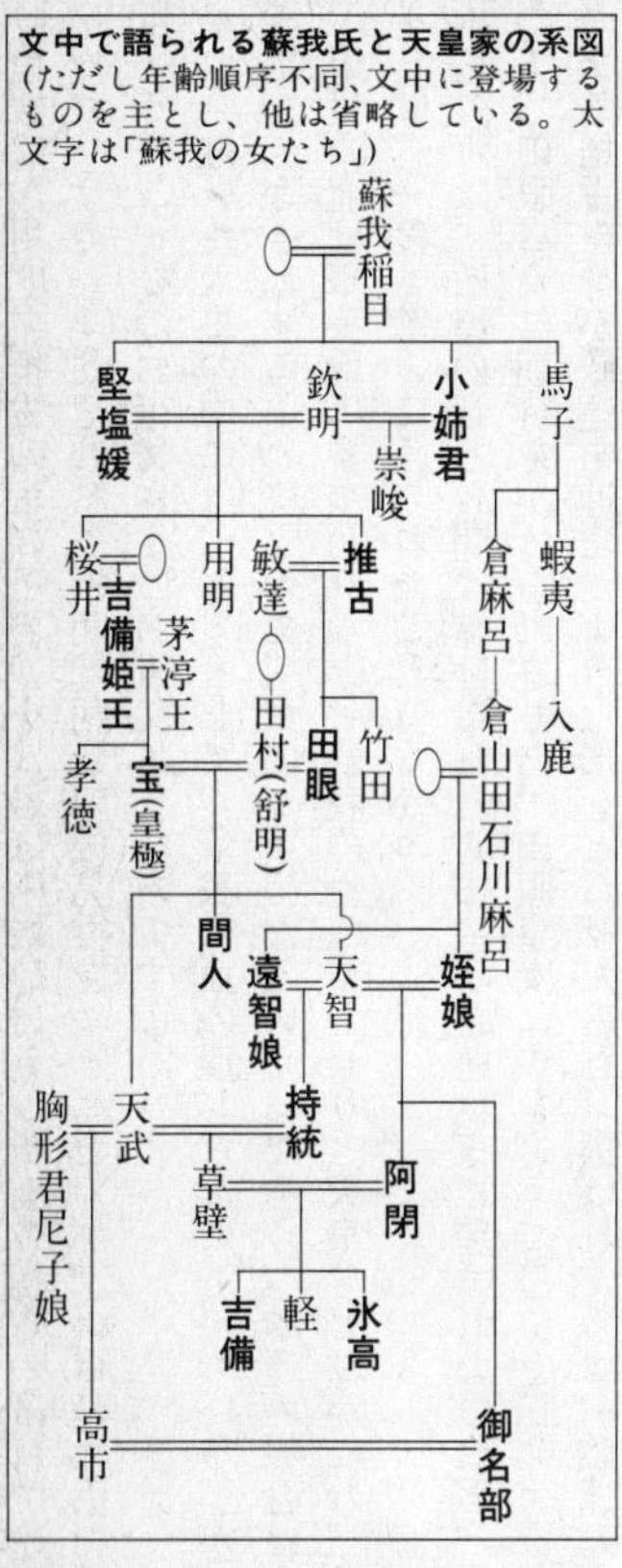

「堅塩媛は、用明、推古の帝の母君、小姉君は崇峻の母君。そして推古の帝は敏達の帝のきさき。ね、そうでしょ。そしてその間、朝廷の後見役をつとめたのが、稲目の大臣の子の馬子の大臣。それこそ私のお祖父さまのお祖父さまなのですよ」

皇位を継いだ天皇の中には、ときとして、蘇我の血の混じらないものもいる。が、それも蘇我の娘をきさきとすることによって、帝位が践めたといえるだろう。敏達の場合はまさにそれだ。天皇の血は蘇我氏にまつわりつき、蘇我の血はびっしりと天皇をとりかこむ。その枠は百数十年間、一度も踏みこえられたことはなかった。

「推古の帝は、敏達の帝との間に儲けられた竹田皇子を跡継ぎに望まれたけれど、早死なさったので、田眼皇女に期待をかけられました。田眼皇女に夫を迎えて皇位を伝えようと……」

つまり推古自身が敏達を迎えたような形をとらせたのだ。選ばれたのは、敏達の血につらなる田村皇子だった。

ところが、推古の期待に反して、田眼皇女も後嗣を産まずに他界し、その後田村と結ばれたのが宝皇女だった。

「その宝皇女こそ、私のお祖母さま。お父さまを産んだ方です」

母は誇らしげに言った。

「その宝皇女の母君は、吉備姫王といってね、推古の帝がとてもいつくしんでおられた姪御さまなのよ」

吉備姫王の父は桜井皇子、推古が最も親しくしていた弟だった。その子供たちを、推古はひときわ心にかけていた。ちょうど馬子が姪である推古の治世を支えたように、彼女は蘇我の家の中心的存在として、甥や姪を支えてやっていたのである。

なかでも吉備姫王を推古は最も愛していた。蘇我氏の中心的存在だった馬子の住んだ島の宮を彼女に与えたのはそのためである。吉備はそこで茅渟王を迎え、宝皇女を産んだ。田眼皇女亡きあと、蘇我の女系はまさに吉備・宝の母子に伝えられたのである。この宝の夫になることによって、田眼亡き後も、田村皇子は、最も皇位に近い位置を獲得したのである。

もっとも、推古の死後、皇位を望む競争者はあったが、それらを抑えて田村の即位をはかったのは、馬子の子の蝦夷だった。馬子が推古を助けたように、彼もまた、蘇我系の本流ともいうべき女系を守るために働いたのである。

田村皇子つまり即位して舒明と呼ばれた天皇の死後、きさきの宝皇女が皇位に即く。皇極（のちに再祚して斉明）女帝である。推古が敏達以後の諸帝の死後即位したのと同じ形がくりかえされたのだ。

こうした血の流れを、飽きずに母は氷高に語った。

——何という輝かしい女の血であることか。

そこで氷高はふと考えこんでしまう。

——夕占問の女は、私の未来に、誰も享けたことのない栄光を予言した。母、祖母、そのまた母や叔母や祖母たちの享けた以上の栄光というものがあるだろうか。

氷高にはどうしても想像することができなかった。むしろ想像することは恐ろしくさえあった。

——そんな栄光はいらない。私にはお祖母さまや推古の帝のように政治を切りまわしてゆく力なんかありはしないのだもの……私はごくふつうの少女。おとなしく、ひっそり生きてゆくのが好き。

樹々の葉ずれの音を聞き、飛鳥川のきらめきを眺めるのが氷高は好きなのだ。自分が大人になったときを想像してみても、せいぜい思いうかべるのは、母のように娘や息子にかこまれて過ごす姿だった。

しかし、すでに氷高は夕占問の女の言葉を聞いてしまった。

「もし世の常の女のように恋をし、子供をもうけるなら、栄光は消えよう。それどころか、そこにはおそるべき運命が待ちうけているだろう……」

——嘘、嘘だわ。

氷高はそんな言葉は信じたくなかった。もし、まるきり嘘でないにしても、栄光の座は、勝気な妹の吉備にこそふさわしいのではないか。夕占問の女の言葉は、きっと妹の運命を言いあてたものなのだ。

そうだとしたら、自分はあの予言の枠の外にいるはずだ。氷高はそう思いたかった。誰も享けたことのないような栄光などからは眼をそむけていたいのだ。

しかし……。

それならなぜ、氷高はあの夜の見知らぬ人の訪れを拒んだのか？

もし誰かが、そうたずねたとしたら、

——あら……

頰を染めて氷高は答にとまどったに違いない。なぜ、訪れを拒んだか、それは自分にも説明がつかない。一人の自分が立って行き、それをもう一人の自分が眺めていたのだ、と言っても、多分誰もわかってはくれないだろう。

恥じらいだろうか。十四歳という稚さのせいだろうか。そうかもしれない。彼女にとって、たしかに愛の世界は少し遠すぎた。とはいうものの、氷高はあの夜、それと意識せず、彼女自身の運命の道を歩みはじめていたのかもしれなかった。

時折り彼女は母の言葉を思いだす。

「蘇我の娘たちに、どのみち、平坦な生涯は許されていないのだから」

薄(うす)茜(あかね)

持統女帝が新都藤原京に遷(うつ)ったのは六九四年の冬のことだった。

新しい都のことを、氷高はずいぶん以前から聞かされていたような気がする。太政大臣高市(たけち)皇子——というより亡き父の異母兄であり、今では父代りの伯父さまにあたるそのひとが、女帝の命をうけて着手したと聞いたのは、彼女が十一のときだったから、それから数えても、もう四年。いや、それより前、物心つくころから、

「新しい都」

という言葉は身辺でささやき続けられていた。

その都にいよいよ遷る、と聞かされても、何だか実感が迫ってこないのは、あまりにも長い間、新しい都のことを聞かされ続けたからではないだろうか。

そう言うと、母の阿閉(あへ)皇女はうなずいた。

「何しろ、新しい都造りは、帝の長い間の御念願でしたからね」

新宮殿へ運ぶ衣裳(いしょう)や什器(じゅうき)について、てきぱきと侍女たちを指図しながら母はさらに言う。

「いえ、帝の、というより、先の帝のときからの御計画だったのですよ」

先の帝――天武は、現女帝の夫、そして氷高の祖父。

「お祖父さまのこと、そなたは覚えていて？」

「いえ、ほんのすこししか」

残念ながらそう答えるよりほかはない。祖父天武がこの世を去ったのは、氷高が七つのとき。そのころは、同じ飛鳥の中でも、島の宮に母たちとともにいた彼女は、祖父とはめったに顔をあわせたことがなかった。

「お祖父さまは、お忙しすぎたから……」

そなたの記憶がさだかでないのもやむを得ない、というふうに母は呟いた。そしてじつは、その呟きの中には、氷高のあずかり知らないさまざまの思いがこめられていたのだった。

出兵の失敗、そして近江遷都、内戦――。まさに悪夢のごとき十余年だった。阿閉の少女時代は、この悪夢の中に塗りこめられていた、といっていい。

彼女が生れた年、日本は朝鮮半島に出兵して大敗を喫した。新羅と唐に攻められていた百済を救うための出兵だったが、むざんな敗け方をして、結局大きな犠牲を払って兵を退いた。

それからが苦難の連続だった。斉明女帝はすでに世を去っており、この出兵の責任者である中大兄（阿閉の父）は、国内の支持を得られず、それまでの政治の中心地であった飛鳥と絶縁して近江に都を遷し、しばらくして即位する。天智天皇である。何もわからぬままに、湖畔の風のきびしい大津の都へ連れてゆかれた阿閉であったが、思えばそこで過した数年間は、少女の心にも異様な雰囲気にみちたものだった。

まず急速にとりいれられた唐風趣味。それが敗戦国の、勝利者唐国への追随、迎合であったとは、成人して後にはじめて気づいたことである。もちろんこうした形の上での追随に唐軍がごまかされるわけもなく、大勢の兵士を派遣し、したたかに貢納物をむしりとっていったのであるが。

そのうち半島の情勢が変化した。親密だった唐と新羅の間に摩擦が生じたのだ。新羅は半島の支配を狙（ねら）って進駐していた唐軍を排除すべく抵抗行動を起した。

新羅が日本に協力を呼びかけるのはこのときだ。彼らがひそかに手をさしのべた相手は天智の弟、天武――当時の大海人（おおあま）皇子だった。敗戦の責任問題にはじまって、近江での天智の新政を快く思わない諸勢力を頭においての働きかけである。日本は数百年にわたって半島との関係が深く、そのときも唐より新羅に心を寄せる人々が多かった。こうした国際情勢を背景に、天武が天智亡き後の近江朝廷と対決したのが壬申の戦だ。唐寄りの路線を歩んでいた近江朝廷が亡んだとき、半島でも新羅は唐勢力の排除に成功していた。

戦が終って、天武が旧都飛鳥に帰還したとき、阿閉は十二歳。

「ようお戻りなされました」

近江に移らずここに住みついていた人々は、口々にそう言ってくれた。

やがて青春時代を迎えた彼女は、天武と異母姉鸕野讃良（うののさらら）（後の持統）の間に生れた皇子草壁（くさかべ）と結ばれて島の宮に住むようになった。こここそ、一族の大長老として政治の中心にあった蘇我馬子――阿閉にとっては祖父の祖父にあたる人物の造った豪奢（ごうしゃ）な邸宅であった。

これより前に、姉の御名部（みなべ）は、草壁の異母兄、高市と結ばれている。これら若者たちの間に花開きはじめた愛の世界を、何よりも喜んだのは天武であった。

「これでいい、昔の姿が戻ってきた」

十余年の悪夢時代がやっと終った、とでもいうように、姉妹に祝福を与えた。

「そなたたちは先帝（天智）の娘でもあるが、まぎれもなく母方は蘇我の血に連なっている。蘇我の娘たちは、これまでこの地で育ち、いつも王者の一族の妻となった」

たしかに天武のきさき鸕野の母も蘇我の娘だし、天武の母、亡き皇極（斉明）女帝も蘇我の血を引いている。十余年の動乱期が終って、その姿が戻ろうとしていることに、天武はかぎりない期待を寄せているようだった。

が、彼の前にはまだ問題が山積していた。飛鳥への帰還は単なる過去への回帰ではないのだ。幻に終った近江時代に天智が構想し着手した新国家体制を超えるものを、彼の手によって確立せねばならない。

その一つは、その規範ともいうべき飛鳥浄御原令の制定、つまり新憲法の作成である。同時に、国際的には新羅との提携を強めた。天智時代に行われた遣唐使派遣は打ちきられ、代って新羅との往復がしきりに行われるようになった。外交方針の大転換というべきであろう。

こうした大枠の中で天武が計画したのは新都建設だった。浄御原令の制定によって新国家体制がうちたてられ、官僚群がそれに従って飛躍的に増加するとなれば、現在の飛鳥の宮では収容しきれない。必然的に新しい諸官衙が必要になってくる。天武はこのための新都を、飛鳥の西北にひろがる広大な平地、藤原に建設することを思いたった。この新都が完成するとき、彼の新政は、はじめて完璧なものとなるはずであった……。

が、死は思いがけない早さで彼を襲った。運命はそれだけの時間を彼に与えてはくれなかったのである。それどころか、浄御原令の公布も待たず、彼は世を去り、それを追うようにして皇子草壁も死の世界に連れさられた。

阿閉は、氷高、軽、吉備の三人の遺児とともに、二十九歳の若さで夫の死を見送った。天武の祝福は、遂に空しかったのだ。

が、このとき、阿閉は、夫とわが子を失いながらも、毅然としてその遺業を継承しようとしている異母姉の姿を見た。共同統治者ともいうべきわが子草壁を失ったその年、彼女は夫が念願とした浄御原令の公布にこぎつけた。

その翌年正式に帝位についた彼女が、最も頼りとする高市とともに目指したのは、夫の遺志を継いでの新都造りであった。

「新しい都」

「新しい都」

少女氷高には華やかなときめきを感じさせたその言葉には、じつは彼女の祖父と祖母の執念にも似た思いがこめられていたのである。

十二月六日、都うつりのその日は、風もない冬晴れで、空は冴えざえと澄んでいた。飛鳥をとりまく山々が藍色の濃淡を見せて連なり、飛鳥川のほとりの樹々も、枝をそよがせることさえ忘れているかのようだった。

ものものしい前駆を先に、女帝持統の輿がゆるやかに宮門を出る。これに続くのは太政大臣高市、そして持統の異母妹の御名部、阿閉――。少しおくれて、侍女たちに取りまかれるようにして、馬乗の氷高、軽、吉備。その中には、高市と御名部の間に生まれた長屋、鈴鹿の二王子も混っている。

飛鳥川を渡って少し西に進んだとき、氷高は道の右方に一直線に北に走る大きな道を見た。女帝の輿は早くもその道にさしかかっている。

「まあ、何て広い道」

思わず嘆声をあげたとき、

「この道はね、まっすぐ宮門まで続いているのさ」

答えてくれたのは長屋王だった。四つ年上の十九歳のこの白皙の青年は、氷高にとって最も親しい従兄である。

「これが道なの」

馬の背からのびあがるようにして、ひときわ華やかな声をあげたのは妹の吉備だ。

「まるで広い広い広場が、ずうっと続いているみたい」

「そうさ、大きな都では、みな真中にこういう道が造られているんだ」

都造りの中心となって事にあたった高市を父とするだけに、彼は新都について、いろいろのことを知っているらしかった。

「ほら、この大路の両側にも、横にまっすぐ走る広い道があるだろう。新しい都にはね、こんなふうに碁盤の目のように、きっちり縦横に道がつけられているのさ」

「新羅や唐の都も、みんなそうなの？」

氷高がたずねると長屋はうなずいた。

「そう。でも、何も唐に始まったことじゃない。それよりも昔の都も、こうした造り方をしているのさ。この都も、だから唐のまねとはいえない。もっと昔からの都造りを参考にしている」

「まあ、ずいぶんいろいろ御存じなのねえ」

感にたえたように吉備が言うと、むしろ、照れたように長屋は微笑した。

「いや、ときどき父上のお供をして、都造りを見にきたからね」

氷高だって物珍しさにひかれて、この新しい都はときどき見にきている。が、関心は専ら新宮殿の内部、それも自分たちの住む内廷に注がれていたので、都全体に眼を向けるのを忘れていたのだ。

「大きい都になるのねえ」

「そう、飛鳥の宮殿のすぐそばまで新しい都に入るはずだ。いまはまだ野原に区切りをしただけみたいに見えるところもあるけれど、この区画の中にみんなが住むようになる」

「それで今までより広い場所が必要だったわけね」

「ああ、宮殿のほかにこうした市街(まち)があるのが本当の都なのさ」

晴れの都うつりの行列を、沿道の人々はずらりと並んで眺めている。この辺に住む農民たち、諸国から新都造営のために集められた役民(えきみん)たち――。でも、彼ら全部を住まわせたとしても、この広い都の中を埋めることはできそうもない……。

そんなことを氷高が思っていたとき、

「ごらんなさい」

肩を並べるように馬を寄せてきた長屋が、そっとささやいた。

「みんな、あなたを見ている」

「え？」

とまどう氷高に、長屋はさらにささやいた。

「なんてひめみこは美しいんだろうって。みんなが言っている」

「まあ、そんなこと」

どぎまぎして顔を伏せた。

「からかってはいや」

「からかってなんかいない。ほら、みてごらん」

そう言えば、男の瞳も女の瞳も、たしかに自分に向って集中しているような気もする。中にはあきらかに自分を指さし、連れと何かうなずきあい、ささやきかわしている者もある。埃にまみれた身なりから、まぎれもなく地方から徴発された役丁（えよぼろ）と思われる中年の男などは、魂まで吸いよせられてしまったのか、口をぽっかりあけ、ふらふらと行列について歩き出しそうにさえしていた。

――まあ、これはどうしたこと。

こんなにまで人々の注目を浴びるということは、氷高にとって最初の経験だった。ひとりの年若な少女にすぎない自分のどこに、人をひきつける力があるのか、むしろ空おそろしかった。

頬をあからめてうつむく氷高の背に、長屋のやさしい声が迫ってくる。

「ほんとに、今日のあなたはとりわけ美しい。その薄茜（うすあかね）色の表着（うわぎ）、とてもよく似合うよ」

「まあ……」

今日のために、氷高は白と紅と紺の縞模様の裙を織らせた。蜘蛛の糸ほどに細い絹糸で織った裙は、ふわりと氷高の足を蔽って馬の背にひろがっている。表着は裙の紅に近い淡い茜色を選んだ。肩にかけた領巾は、かげろうの羽より薄い茜の羅……。

「冴えた空の色にまるであわせたような……さっきから、そのことを考えていた。いや、でも……」

長屋のささやきはよりかすかになった。

「茜色が美しいのじゃない。あなたは何を着ても美しいひとだ」

氷高は、すみれ色の翳をよぎらせて、瞳をそらせた。

長屋のような若い青年から、はっきり美しいと言われたのはこれがはじめてだった。例の紅いもみじの葉に歌を添えてきた名の知れぬ人からはじまって、恋の歌を贈られることはあれからしばしばあったが、なぜか心を動かされたことはなかった。

母のいましめを守ろうとしたというのではなかったが、あの夜の記憶が心の枷になってしまったのだろうか。

が、いま氷高はその母の言葉すら、ほとんど忘れようとしている。

いままで聞きなれていた長屋の声が、まるで別もののように聞えるのはなぜなのか。見知らぬ人のようにも思えるひとりの青年が寄りそうように馬を進めていることに氷高は、かすかにおののく。

そうなのだ、昨日までの彼は幼馴染、たのしい遊び相手にすぎなかった。が、これからは、これまでのように、気軽に彼にたわむれを言うことはできないだろう……。

不自然に黙りこくってしまった氷高の後から、長屋も無言で馬を歩ませている。そのうちにいつか一行は宮門に近づいていた。都の中央を南北に走る大路をうけとめるように、新しい宮殿は、新都の北部に甍を輝かせていた。深い大溝にかこまれ、さらに瓦を置いた大垣をめぐらせた堂々たるたたずまいに、吉備は無邪気に声をあげた。

「まあ、きれい。そして広いのね」

「飛鳥の宮の一倍半はあるはずだよ」

幼い少女に答えるとき、長屋の声は、これまで聞きなれた、少年の名残を含んだ明るいものに変っていた。

氷高の弟の軽、妹の吉備は、新宮殿の何もかもが珍しくてたまらない。内廷には飛鳥のころと同じく、柱を土中に埋めこみ、床を高くした板葺きの殿舎が並んでいるが、大極殿をはじめとする公的な殿舎は、礎石が柱を支え、屋根には重々しい瓦を葺いた建物に変った。それまでは、わずかにいくつかの寺にだけ用いられていた瓦葺きの建物が、ずらりと軒を並べているのは壮観だった。

それよりも幼い彼らを喜ばせたのは、あたりの山々のたたずまいである。

「え？　あれが香具山？　こんな近くにあるの？」

皇子の軽はふしぎそうに言う。これまで香具山は飛鳥の宮の北、やや離れた所にあった。それが内廷の高殿の縁から見ると、南東に、それも大垣のすぐ外側に見える。

「わあ、手を伸ばしたら届きそうだね、まるで」

今まで少し離れていた耳成山は、それこそ宮殿の真北のごく近くにあって、後からこの都を守ろうとしているかのようだ。そして、裾を長くひいて姿のいい畝傍山は西南に……あたかもこの三山にかかえられるような形で新都は造られていたのである。

持統女帝の遷都が終ると、九日には官人たちの拝朝が行われた。大極殿に臨んだ女帝の前に、諸官庁の役人たちが列立して遷都の詔を受け、喜びを言上する。ついで翌日、女帝から絹や布が下賜され、その後、高官を招いての宴が催されて、遷都に伴う行事は一段落した。

内廷での私的な宴が行われたのは、それから数日後のことであった。女帝から、高市に対してはとりわけ手厚いねぎらいの言葉があった。

「ほんとうに長い間、御苦労でありました」

口の重い女帝の言葉はいつも短い。が、そこには言葉以上のものがこめられていることを、一座の人々はよく知っている。

高市は、天武が胸形君尼子娘との間に儲けた皇子である。持統にとってはわが子とは呼びにくい存在だ。一方の御名部と阿閉も異母妹だ。母どうしが同母の姉妹だったから、他の異母兄妹よりは親しいとはいえ、もし彼らが別々の人生を歩んでいたら、持統の人生はずっと淋しいものになっていたに違いない。

が、御名部が高市と結ばれ、阿閉がわが子草壁を夫にすることによって、一族の結束はぐっと強まった。とりわけ、天武、草壁亡きあと、彼女が頼りにすべきは高市以外はないのである。

「そなたの協力がなかったら、この都造りはまだ終っていなかったでしょうね」

しみじみと言う女帝の言葉には、飾りがないだけに、人々の胸を深くうった。

「何しろ大がかりの仕事でしたから……まだせねばならないことは多く残っております」

高市は謙虚に答える。

「でもあまり仕事をしすぎて体を傷めないように……何だか少し顔色が悪くはありませんか」

「御心配には及びません」

阿閉がうなずいて話の輪に加わった。

「ほんとうに皇子のお働きはみごとなものでした。こんな立派な宮殿ができて……この姿を、先帝にお見せしたかった」

語尾はふるえていた。

「そして亡き皇子にも……」

壮麗な宮殿であればあるだけ、阿閉の悲しみは深い。新しい都造りを口癖にしていた天武と草壁が、この都にいないことが悔まれるのである。豊麗な頰をつたう涙を、阿閉はぬぐおうともせず、はるか遠くをみつめていた。

が、持統は泣かなかった。

夫を失い、子供を失い、身にあまる重荷をひきずりながら、ようやくここに辿りついたというのに、夫の遺志を果たしたいま、涙ひとつ見せない彼女を、強いひとだ、と氷高は思った。

——疲れていらっしゃるのは、伯父さまよりも、お祖母さまではないのか。なのにお祖母さまは、なおも伯父さまをいたわろうとしていらっしゃる。

年が明けても女帝の身辺の忙しさは変らなかった。年頭のさまざまの行事が続き、盟邦新羅からも使いが来た。その間、女帝は二度も精力的に吉野を訪れている。壬申の戦の前に隠れ栖んだ吉野は、彼女にとって思い出の土地である。その旅から帰って、空が夏の色を帯びはじめたとき、女帝は一首の歌を詠んだ。

春過而　夏来良之　白妙能　衣乾有　天之香来山

一見そっけないほどの直截なうたいぶりは、喜びも悲しみもめったなことでは顔に表わさない、口数の少ない祖母にふさわしいものだった。歌の裏に、なまじ遷都や亡き夫や息子への回想などをすべりこませるのはよそうと祖母は心にきめているのだろう。愚痴をこぼさず、ふりむかず、これ以外の生き方はないのだ、というふうに人生を歩み続けてきた祖母の軌跡をそこに重ねて、肉太な一筆書きにも似たこの歌に氷高は魂をゆすぶられずにはいられなかった。

高市の皇子の体の不調が誰の眼にもはっきり読みとれるようになったのは、その年の夏を過ぎてからである。海の向うから来た人々——なかでも医療のことに明るい人々の治療をうけても、いっこうにその健康は元には戻らなかった。

阿閉は御名部と交替にその病床につめている。

——もしも皇子に万一のことがあったら？

夫を失っているだけに、阿閉は人一倍不安にならざるを得ない。

「ひめみこ」

高市の病床から戻って来た阿閉は、やや疲れの見える面差に、ある決意のようなものを見せて、氷高を呼んだ。

「これから伯父さまの病気がよくおなりになるよう、お参りにゆきましょう」

晩秋のその日、すでに夕暮は近づきつつあった。

「お疲れではありませんの、お母さま」

「いいえ、大丈夫です。さ、暮れないうちに」

「お参りはどこまで」

「山田寺です」

山田寺は藤原京の南のはずれを東西に走る大路を、東の方へ少し入った丘陵の麓にある。薬師寺でもなく飛鳥寺でもなく、その寺を選んだ理由は氷高もわからないわけではない。その山田寺こそ、氷高の母方の曾祖父、阿閉には祖父にあたる蘇我倉山田石川麻呂の一族の冥福を祈って建てられた寺なのだから。

「いま、私たちがお祈りをするところはあの御寺しかないのです」

阿閉は、はっきりした口調でそう言いきった。

「あの御寺のことは、そなたにも、よく話しておかなければなりません。さあ行きましょう、馬の用意をさせてください」

馬上の人となって大垣の近くまで来たとき、馬を停めて彼女たちを待ちうける長屋王の姿を氷高はみとめた。

夕映えの塔

ここは黄金の仏の国――。

異国ふうな獣身を側面に刻んだ山田寺の金堂の石の階を上るたび、氷高はそう思う。扉を開けると、黄金の光が眼にまばゆい。壁を埋める金箔押しの塼仏は幾百体であろうか。堂内にともされた御灯が揺れるたび、それは微妙に息づき、ときには袖を連ねてゆらめき舞うかのようであった。

これら小さな仏たちに荘厳され、仏国土の中央に位置する丈六の仏のみつめる全き宇宙とはいったい何なのか？　十六歳の身には手にあまることを、つい考えないではいられないほど、仏の眼差は深い。余分なためらいの一切を切りすてた、眉から鼻梁にかけての明快な造型、そして豊かな頰。唇にはほのかな微笑さえもある。黄金の塼仏たちが、かすかにゆらめき舞い、そして声なき声で歌う讃歌に耳を傾けての微笑なのか……。

いま現実に氷高が耳にするのは衆僧の読経の声だ。にわかな参詣ではあったが、阿閉、氷高、長屋といった高貴な一族の来訪はいちはやく寺に伝えられて、堂内には、あかあかと灯がともされ、衆僧の祈りの声に満ちていた。

仏の前にぬかずく阿閉は、合掌し首を垂れたまま塑像のように動かない。

――皇子高市の全快を。

母と並んで仏前に合掌する氷高の眼裏に、いま、一つの光景が浮かびあがってきている。ちょうど十年前、この仏像の開眼供養の行われた日のことだ。

――あれは三月も末のことだった。お母さまは今と同じように、この御仏の前で合掌していらっしゃった。そして私は六つ……

中心に坐っていたのは、祖父の天武、そのきさきである祖母。つづいて若々しい面差の父草壁、そして母。皇子高市も、その妻である伯母の御名部も長屋もいた。

が、いまは天武と父の草壁はこの世にいない。伯父の高市の病は重く、伯母はその枕頭を離れることすらできない。そして祖母はたった一人で政務をひきうけている。この十年の間に何という変りようであろう。

灯影のまたたく度に、思いなしか黄金の仏たちも、頰を翳らせ、ひそかな吐息を洩らしているかのように見える。そして中央に端座する丈六の御仏のみは、いよいよ豊かに、さわやかに、宇宙の彼方をみつめている。まるでとりつくところもないほどのこの巨きさ……。微小な人間の悩みが、はたしてこの巨きな御仏の耳に届くのだろうか。

僧侶の読経の声がいよいよ昂まってきたにもかかわらず、氷高はしだいに絶望的になっていった。ついに心のおののきに耐えきれなくなってぬけだすと、御灯をともしてもほの暗かった堂内と違って、外はやっと夕映えがはじまろうとしているところだった。淡い茜色を帯びはじめた空を背に、金堂の前には五重の塔がそそり立っている。

その塔の宝珠(ほうしゅ)の彼方をよぎろうとしている雲もほのかに紅い。衆僧の声もいまは遠く、人影ひとつない寺域は、静謐(せいひつ)の夕暮を迎えようとしている。思わず深い吐息を洩らしたとき、背後に人の近づく気配がした。沓音(くつおと)をたしかめるまでもなく従兄の長屋であることはすぐ知れた。

やがてその手が肩に触れるのにまかせて、氷高は塔を見あげていた。

「疲れたの?」

長屋の声はやさしい。

「いいえ、ただ……」

言いさして口をつぐんだ氷高に、彼は静かにうなずいた。

「私も、あの御仏をみつめていられなかった」

氷高はそらおそろしいような気がした。

――何と私と同じことを考えているひとなのか……

肩に手をおいたまま、空を見あげて、彼は呟くように言う。

「自分の心に翳のあるとき、あの御仏の顔はまぶしすぎるのさ」

「……」

「壮麗すぎる。完璧すぎる、といってもいいだろうな」

――このひとは、私の心の中にあるものを、はっきり言いあててくれた。私自身よりも明快な言葉で。いや、探ろうとして探りあてたのではない。まさに同じことを、同じときに二人は考えていたのだ。

ふしぎな一致が氷高の心を震わせた。

その間にも夕映えは少しずつ色を深めていた。阿閉が姿を現わしたのはそのときだ。

「これから七日間、不断の読経をするように法師たちに申しつけておきましたからね。長屋王、父君はきっとよくおなりになります」

幅の広い胸を反らせて言う阿閉の言葉は確信にみちていた。いつも足取りはゆるく、たじろぎを見せない母であった。

しかし、その母が、

「そうですとも、高市皇子にはお元気になっていただかねばなりません」

と、言ったとき、ふと、その言葉の調子に彼女はこだわった。

——私の耳は聞き誤りをしたのだろうか。

確信にみちて聞えた母の声には、それ以上の何かがあったのではないだろうか？　豊かな白い頬を思わずみつめなおしたとき、

「私たちは、いま、やっとここまで来たのですもの」

母の瞳は塔の彼方をよぎる雲に向けられていた。

「まあ、美しい夕映え」

それから二人をふりかえった。

「あの塔の下に、何が埋めてあるか、そなたたちは知っていますか」

宝の塔だ——と母は言った。

塔の心柱を支える礎石の底に碧玉をくりぬいた小さな瓶が納められている。その玉瓶の中に

は仏舎利が八粒――。

「その仏舎利はね、遠く海の彼方から送られてきたものなのですよ」

海の彼方――。それは氷高の想像を絶するところだった。

その碧玉の瓶は、純金の壺に納められている。純金の壺は、さらに銀の壺に入れられ、さまざまな珠玉とともに、鍍金の壺に納められた。さらにきらめくばかりの珠玉を入れた大鋺にこれを納めて、その上に塔は建てられた。

「まだ長屋王もそなたも生れていないころのことです。そう……、私がそなたよりも幼いころですけれど、塔の礎にこれをお納めしたときのことを、よく覚えています」

そして、それこそ、氷高の祖父――つまり現帝持統の夫である天武が、治世の初年に、まず手がけた事業なのであった。

ではなぜ、かくまで鄭重に、金銀財宝を施入して塔は建てられたのか？

それはこの塔が持統たちの祖父、蘇我倉山田石川麻呂の追善供養のためのものだったからだ。それも単なる追善ではない。彼はそれより二十数年前、謀叛人の汚名を着せられて、この仏殿の前で非業の死を遂げている。塔の建立は、彼の名誉回復の意味を持つ。そしてそれこそ、天武治世の初年にあたって、まず何を措いてもなすべき政治行為だったのである。

氷高に阿閉は語った。

「私たち姉妹は、御祖父さまのことを忘れませんでした。そして御祖父さまを陥れた人たちのことも……」

なぜならそこに宿命的な悲劇がからんでいたからだ。

系譜的なことに、ここでふれておこう。倉山田石川麻呂の娘のうち、遠智娘、姪娘と呼ばれた二人は、天智がまだ中大兄皇子と言われていたころ、揃ってその妻となった。のちに遠智娘に生れたのが現帝持統（鸕野讃良皇女）、姪娘に生れたのが、御名部（長屋の母）と阿閉だったのである。

政略結婚、と言ってよいだろう。彼女たちの父と母を結びつけたのは、ひとえに政治情勢だったのだから。当時天皇家を支えていた最有力豪族は蘇我氏——その権力は女帝の叔父の馬子、そして死後はその子蝦夷、さらにその子入鹿へと伝えられていた。

文中で語られる蘇我氏と天皇家の系図
（ただし年齢順序不同、文中に登場するものを主とし、他は省略している。太文字は「蘇我の女たち」）

蘇我稲目
馬子　欽明　**堅塩媛**
蝦夷　倉麻呂　**推古**　敏達　用明　桜井
入鹿　倉山田石川麻呂　赤兄　日向　田村（舒明）　**田眼**　**吉備姫王**
宝（皇極）　孝徳
藤原鎌足　宅子娘　**姪娘**　天智（中大兄）　**遠智娘**　**持統**　天武
耳面媛　大友　**阿閉**　草壁　**御名部**　高市
氷高　軽　**吉備**　長屋

倉山田石川麻呂もおなじく馬子の孫——つまりその父倉麻呂は蝦夷の兄弟であり、入鹿とは従兄弟だった。肥大しすぎ、繁栄の極に達していた蘇我家は、そのころ内部分裂がはじまったのだ。倉山田石川麻呂の中にあったものは入鹿への親愛感よりもライバル意識であり、彼もまた虎視眈々、入鹿打倒の機を窺っていた一人だった。

その彼と、現状に不満を持つ中大兄が結びつくのは自然のなりゆきであり、それが二人の娘が中大兄の妻となった理由である。入鹿を刺し、蝦夷を死に追いやった乙巳の変は、だから中大兄と倉山田石川麻呂の共同作戦でもあった。

が、入鹿討滅の数年後、両者の間に摩擦を生じた。当時皇位についていたのは孝徳だが、その下で右大臣の要職にあった倉山田石川麻呂のことを、

「中大兄を害するつもりだ。謀叛を企んでいる」

と密告するものがあった。孝徳朝の都は難波にあった。倉山田石川麻呂は危険を感じて故郷の飛鳥へ逃げ帰る。そのころ、この地の東北の山際の台地に、彼は寺を造っていたのだった。指揮にあたっていたのは長男の興志だが、事情を聞いた彼はただちに戦闘準備に入ろうとした。しかし父はそれをとどめて言った。

「自分がこの寺に戻ってきたのは、安らかに死なんがためだ」

と言って、金堂の前の礼拝石の所で自殺し、妻子もその後を追った。孝徳側の軍勢が飛鳥に到達する前に、その一族はすべて命を絶っていたが、攻め手は死んだ倉山田石川麻呂の首を刎ねて帰っていった。遠智娘が産んだ鸕野皇女がたった五歳のときのことである。まだ御名部も阿閉も生れてはいなかった……。

が、彼女たちは知っている。中大兄のきさきであるゆえに、生き残った母たちの前に待ちうけていたのは死よりも辛い日々だったことを……。

謀叛人の娘たちは人眼を避けて生きねばならなかった。倉山田石川麻呂が世を去ると、中大

兄の側には次々と若いきさきが登場した。

塔を見あげたまま、それらの日々を思いだすように阿閉は言う。

「私たちは、そのことを決して忘れはしません。お母さまたちは、悲しみの中に死んでゆかれたのです」

それから二人を顧みて、毅然（きぜん）として言った。

「無実なのです。お祖父さまは謀叛など企んではおられなかったのです。でも偽（いつわ）りの告げ口をしたものがいて……」

「それは誰です」

氷高は思わずそう叫んでいた。

「その人をお母さまはご存じなのでしょう」

次の言葉を待つ氷高には答えず、阿閉は中門の方へゆっくり歩みはじめていた。その白い頬にふしぎな翳のよぎるのを、氷高は見たように思った。

山田寺では南から北に向って、中門、塔、金堂が一直線に並び、連子窓（れんじまど）をはめこんだ回廊の白い壁が、それらの建物をぐるりとかこんでいる。

阿閉は供人（ともびと）の待つ中門の外には出ず、静かにその回廊を歩いている。蒼灰色を帯びた回廊の白壁にも、夕映えの色はにじみ、無言で歩く三人の影は長い。

回廊の東南の角を少し曲ったところで、阿閉は歩みをとめた。

「ごらんなさい。ここから塔を見るのが私はいちばん好きなのです」

黒々とそそりたつ塔を仰いで彼女は呟いた。

「お祖父さまの御生前には、まだ塔はありませんでしたけれど」

氷高は母の言葉を遮った。

「それよりもお母さま、私は讒言（ざんげん）した人の名を知りたいのです」

「……」

あきらかに母の頬にはためらいがあった。

「教えてくださいませ、ぜひ」

沈黙のときが流れ、夕映えがいよいよ色濃くなったとき、阿閉はやっと口を開いた。

「お祖父さまの異母弟（おとうと）です」

「異母弟？」

「そうです、蘇我日向（そがのひむか）。軍を率いて攻めにきたのもその日向でした」

倉山田石川麻呂が、蝦夷、入鹿を倒したとき、すでに異母兄弟の間で内部分裂ははじまっていたのであった。

「ではなぜ、そのとき、それが無実だと、日向の讒言だとおっしゃらなかったのでしょう」

阿閉の頬の苦悩の翳が深まった。

「言っても無駄でした。お祖父様は絶望しておられたのです」

「なぜ」

「無実であることを信じてくれるはずの方に、すでに裏切られていましたから」

「それは誰です」

「……」

頬をそむけた母を、なおも氷高は問いつめた。

「裏切ったのは誰です」

夕映えが血のように紅くなった。前よりさらに深い沈黙の後、やっと阿閉は口を開いた。

「私たちのお父さまです」

「えっ」

「中大兄皇子です」

氷高は絶句した。血族の中にからみあうこの愛憎の深さ！　その血がいま自分の中にも流れている、という思いが、氷高の胸を凍りつかせた。

倉山田石川麻呂の死後、中大兄はその無実を知って深く悔んだという。日向は筑紫の大宰(だざいの)師(そつ)に任じられるという形で配流(はいる)された。

では、倉山田石川麻呂の恨みははらすことができたのだろうか？　そうではないことを誰よりもよく知っているのは遺された娘たちだった。

――夫の中大兄が、はじめから父の無実を信じていたら、この事件は起こらなかった。

しかし、事件はそもそもでっちあげであり、中大兄は、はじめからそこに加わっていたのだ。

彼はわざと舅(しゅうと)の謀叛を信じるふりをしたが、それに対する反感の強いことを知ると、後悔するふりをし、埋めあわせのように遺された娘たちを愛撫(あいぶ)してみせもした。

娘たちは、それがいつわりのしぐさであることを、女の本能で嗅(か)ぎあてていた。だから御名部も阿閉も、いつわりの愛の所産でしかなかったともいえる。夫に対する不信、父の異母弟たちへの不信――。日向は流されたが、もう一人の異母弟赤兄は、二人の兄の失脚を幸い、中大兄の傍に娘を入れ、やがて肩で風を切って歩きはじめた。

このすさまじい不信の世界の中で、二人の娘は肩を寄せあってわが子を育て続けた。が、遠智娘は力つきたように男児を産んでまもなく死ぬ（この皇子は口がきけず八歳で死ぬのであるが）。そして姪娘も……。彼女たちが死んだとき、母の違う遺児たちも肩を寄せあって生きるよりほかはなかった。父とも呼べない父を遠くに眺めながら……。

――まあ、この明るいお母さまが……

信じられないことだと氷高は息を呑む。それに応えるように阿閉はゆっくりうなずく。

「不遇の中で人間は強くなるのです」

聞くべきではなかったかもしれない。が、このとき氷高は聞かずにはいられなかった。

「お母さま、では、お母さまは、中大兄さまを、父君を恨んでいらっしゃるの？」

「恨む？」

阿閉は微笑して首をふった。

「恨んではいないでしょうね。ただ私たちはお母さまたちの悲しみを忘れないだけ。それに、大きくなるとさまざまのことがわかってきましたから……」

長ずるに及んで鸕野や御名部の知ったのは、父のおかれた政治的環境である。父中大兄には心を許した臣下がいた。彼の助言は大きく中大兄の政治路線を左右している。

その人の名は藤原鎌足――。

古代国家成立を推進した功労者でもあるが、その胸の底に巣くうものも、彼女たちの眼にはしぜんと映ってくる。

孤児独得の鋭い勘かもしれない。鎌足はたしかに巨人だ。権謀の才もずばぬけている。娘たちはこの巨人が蘇我一族にむける冷たい眼を敏感に感じとった。

彼女たちの祖父、倉山田石川麻呂と中大兄を結びつけたのも鎌足の策略だったようだが、その仲をひきさいたのも、彼の謀略に違いない。祖父と日向の対立は彼の望むところだったろうし、残った赤兄も、ときに鎌足にきりきり舞いさせられている。

こうして鎌足が望んだものは？　中大兄の子、大友皇子と、わが娘耳面媛(みみもひめ)の結婚だった。ぬけめない鎌足は、もちろん中大兄の弟の大海人(おおあま)（のちの天武）にも娘を近づけていたが、彼の真に望んでいたのは大友皇子の即位ではなかったか。

が、その夢を果せぬまま鎌足は死ぬ。中大兄が即位して天智帝となって二年めのことである。そして鎌足の亡き後もまるで天智は鎌足の霊に操られるかのように、大友をしだいに政治の中央に引きだしてきた。

蘇我の血をひく娘たちにとって、これは許せないことだった。そもそも大友皇子の母は、伊賀の釆女(うねめ)、宅子娘(やかこのいらつめ)で蘇我の血は入っていない。しかも藤原氏の娘をきさきの一人とするこの皇子が即位するとすれば、蘇我堅塩媛(きたしひめ)が欽明のきさきとなって以来、固く結びついてきた天皇家と蘇我との間は絶たれてしまうではないか。

――そんなことを許しはしない。

人一倍強くそう思ったのは鸕野だった。すでに大海人の妻となっていた彼女が、近江朝廷と袂を分かち、病める父天智をおいて、夫とともに吉野に籠った最大の理由の一つはここにある。続いて起こる壬申の戦には複雑な国際関係がからんでいたことはすでに触れたが、彼女たちは、もう一つの意味をこの戦いにこめていたのである。

してみれば飛鳥に帰還した天武が、まず最初に手がけたのが山田寺の復興だったことは当然といってもいい。蘇我の故地に都が戻り、蘇我の血をひく鸕野は皇后になったのである。寺はすでに荒れていた。倉山田石川麻呂が死んでから、二十数年の歳月が流れている。天智は在世中、形ばかり山田寺再興を言いだしてはいるが、それは反対勢力をなだめるための手段にすぎず、実際に着手したのは天武だった。

このときは倉山田石川麻呂の造った金堂にも新築同様に手が加えられた。金箔を押した塼仏が壁を飾るようになったのもそのころである。丈六仏が鋳はじめられたのは、六七八年、そして開眼供養が行われたのが六八五年、六歳だった氷高の憶えているのはその光景だが、三月二十五日という日が、まさに倉山田石川麻呂の自刎したその日だったことを、いま、はじめて氷高は母の口から聞いた。

死後満三十六年、倉山田石川麻呂の冤罪はまさしくすすがれたのである。丈六の仏は、この飛鳥のどの寺のものより大きかった。推古女帝の時代に造顕された法興寺（飛鳥寺）の仏像は人の目を奪うほどの大きさだったが、山田寺のはさらに大きく輝かしい。法興寺が馬子から蝦夷、入鹿一族の栄光をたたえる寺だとすれば、これを上まわる荘厳な倉山田石川麻呂系の寺が出現したのである。

彼の孫娘たちの忍耐は遂に報われたのだ。いまは誰にも憚ることなく、この寺の豪奢な存在を誇ってよいのである。天武はそのころ薬師寺の造営にとりかかっているが、まだ完成をみていない。

開眼供養を終えた翌年、天武は病床に臥し、九月九日他界した。そしてやがて草壁も……。倉山田石川麻呂の名誉回復が行われたのもつかのま、今度は病魔が彼らの周辺を次々襲いはじめたのだ。

「お母さま、戻りましょう。お寒くなります」

日ごろは明るく、大らかで翳をみせない母の心の底にあるものを、氷高は今日、はじめて覗いてしまった。栄光の皇女というより、むしろその半生は孤独な、鬱屈にみちたものだった。そして異母姉の持統が即位した後も、身辺に安らぎはないのである。にもかかわらず、背筋をぴんと伸ばして、いつも華やかに振舞う母をみごとだと氷高は思った。

「さ、参りましょう」

今度は長屋が促す番だった。空の半分をあざやかに染めていた夕映えはすでに力を失ってしまっている。

「そうですね。暮れないうちに」

馬を歩ませやすい大きな道を選んで一行は藤原宮に向った。馬上の阿閉も氷高も長屋も無言だった。しばらくして、ふと眼をあげて西を見た氷高は思わず声をあげそうになった。すっかり夕映えは終ってしまったと思っていたのに、一角だけが異様に紅い。それも澱(よど)んだ紅、濁った血潮を思わせる凶々(まがまが)しい紅だ。そしてその不気味な夕映えの中に、くっきり二つの峰を浮き出させているのは二上山(ふたかみやま)であった。

そしてそこには、もう一つの悲劇の塚があることを氷高も知っている。が、阿閉は遂にそのことには触れなかった。

すでに東の空は暗い。山田寺はいま、小さな尾根にかくれて見るべくもない。

彼らの祈りも空しく、翌年高市はこの世を去った。七月十日のことだった。

黄菊の裙(も)

高市皇子(たけちのみこ)の葬礼は、いかめしく、かつ荘重をきわめたものとなった。太政大臣(だいじょうだいじん)とはいえ、老齢に近づきつつあった女帝持統の事実上の共同統治者であり、かつ、後継者とみなされていた人物の葬(はふ)りの儀式であってみれば、前皇太子草壁のそれに匹敵する荘重さで行われたのも当然のことだったかもしれない。

挂文(かけまくも)　忌之伎鴨(ゆゆしきかも)　言久母(いはまくも)　綾尓畏伎(あやにかしこき)……

柿本人麻呂の挽歌(ばんか)は、彼の詩才のすべてをつくしたかと思われる長大なものだった。それでも彼はこの有能な皇子の死を悼(いた)みつくせない、といった面持ちで殯宮(あらきのみや)にこの歌を捧げたのだったが、この重々しさ、いかめしさを、

——凶々(まがまが)しいまでに……

と、氷高(ひたか)が思ったのはなぜか。あまりにいかめしすぎる葬りの式が、悲しみを通りこした凶々しさをもって迫ってきた理由をつきつめれば、葬礼の前夜、彼女が、一瞬うけとめたお祖

母さま——持統女帝の視線にゆきついてしまうだろう。

高市の死の前後、持統は人前では、ほとんど動揺を見せなかった。

——人の死？　ええ、私は、さまざまの死を見てきましたから……

あたかもそういうごとく、彼女は冷静に高市の臨終の知らせをうけとめ、冷たすぎるほどの平静さをもって、葬儀についての指示を与えた。風にも嵐にも、来るものには胸を反らせてたちむかうというような毅然とした祖母の、巌のような姿を、ひめみこ氷高はそこに見た。

が、内廷に戻ったその夜、限られた肉親の夕餉の席に臨んだ祖母の眼は、むしろうつろだった。胸を張り、ゆるやかな歩みで席につく物腰には昼間見せた威厳が保たれてはいたが、卓に肘をつくと、両の掌の中に額を埋めて、しばらくは声も出さなかった。

そして、卓におかれた燭が、風を吸って、ほの暗くゆらめいたとき、吐息のように、祖母は言ったのである。

「私の思ったことは、ことごとくはずれてゆきます」

席に連なる氷高の母、阿閇。そして三人の子供たち……一座には、寂として声を放つものはなかった。その中で燭のみが静かに焔を伸び縮みさせていた。

「世の中では、この私を運の強い女だと思っているようですけれど……」

祖母は、ひとりごとのように言った。

「でも、私にはそうは思えません」

帝王の威厳を洗い落した、むしろ弱々しさをさらけだして、祖母は阿閇を見つめながら言った。

「私は吾子（草壁）とそなたに、私たちの後を託するつもりでした。でも吾子は私をおいて逝ってしまいました。そしてその次に望みをかけたのが高市と御名部でしたのに……」

ふたたび両の掌に額をあずけて、祖母はつぶやいた。

「でも、高市も逝ってしまいました。私たち姉妹は、みな夫を奪われてしまったのです」

持統は夫の天武に先立たれた。異母妹の阿閉は草壁に、そして今度は阿閉の同母姉の御名部が高市に……。いずれも天寿を全うした死とはいえなかった。蘇我倉山田石川麻呂の孫娘たち――つねに天皇家の傍にきさきとしてあった、尊貴な蘇我氏の血をひく彼女たちを三たび襲った運命は、ただの偶然だったのであろうか。

さすがの女帝持統もいまは迷う。壬申の戦を乗りきり、男まさりの度胸を持つ彼女のたじろぎを、氷高はその夜、見てしまったのである。

ややあって、祖母は掌を離した。しいて背筋を伸ばして、ゆっくりした口調で人々を見廻しながら言った。

「私たちは、倉山田石川麻呂さまの御無念をはらしたい一念で生きてきました。こうして飛鳥の地へ都は戻り、私はきさきになり、蘇我の家の栄えは戻りました。山田の御寺もみごとに造られ、望みを達したともいえます。でも――」

栄光は常に不運に縁どられるのか、それとも……。せめぎあう幸と不幸をかかえて、この先どういう道を辿るべきか。

氷高は、偉大でありすぎる祖母を、やっと少し理解しかけたような気がした。そして、そのときである。祖母の、鋼のごとくきびしく、それでいて、一抹の温かさと、蒼い海のようなやさしさを湛えた視線が、氷高に投じられ、あっと気づくまもなく、静かに離れていったのは……。

氷高は、すみれ色の瞳で一瞬祖母の視線を追った。が、祖母の視線は、二度と彼女の許には帰ってこなかった。

祖母は母に向って、呟くように言っていた。

「ここが、むずかしいところです。私たちはよく考えなければなりません」

が、胸をうつのは、その言葉ではなかった。激しく氷高の面をかすめ、一瞬にして去ったその視線が、いまも鍼のごとく彼女の胸を刺し貫いている。

「お食事を召しあがりませんか」

母の阿閉にうながされて、祖母は表情をやわらげた。

「鈴を振って下さい。食事のあとで、御名部も呼んで話をしましょう」

鈴の音を待ちうけていたかのように現われたのは、氷高の弟、皇子軽の忠実な乳母、県犬養三千代であった。

食卓にある間、氷高は全く無言だった。すみれ色の瞳は、長い睫に蔽われて伏せられ、二度と祖母や母の顔を見ることはなかった。

翌日、葬礼の座にあって、行われる儀式の数々を、凶々しいほどの荘重さと感じながらも、氷高は、昨夜の祖母の視線のことを考え続けていた。

未来図――。

もしそのようなものがあるとしたら、ひめみこ氷高が祖母と視線をあわせたとき、ふと見てしまったものは、そのようなものであったのかもしれない。

たった一瞬のことだけれど、彼女は祖母の眼差の中に、無言の言葉を読みとったような気がしたのだ。

祖母と、祖父の天武。母と父の草壁、伯母の御名部と高市――。その構図の延長にあるのは？　それはわが身と長屋、それしかないではないか……。

凶々しい未来図だ。

幻のように重ねあわされるのは、またしても葬りの儀式……。それは、いま行われている高市のそれではなくて、長屋の。

いえ、いけない。そういうことがあってはならない。

ふと思い出されるのは、母、阿閉のかつての言葉である。

「夕占問（ゆうけどい）というのを知っていますね」

その女の言ったというおそるべき運命……。

それが何であるか、いま氷高は、はっきりわかるような気がした。

――長屋王を愛してはいけない、ということなのだわ。

すぐ近くに座を占める長屋の整った横顔をしいて氷高は見まいとした。

――もしも、私が、ほんとうに愛しているとしたら、決して、宿命の渦にこの人をひきこんでしまってはいけないのだわ。

が、さしあたって、高市の死後、祖母はどのような政治布石と未来図を抱えているのか、昨夜、氷高、軽、吉備たちが退（さが）ったのと入れかわりに、ひそかに呼び迎えられた御名部や母や祖母の間で、どのような話しあいが行われたかは知る由もなかった。

日をおいて行われた高市の後継者を決定する会議はかなり紛糾した。女帝持統が、はじめ、具体的な提案をせず、有力な皇族、重臣たちに論議を尽すことを命じたからである。

「高市皇子が亡くなられた以上、当然その弟である天武系の諸皇子の中から後継者を出すべきだ」

こう強力に主張したのは、みずからも天武の皇子であった弓削であった。もっとも彼が執拗にこの主張をくり返したのは、みずからの野望のためというよりも、彼の同母兄である長皇子をその座につけたかったかららしい。

もちろんこれには反論も出る。それぞれの腹のさぐりあい、駆けひきが行われ、会議は一度では終らなかった。

二度、三度、続けられた会議の模様は、もちろん氷高の知るところではない。まだ十七歳の皇女にすぎない彼女はその席に連なってはいなかったからだ。

そして数刻後。

「ひめみこさま」

慌しい沓音が、氷高の許へ会議の結論を伝えてきた。

「軽皇子さまでございます、お後継は」

満面に笑みを湛えて、そう告げたのは、皇子の乳母、県犬養三千代だった。

「まあ、皇子が?……」

「左様でございますとも、お喜びくださいませ、ひめみこさま」

　三千代はそわそわし、一瞬もじっとしていられない、というふうに、青い裙のすそをしきりに揺らせた。

「そう、でも、皇子はまだ十四。皇太子になられるのは、荷が重すぎない？」

　氷高はむしろ落ち着いていた。この決定の前後にあるものを、もうすこし知りたい、と思った。

「ええ、左様でございます。ですから、いずれ、ということで、いましばらくは女帝さまが万機をごらんになります」

「おひとりで？」

「はい」

「それは大変ねえ」

「ええ、でも、そのうち皇子さまも大きくなられますし、阿閉さまが、女帝さまの片腕として、皇子さまとともに……」

「お母さまが」

「はい」

　そうだったのか——と複雑な思いで、氷高はその決定をうけとめた。

　会議のなりゆきについて、その数日後、さらにくわしい報告をしてくれたのも三千代である。

「いろいろお後継になりたい方が多くてたいへんだったそうでございますよ」

「そうでしょうね」

「そのとき、一番いいことを言ったのは、誰だとお思いになります？」

「さあ」

「葛野王──ご存じでいらっしゃいますか」

「ああ、あの十市さまの……」

氷高はその名を聞いて、ちょっと翳のある、おとなしい貴公子の横顔を思いだした。

葛野王──彼もまた宿命の児のひとりである。父は壬申の戦で非業の死をとげた大友皇子(天智の皇子)、母は歌人額田王が天武との間に儲けた十市皇女。母十市はその宿命にもまれ、戦後、葛野を連れて飛鳥へ戻った。戦が起こったとき、まだ四歳の幼児にすぎなかった葛野は、その後、母をも見送って、いま、二十八歳の青年貴族として、治部卿の席にある。

「あの葛野王が申しましたそうな」

三千代は眼をきらきらさせて言った。紛糾する一座を見渡して、彼は涼やかな声でこう言ったのだという。

「弟が兄を継ぐのもよろしい。が、それでは、またそのことから壬申の折のような争いが生じてもよろしいということですな」

葛野王という運命児の一言には、人の心をどきりとさせるほどのものを含んでいた。

──あなた方は、もう一度、壬申の戦を起こそうというのか。そして、私のような人間を、もう一度この世に送りだしたいのか。

天武の皇子、六人。天智の皇子、一人。葛野王のような皇孫の世代十数人。その座にあった誰も、暗い記憶をよびおこすその言葉に、遂に反駁することができなかった……。

それでも、弓削皇子は、

「いや、そういうつもりではないのだが」

辛うじて口を開いた。が、葛野王は弓削へゆっくりと眼差を向けた。それはあくまで物静かではありながら、無言で白刃をつきつけてくるような迫力を持ち、こう言いかけているようだったという。

――それでも、と言われるのか。あなたが後継者になりたいと言うのなら、私にも十分その資格はある。相手になってやってもいいぞ。

弓削は葛野の祖母、額田とも親交のあった皇子である。それだけに親しみの交じりあった凄味のある笑みは、弓削の唇を閉じさせるに十分だった。

人々の沈黙をたしかめてから、葛野は言った。

「さ、この問題はこれで終りにしよう。後継者はもうすでにきまっている」

伊賀采女宅子 ＝ 天智 ＝ 額田 ＝ 天武
大友（伊賀采女宅子・天智の子） ＝ 十市（額田・天武の子）
葛野王（大友・十市の子）

「何だって」

一座はざわめいた。

「きまっていないからこそ、こうして我々は話しあっているのじゃないか」

「そうかな」

葛野はもう一度、あたりを見廻してから言った。

「いや、これは、皆が何と言うか、肚の中にあるものをさらけださせるために行われた集まりじゃなかったのかね」

一座がぎくりとしたとき、葛野は止めを刺すように微笑し、それから女帝に一礼した。

「後継者は天意に従うべきかと存じます。女帝のお耳に天は何とささやかれたか、それを承らせて頂きたい」


やおら持統が身をおこし、自分の意思が軽にあること、しかしそれは将来のことであり、なおしばらくは自分が政務を見、ついで阿閉と軽に任せたい、ということを述べたのはその後であった。

「軽はまだ年若です。その任に耐えるか否かは、そなたたちの補佐にかかっています」

こうして長い会議には終止符が打たれたのであった。

「女帝さまはよくやったとおほめになったそうですが、それにしても、日頃おとなしい葛野王が、上出来じゃございませんか」

三千代はうきうきとしてそう言った。それからいよいよ上機嫌になってうなずいた。

「そうでございますとも、もう帝の御心はきまっておいでございましたとも」

「そうかしら」

氷高は、人もなげな、と言いたいくらいの三千代の手放しの喜びようを眺めながら、ふと、小さく呟いてしまっていた。

「そうでございますとも、軽皇子さまにきまっております」

「そうかしら。そう思うのね、そなたは」

「そうでございますとも」

確信にみちて三千代は言った。

そうだったのだろうか。

氷高の頭をふとかすめるものがあった。高市のおじさまの後に、私と長屋というような組合わせを、ほんの一瞬だけでも、お祖母さまがお考えになったことはなかったのだろうか。あのときの鋼のように勁(つよ)く、そして海のようにやさしい眼差は何だったのだろう。その中に何かを考えたのは、私の思いすごしだったのか、それとも、私たちの間でまたくりかえされるかもしれない悲劇を避けようとして、わざわざまわりくどい手をうち、軽を後継にきめたのだろうか。

葬(はふ)りの前夜の席をも含めて、お祖母さまは、すべてを計算しつくして行っておいでなのではないか。今度の軽の指名は、私と長屋のことに気づいておられて、二人をわずらわしい皇位の絆から解き放って、自由に結ばせてやろうとのお気持ではなかったか。いや、どうしても氷高はそう思いこみたかった。しかし、すべては人に問いただせることではない。母にも、まして祖母、持統にも、面と向って問うわけにはゆかない。持ちおもりのする荷物を、無言で手渡されてしまったように途方にくれながら、ふと氷高は端整な長屋王の面差を思いうかべていた。

そんな氷高を現実にひきもどしたのは三千代の声であった。

「ひめみこさま、ほんとに、あのおとなしい葛野王にしては上出来すぎますこと」

まだ彼女はそのことに酔いたがっているふうだった。そしてその数日後、内苑の中で黄菊を摘んでいた氷高に近づいてきた彼女は、

「わかりましたわ、ひめみこさま」

得意げに、こう語ったのである。

「葛野王には、軍師がついておりましたのよ」

「誰なのそれは」

思わず菊を摘む手をやすめたとき、氷高は一人の男の名を耳にする。

「田辺史(たなべのふびと)ですって」

「まあ……」

氷高は黄菊をとり落し、すっくと立上っていた。摘みかけた菊は、淡い紅色の裙のゆらめきにすがりながら、力なく裾へ散った。

「田辺史が、そんなことを言うはずがないじゃありませんか」

「私もそう思ったのでございますけれど……」

氷高は思わず口走っていた。

「私、あの人、大嫌い」

「ええ、そうでございますとも、私も、あんな男、大嫌いでございます」

氷高はすみれ色の瞳をじっと三千代に向けた。

「あれがどういう人間か、そなたも知っているでしょ」

「はい、それは……」

田辺史——。

女帝一族の前で口にすべからざるその名であった。

なんとなれば、彼こそ、亡き藤原鎌足の子、天武、持統たちにとって、忘れられない仇敵(きゅうてき)

の子だからである。

倉山田石川麻呂系の巻き返しともいうべき壬申の戦のとき、鎌足はすでに世を去っていたので、復讐の刃を向けられたのは、従弟の右大臣、中臣連金だった。その一族は、戦火に斃れたものが多かったにもかかわらず、すでに十五歳に達していた史は、たくみに乳母の田辺氏にかくまわれて命を全うした。

その後、史は田辺姓のまま、下僚として官界にもぐりこむ。出世はもちろん遅々として進まなかった。いつか彼が鎌足の子であることは人に知られるようになっていたが、そんなときでも彼は眼を伏せ、

「私は田辺史です」

唇をほとんど動かさず、そう答えるのを常とした。

事がすでに終ったいま、生きながらえて官界にもぐりこんだ彼を罪することはできない。彼自身は弱年で、戦の当時何もやっていないし、第一彼自身藤原氏でないと言いきっているのだから。

が、とるに足りない下僚の地位に甘んじている彼をも、倉山田石川麻呂系の女たちは決して許してはいない。氷高も、阿閉も、持統も……。女帝は彼に視線を巡らすこともしなかった。それを知らない史ではないはずである。

「私は史は大嫌いです」

氷高がふたたび声を強くすると、打てば響くように三千代の答が返ってきた。

「私も大嫌いでございます」

それから、いかにも蔑んだような笑みをうかべて、

「その嫌われものがお役に立つのですから、人間に廃りものはございませんですねえ」

三千代の話によれば、史はひそかに葛野に説いたのだという。

「私は藤原鎌足の息子という過去を忘れ、現在の地位に甘んじている。あなたも、父君、母君にまつわる宿命をお忘れなさい。そうすれば大局が見えてくる。その眼で見えたことだけを、はっきりおっしゃるのだ」

その史の言葉が葛野を励ました。

「おもしろいじゃございませんか」

三千代は肩をすくめながら言った。

「史は大嫌いでございますけれど、ああいう男もたまには役に立つものでございますねえ。ええ、そうでございますとも、皇子さまやひめみこさまのお役に立つものは何でも役に立たせた方がいいのですわ。あいつは太っちょで色好みで嫌な奴ですけれど。あいつは天武さまのおきさきだった異母妹の五百重さまが、天武さまの死後里下りしてくると、密通して子供を産ませるような奴なのです。それにあいつは……」

三千代の悪口はとめどなく続く。裙に黄菊をまつわりつかせながら、氷高は空を仰ぎ、無言で立っている。

闇深ければ

そのひとのやさしい息づかいが、からだ全体に伝わってくる。そっと双の頬を包んでくれる温かい手……。こんなにも身近に異性に寄りそって立ったことは、はじめてだった。ひめみこ氷高は、白い頬を長屋の手にあずけて眼を閉じている。内廷を蔽う闇は深ければ深いほどいい。雲の垂れこめたその夜の闇の中を流星のように尾をひいて、ひとすじの時が流れていった。

たしかに流星の光芒に似た捉えどころのない一瞬だったが、二人がはじめて唇をあわせてしまったそのときのことを、多分一生忘れないだろうと氷高は思った。長屋が奪ったのでもない、彼女が許したのでもない。ごく自然に寄りそったとき、闇の中を走りぬける光芒に二人は捉えられたのだ。

頬を挟んでいた長屋の手が、そのまま氷高の肩へとすべった。

「寒くはない？」

「いえ、ちっとも」

「おそくなってしまったね」

十一月の末、日の暮れるのは早かった。長屋の母の御名部（氷高の伯母）をたずねての帰り、闇を気づかった長屋が、内廷まで送ってくれたのも当然のことだったし、その闇が二人に時を与えてくれたのも自然のなりゆきだった。

「これ、かけてあげよう」

長屋は表着を脱いで氷高の肩にかけた。ふうわりと肩を覆った衣の上から、長屋は彼女をそっと抱いた。が、その指が肩から胸へとすべってきたとき、思わず氷高は長屋の手をはねのけていた。

長屋は、はっとしたらしい。

「許してくれる？」

長身をかがめて顔をのぞきこむようにするのに、氷高はかすかにかぶりをふった。

――そうではないの。

できればそう言いたかった。瞬間自分でも思いがけない疼きが乳房に走ったのを、長屋に知られたくなかったのだ。

しばしためらいをみせてから、真剣な口調で長屋は言った。

「母宮のお許しは得られるだろうか」

氷高の母である阿閉皇女の意向は、二人の結婚について大きな意味を持つ。恋しあった男女が結ばれるとき、まず女の母の許しを得るのが当時のしきたりだったからである。

「もちろん、いますぐでなくてもいい。私だって父君の喪に服していることだから」

その父、高市の死こそが、二人の魂を急速に近づけたともいえる。

「何によっても埋めつくされない空洞が胸の中にできてしまった」

感じやすい青年はこう言い、

「私はあなたへの心づかいが足りなかった。あなたは十歳のとき、父君を失っていられるのに……」

むしろわびるような眼差を向けた。

「いえ、私は幼すぎて、死の意味がわかりませんでしたもの」

と言う氷高に、

「そういうあなたのいじらしさに気づかなかったことが悔まれるんだ」

長屋は悲しそうに言うのだった。氷高はいま、彼の寂しさを分け持つのは自分しかいない、という気さえしている。寂しさを知ることは人生の深みに気づくことだ、その寂しさを分ちあうというのは、傷を舐めあうことではない。が、寂しさを知ったとき、愛は、むしろ勁いものになる……。十七歳の氷高はおぼろげながら、そう思いはじめていたのだった。

——流星の光芒に似た瞬間に、お互それをたしかめあった。

という気がした。どちらともなくうなずきあい、肩を寄せあって歩みはじめたとき、行手の闇がちらと揺れた。その中で、おぼろげに二つの人影が重なり、もつれあったかと思うと、さらりと離れた。足音をしのばせるようにして門外に向ったのは男の影——。

とある柱の影に身をひそめ、息をつめて見守っていた二人は、一方の影が、ゆるやかな足取りで内廷の奥に向かうのを見た。よくある女官と官人とのしのびあい——とすれば珍しくもない光景だったが、女の影に眼をこらしていた長屋は、そっとささやくように言った。

「県犬養三千代じゃない？　あの影は」

氷高の眼はそこまでたしかめられなかった。

「そうかしら」

首をかしげながら、彼女はふとたじろぐ。その影が、身をひるがえしたとき、一瞬、噎せるばかりの女の香をあたりにふりまいたからである。闇がそのときだけ、華やかな色どりに輝いた、と思ったのは錯覚だったろうか。

——あれがもし、三千代だったとしたら。

氷高はさらに首をかしげる。三千代の夫の美努王は、いま筑紫の任地にいるはずだからだ。二人の間には、葛城王、佐為王、牟漏女王の三人の子がある。美努王は敏達系の血をひく人物で、天皇家との血縁はきわめて薄い。ただ父の栗隈王が、壬申の戦の折に近江に味方しなかったことから、天武朝になって官界に進出するようになった。一方、県犬養の一族も壬申の戦の折には天武方として活躍している。三千代が後宮に出仕したのもそのためで、そうした男女が結ばれるのは珍しいことではなかった。

美努王がいま都にいないとすれば、あの男の影は誰なのか。いや、いったいあれは三千代なのか？　自分が乳母として育てた軽皇子が持統女帝の後継者ときまって以来、三千代の貫禄はとみに加わった。一瞬まばゆいばかりの女の香をまきちらしたあの影は、その三千代と重なるようでもあり、重ならないようでもあった。

「じゃ、気をつけて。今度会えるのはいつ？」

額にそっとくちづけしてくれた背の高いそのひとをふり仰いだとき、雲間にきらりと光るものを見たように氷高には思えた。

――あ、極北の星。

身を震わせて顔を伏せた。

その光を見まいとした。

――なぜこんなときに、その光を見てしまったのか。

長屋の問いに答えもせず、氷高は身をひるがえして走りだしていた。なぜ突然体を引き剝がすようにしていってしまうのか――と、もの問いたげに立ちつくす彼の瞳を意識しながら……。

やはり虹いろの夢を見すぎていたのだろうか。

数日後、長屋とのことを打ちあけ、許しを求めたとき、母、阿閉皇女の反応は覚悟していた以上にきびしいものだった。

「覚えているでしょうね、氷高。三年前に私が言ったことを」

「夕占問のこと？」

「そう」

母が若いとき、夕占問の女が言った言葉を氷高は忘れはしない。

が、すみれ色の翳を瞳に走らせて、氷高はひるまずに母をみつめて言った。

「でも、お母さまは、あのときおっしゃったわ。夕占問なんてあまり信じないって」

「ええ、言いました」

「だから私も信じないの」

母はゆっくりうなずいた。

「でも、私は言ったはずよ。信じないけれど、そなたたちが不幸になることは防ぎたいって」

「……」

「不幸よりも、むしろ栄光を望みたいとも言ったわね」

「ええ、でも、お母さま」

氷高は母から眼を逸らさなかった。

「私は栄光なんて欲しくないの。私はそういうことに向いてはいないの」

母の豊かな腕が静かに氷高の肩におかれた。

「栄光、それは苦しみ……。そう言ったのを覚えていて？　でも苦しみは不幸ではないのよ」

「……」

「それよりも氷高」

母の声には、むしろおごそかとでもいうべき響きがあった。

「あのとき、私が最後に言った言葉を覚えているでしょうね」

「……」

「私たち、蘇我の娘たちには、どのみち平坦な生涯は許されていないのだって、私は言ったはずよ」

母は自分の言葉をわが手でうけとめるようにうなずいてから続けた。

「そうなの、そのとおりなの。むしろいままでは珍しく静かな日が続いたのだわ。でも」

今度は母が氷高をみつめる番であった。

「もう、その静かさは許されなくなってきているのよ、氷高」

「まあ……」

息を呑んだとき、氷高は恐るべき言葉を母の口から聞いてしまったのだ。

「帝が……おからだをこわしていらっしゃるの。まだ誰にも言っていないことだけれど」

持統女帝は、二十数年困難な政局と闘い続けてきた。その疲れがいま出はじめたのだろうか。気丈なだけに、いっこうにその素振りは見せないが、異母妹である阿閇には、その不調がはっきりわかる。軽皇子が後継者にきまったとはいえ、まだ十四の少年にすぎない。

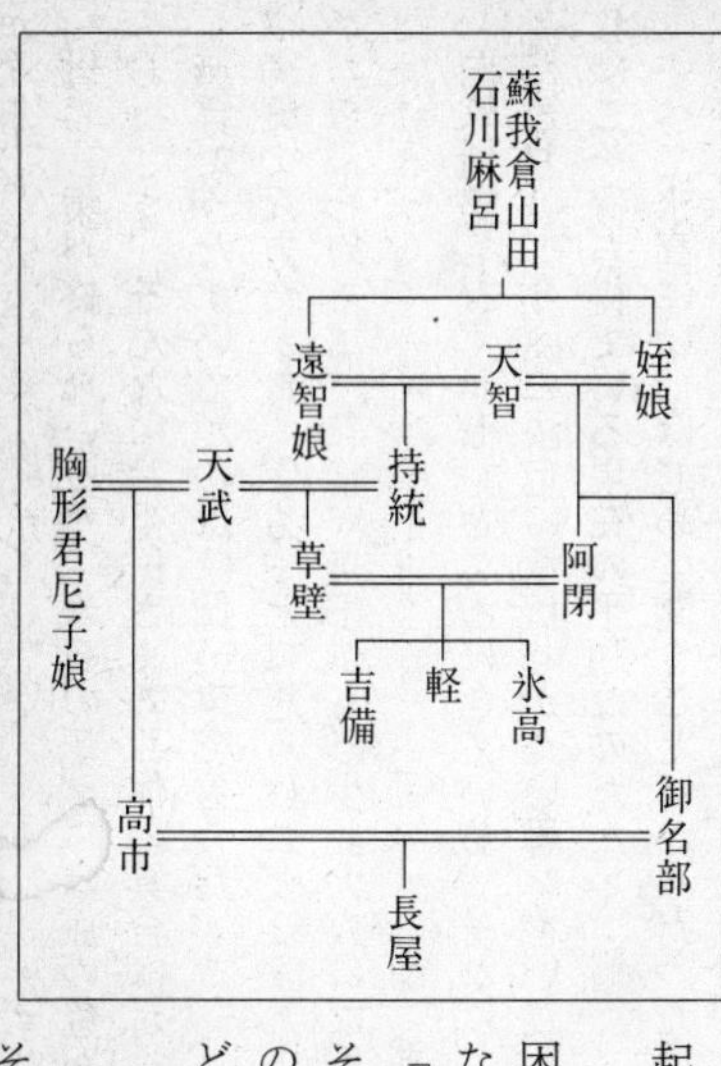

「それにいま、むずかしい問題がいろいろ起こりかけているの」

　絶対に持統に健康でいてもらわなければ困るし、またその不調を誰にも知られてはならないのだ、と母は語った。

「そのことを思いあわせると、私は長屋とそなたのことをいま許すわけにはいかないの。そりゃあ、長屋はすぐれた若者だけれど……」

　終りの言葉は呟きに近くなっていた。

　長屋の父の喪があけるのは来年の七月。そのときまでに政情がどう変化しているか……。

母の言葉が終らないうち、氷高の頰からは血の色が失せていた。

「お母さま、そんなにお祖母さまのお体の具合はよくないの？」

無言でうなずいてから母は低い声で言った。

「御気丈な方だから、よもやとは思うけれど……。でもいつまで帝位についていらっしゃれるかしら。せめて二、三年、皇子がもう少し大人になるまでこのままでいらっしゃるといいのだけれど」

国際情勢もむずかしいところにきている。それに、軽皇子が後継者にきまったときの会議でみたとおり、今度の決定に承伏しがたい思いをいだく勢力も少なくない。いや、気丈な女帝なればこそ保ち得ている現在の平和なのだ……。

すべて氷高には、はじめて聞くことばかりだった。

持統の体力の衰えたいま、その困難な情況を引きつぐのは母の阿閉と弟の軽――。とすれば否応なしに自分もその渦の中に巻きこまれるよりほかはないのか。

壬申の戦以来いままで保たれた平和はむしろ稀有のものなのだ、と母は語った。しかし、人々はその平和に狎れ、血みどろな昔を忘れてしまっている。戦いを知らない世代が育ち、ともすれば壬申の功臣たちを古めかしい頭の持主だ、とけなしつける気風さえ出てきている。その中をどう乗りきってゆくかはむずかしい課題なのだ。

そう言いきかされたいま、氷高は答えるべき言葉を持たなかった。

が、そうかといって、いま長屋との結婚をあきらめることができるだろうか？

ふと、三年前のことが思いうかんだ。誰とも知らぬ人から相聞の歌を贈られたことが、夕占問の話を聞くきっかけになった。そして、わが宿命が、中天に輝く極北の星、と聞かされたのもそのときだった……。

先夜、氷高はその極北の星を見ることを避けた。が、否応なしに、その星をみつめて生きてゆかねばならない日が近づきつつあるような気がする。

――が、いま、あの星をみつめる勇気は私にはない。

氷高は心の中でそう呟かざるを得ない。

――私の胸からあの方の存在を消すことができるだろうか。いえ、決して……。それは決してできないことだわ。

きびしい冬が去り春がやってきた。少しずつ形をととのえてきたとはいえ、藤原の都にはまだ田園のおもかげが残っている。青みはじめた野辺に、あげ雲雀(ひばり)のさえずりがさわやかだ。そして春とともに、阿閉たちの気づかっていた持統女帝の健康は、少しずつ回復のきざしを見せはじめていた。

そして陰暦四月――夏の季節がやってくると、持統は吉野の離宮へ出かけた。彼女の吉野行きは珍しいことではない。多いときには年に数回、気心の知れた側近だけを連れてゆく。滞在は六、七日から十日、さほど長い期間ではない。

吉野は持統にとって思い出の地だ。夫の大海人(おおあま)（後の天武）が近江の天智と袂(たもと)を分ってこの地に退いたとき、彼女はためらいなく父、天智と離れて、夫と行をともにした。やがて天智の死を聞いた二人は、きびしい冬を過しながら、近江朝廷打倒の策をこの地で練りあげたのだった。

してみれば、彼女を今日あらしめたのは吉野だといってもいい。夫への追憶をこめて彼女がしばしばこの地を訪れるのは当然のことだ、と人々は思った。もっともときには冬のさなかに出発して周囲を驚かすこともあったが、強い体力に恵まれていた彼女は、もともと旅は苦にならないのだ。

ときには伊勢へ出かけたこともある。このときは三月出発と発表したために、高官の一人、大神高市麻呂(おおみわのたけちまろ)の諫止(かんし)にあった。

「いまは春、農事繁忙の季節でございます。その妨げとなる行幸はおやめになった方が……」

中納言の職を賭しての上申だったが、持統はきかなかった。

「中納言を辞めたければ辞めてもよろしい」

あっさり辞表を受理し、伊勢旅行を強行した。

そういう彼女が、夏の訪れとともに待ちかねたように吉野へ出かけたのも無理はない。じじつ、吉野行きがきまると、その頬は生き生きとし、去年からの不調は影も留(とど)めていないかのようにみえた。そして七日めに戻ってきたときも、彼女の顔には、さほど疲れの色は見えなかった。

が、県犬養三千代の見る眼だけは違っていた。

「やはりおやつれが目立ちますわ」

女帝の帰京を迎える儀式が滞りなく終って、列立していた人々の輪が崩れかけたとき、傍にいた氷高に、彼女はそっと言ったのである。長年女帝に近侍している彼女は、さすがにその微細な変化を見逃さなかったとみえる。

内廷への道を連れだって歩きながら、三千代は大きな吐息を洩らした。

「大事なおからだでございますからねえ。ほんとにあと二、三年は帝にこのままでいらしていただきませんと」

さきごろ母の口から聞いた言葉とのあまりな相似に氷高は驚かされた。

母は年若いわが子の前途を案じていた。そして母同然に皇子にかしずき続けてきた三千代も、やはり同じ思いでいるらしい。

が、その後で三千代の口から出た言葉は、氷高の想像を全く裏切るものだった。

内廷の庭の片隅には、小さな池に臨んだ亭がある。柱にからませた蔦が作るやさしい木蔭に氷高を導くと、

「いかがですか」

三千代は置かれてあった小倚子の一つをすすめた。池を渡る風が小波を立て、思いのほかに涼しい憩いの場であったが、夏の昼下り、内廷には人影もなかった。そこで三千代は声をひそめて言ったのである。

「ほんとうに、帝がおいでにならないと、年寄りどもは何をしでかすかわかりませんもの」

とっさには返事ができなかった。頰に現われかけたものを押しかくすのがやっとだったが、三千代はそれに気づかないのか、一気に言った。

「年寄りどもはいつまでも壬申の折の功績を鼻にかけていますのよ。もう二十五年も前のこと

ですのに」

自分の家もまた壬申の戦の折の功績を買われて進出してきたことを、忘れてでもいるかのような言い方を三千代はした。

「頭が固くて、考え方が古くて……。困ったものですわ。若い人たちがうんざりしているのにちっとも気がつかないんですから」

思いがけない言葉だった。三千代は、若手に不満が鬱積しているとも言った。それが爆発したらどうなるのか。辛うじて両者の対立を押えこんでいるのは、老練な女帝なればこそである。

「さすがに女帝さまは、若い者をなだめる術を知っておられます」

三千代は意味ありげな微笑をうかべた。

「去年の十月、田辺史を抜擢されたのは、そこをお考えになってのことでございますよ」

氷高の背筋を走るものがあった。

田辺史——。

いやな名前をまた三千代の口から聞く。名前こそ変えているが、彼が藤原鎌足の子であることは周知のことだ。そしてその鎌足こそは、持統にも、母の阿閉にも、そして自分たちにも忘れられない宿敵なのである。

たしかに、皇子軽が持統の後継者ときまった後、その祝の意味をこめて右大臣丹比真人以下に恩賞が行われたとき、史は異例の褒賞をうけた。位は直広肆(のちの従五位下)から一躍直広弐(従四位下)に進んだ。さらにこのときはその位に相当する以上の資人を賜わっている。資人というのは、朝廷から与えられる供人で「つかいひと」とも呼ばれる。彼に与えられたのは五十人、従四位なら三十五人という規定を大幅に超えている。もっともこのとき彼より上位者にも規定を上廻って与えられてはいるが、ともあれ史がこれを機に高官の仲間入りをしたことはまちがいない。

が、氷高は知っている。

――お祖母(ばあ)さまは、決して快く史を昇進させたのではないはずだ。

口には出さないまでも、母の阿閉や伯母の御名部にも同じような思いがあることを彼女は感じとっている。しかし、他の皇子たちを排除して、ともかく軽擁立に貢献のあった史には、やはりそれだけの配慮をするよりほかはなかったのだ。

なのに、いま、三千代は、これを持統の英断として褒めそやしている。

「あのときは、私、田辺史が葛野(かどの)王に思いつきで入知恵をしたのだと思っておりましたけれどね、あれはあの男だけの考えではなかったのでございますよ。多くの若い官人たちの間を駆けずり廻って、新しい政治をおやりになるのは軽皇子さましかいない、と説いて廻って、若手の考えを一つにして葛野王を動かしたのですって」

三千代の話はいやにくわしい。

「さすが女帝さまですわ。それにお気づきになったのですもの」

持統への手放しの褒め方に、氷高は一種のそらぞらしさを感じて、思わずこう言わずにはいられなかった。

「でも、三千代」

「何でございますか」

「そなた、あの田辺史のこと嫌いだったはずじゃなかった？」

「ええ、そうでございますとも、大嫌いでございますわ」

間髪をいれずに答が返ってきた。

「私も史は嫌いよ」

氷高は念を押すように言った。

「そうでございますとも、嫌な奴ですわ。でも、ひめみこさま」

三千代はさらりとした口調で言う。

「お若い軽皇子さまのためには、嫌な奴でも何でも、役に立つものは利用しなければなりません。いまは大事なときでございますからね。ああ、それだというのに……」

さもやりきれない、といったふうに大げさに眉をしかめた。

「お若い皇子さまにお仕えする東宮大傅の当麻国見、春宮大夫の路跡見、しようのない年寄りばかりですわ。壬申のときの功績だけが自慢で、しゃしゃり出てくるのですのもの」

たしかに二人とも壬申の功臣だ。東宮の教育係ともいうべき傅に任じられた当麻国見は軍事を司る官僚であり、路跡見は行政手腕と識見を重く買われていた。つまり文武両道の経験者が任命されたのであって、いうまでもなく持統の意思によるものだ。

が、三千代はそこから眼をそむけ、いかにも二人の老骨が場所をわきまえずに出てきたような言い方をした。

「ああいう年寄りは駄目なのです。時代おくれですわ。世の中の動きがわかっていません。路跡見は、昔、新羅の使を接待したとかで、外国通のような顔をしてますけど、あの人、ひとつもわかってはいないんです。新羅だってとっくに変っていますのよ」

新羅は以前は唐と対立していた。壬申の戦のころのことである。日本もそれ以後は専ら新羅と手を握り、唐との交通を絶ってしまったのだが、新羅はとうの昔に唐との仲を回復し、使を往復させている。意地を張って唐との交渉を絶っているのは日本だけだ。日本だけが時代おくれになってしまった。滔々と語り続ける三千代の顔を見守っていた氷高は、やがて口を開いた。

「三千代、そなたはずいぶんいろいろのことを知っているのね」

「おそれいります」

「そういうことを誰に教えてもらったの」

三千代は一瞬まぶしげな顔をしてから急いで首を振った。

「いえ、誰にも。でも皇子さまのおためを思いますと、いろいろ気になりますの」

——なぜ三千代はああいう話をしたのか。

後になって氷高は考える。三千代の話と母や祖母の話にはあきらかにずれがある。あるいはそれを承知の上で、わざと彼女は自分に語ったのかもしれない。

——もしかすると、田辺史の昇進を強くお祖母さまに進言したのは三千代じゃないかしら。

ふっとそんな気がした。

その夏の終り——。持統の体の不調は、もう誰の眼にも明らかになりはじめていた。

渦紋

藤原京の右京八条——。ここ薬師寺の地では、この夏工匠たちの動きが、俄かに慌しくなりはじめた。女帝持統の治世中、この寺の堂塔の整備、仏像の造顕は絶えず続けられていたのだが、中でも精魂こめて造られつつあった薬師三尊の完成が突然急がされるにいたったのは、女帝の健康が目にみえて衰えはじめたからである。

「一日も早く造りまいらせるように」

病める人々を救う薬師の像であればなおさらのこと、その前にぬかずいて女帝の健康回復を祈りたい——切なる願いをもって完成の日を心待ちにしているのは、阿閉——。これまでいくつかの難局を乗りこえてきた異母姉持統の稀にみる政治的資質を、彼女は誰よりもよく知っている。

持統にかぎらず、蘇我の血をひく女たちのうち、中心のひとりは、いつも大豪族蘇我氏の大黒柱——大家として一族を支えてきた。天皇家と結ばれた形でみるなら、それは皇后であり母后だった。この伝統は堅塩媛以来百年以上続き、蝦夷、入鹿の滅亡後も、倉山田石川麻呂系の女たちに引きつがれてきている。

——その中でもお異母姉さまはみごとだった。

姉が生きることに疲れ、わが子の軽が皇位につくことが決まったいま、やがて重荷を担うのは自分なのだが、

——でも、いましばらくは女帝に元気でいていただきたい。

切にそう思わずにはいられなかった。

工匠たちの努力によって、やがて仏像はほぼ完成をみた。七月末ときまった開眼会を前に、鍍金の仕上りを検分にゆくという母にせがんで、秋のはじめ、氷高はその後に従った。

空の蒼さを映してか、都をとりまく山脈の色は日ましに冴えてきている。宮門を出て西南に進むと、早くも薬師寺の塔が姿を見せはじめた。

「それはすばらしい御仏像ですよ」

山田寺の仏像よりも小さめではあるが、むしろ威厳にみちている、と母は言った。その言葉を聞くまでもなく、金色に輝く三体の像を眼にしたとき、氷高はその場で動けなくなってしまっていた。

何と豪奢な仏の世界であることか。

豊麗な面差の仏たち。輝かしく、そしてあくまでも静謐に、永遠を思惟しつづける薬師如来、そして堂々たる本尊の両脇に佇つ脇侍は、いままで見たことのない自在さで、かすかに腰をひねって、微妙な流動感を漂わせる。細い切れ長の瞳がみつめる世界は何なのか。

「この御寺はね、先帝からのゆかりの深い御寺なのですよ」

母の語る声を聞いたような気がする。先帝天武が、その昔、皇后すなわち現在の女帝病臥の

折に創建を発願した寺。先帝の死後もその遺志は引きつがれ、後に残った女帝が夫の追福のために大繡仏を施入した寺……。

が、氷高の耳はそのほとんどを聞いていなかった。あまりにも輝かしすぎる仏像の前では、祈るよりも、まず圧倒される思いが先に立つ。

壇上を見あげるうち、ふと本尊を安置する台座の奇妙な浮彫に眼がとまった。

「これは何なの、お母さま」

「鬼神です。仏法をお守りする鬼だそうですよ」

仏像と対照的なこの醜さ。狭い額、低い鼻、大きな口、ふくれた腹、この異形のものが仏法を守護する？　無知で下劣な彼らにそんなことができるのか。それでいて彼らの浮彫の周囲を飾る草花の模様の何と優雅なことか……。

「この模様は何かしら」

「遠い遠い西の国の、葡萄唐草というんだそうです」

すべては異質でありすぎた。そしてまばゆすぎた。堂宇の中にあるのは異邦そのものだった。

——この異邦の仏たちに、お祖母さまのお悩みがわかるのかしら。

しきりにそう思ったのはなぜなのか？　じじつ、荘重な開眼供養も、持統の健康を元に戻すことはできなかったのであるが。そして氷高の知らないことだったが、じつは持統自身、薬師造顕のさなか、すでに退位の決心を固めてしまっていたのだった。

阿閉の懇願に対して女帝は言ったのである。

「皆が私の身を気づかってくれるのはうれしい。が、この開眼供養を先の帝への捧物として、私は位を降りたい」

夫と二人の思いをこめて造りつづけてきたこの寺は、荘厳な仏国土として完成した。これを生涯の記念碑として、史上稀にみるスケールの大きい女帝はその地位を退く。後を継いだのは軽皇子、十五歳、氷高の弟。文武天皇の即位である。

女帝の退位と文武即位をこのときと定めたのには、もう一つの意味があった。即位の行われた六九七年八月一日は甲子。中国伝来の考え方に、

「辛酉革命、甲子革令」

というのがある。辛酉の年は革命の年、そして甲子は法令などの革まる年、というのである。この年は丁酉で年の干支は違っているが、日付だけでも甲子を選べば、新帝登場にふさわしい清新の気をみなぎらすことができるのではないか――というのが諸卿の意見だった。

祖母の持統も母の阿閉も、その考え方に異存はなかった。年若き少年帝の門出を、新時代の出発として印象づけることは望ましいことだとさえ思っていた。

たしかに少年帝の登場は、宮廷の雰囲気を変えた。氷高の眼にもはっきりわかったのは、後宮に年若い侍女が一度に増えたことであろう。侍女とは少し違った意味で宮中に出入りを許されるようになったのは、石川刀子娘と紀竈門娘――。刀子娘はその姓のしめすように蘇我倉山田石川麻呂系にゆかりの娘だし、竈門娘は名門紀氏の出である。

「いずれ、おきさきに選ばれるのはあの方たち」

侍女たちのそんなささやきも聞いたように思う。

——まあ、弟が、おきさきを？

氷高はちょっと首をすくめたくもなる。たしかに最近、弟は急に背丈が伸び、動作も堂々としてきた。帝位に即くということは一人前の男性として認められたことだから、きさきもいずれきめねばならない。が、つい最近までは、むしろひよわでおとなしすぎるくらいだった弟の傍によりそうきさきの姿は、どうしても想像できなかった。それにしても、はでな裙を裾長にひいた娘の姿が目立ち、後宮には日々若やいだ女の声があふれるようになったのはじじつである。

もう一つ、大きな変化があらわれたのは阿閉の身辺である。文武の即位と同時に、「皇太妃宮職」が付けられ、舎人数十人にかしずかれることになった。単に亡き皇太子のきさきというだけでなく、現帝の母后という、いかめしい格付けがなされたのだ。かつての日の草壁と母后鸕野に準じた扱いとでもいおうか、位にこそはついていないが、天皇の母方の代表者として、母系色の強いそのころ、持統に代って政治面でも少なからぬ発言力を持つ存在となったのである。

県犬養三千代の顔も一段と輝きを増してきた。文武の乳母として、片時も側を離れずかしずきつづける彼女は、ときに文武の分身であるかのような物の言い方をする。新しく後宮に仕えはじめた若い侍女たちは、そうした彼女の顔色を窺うことが多くなった。

氷高がそんな三千代を内廷の庭で見かけたのは、文武が即位して二、三か月経ったころだったろうか。急ぎ足で庭を横ぎろうとしていた足をとめ、

「ま、ひめみこさま」

声をかけたのは三千代の方からだった。

「きれいなお召しものでございますこと。いよいよお美しくおなり遊ばして……」

三千代は大げさに氷高をほめそやす。それから文武の身辺がいかに忙しく、いかに自分がその健康に気をつかっているか、と三千代の舌はなめらかに廻りだした。立ち話の間に、

「帝が……」

という言葉を氷高は何回聞かされたことだろう。その饒舌にうなずきながら、ふと氷高は三千代の後にひっそりと立つ若い女性に気がついた。

最初は三千代の連れとは思わなかったのだが、立ち話の間、少し離れたところに足をとめているので、やっと氷高は三千代とここまで一緒に歩いてきたのだと知ったのである。御代がわりとともに、新しく宮中に出仕するようになった一人なのであろう、くちなし色のつやのある裙、緑の表着、上に羽織った袖のない錦の背子の冴えた紅色もみごとだが、それより氷高の眼をひいたのは、彼女の妖しいまでの美しさであった。

年のころは自分と同じくらいだろうか。透きとおるように白い頰に伏せた睫の影が濃い。まるでこの世ならぬところで育てられ、つい先ごろ、地上に送りこまれてきた、というような感じさえする。美しさというより妖しさ——それも見る人を惹きこまずにはおかないような、ふしぎな魔力をもった妖しさだ。

氷高の眼が背後に注がれたのに気づくと、三千代は、彼女にそっと合図をした。折り目正しく一礼すると、その女性は足音も立てずに後宮の方へ去ってゆく。背子の裾のあたりで細くくびれた線が腰に向ってしなやかにのびている。豊かな裙に覆われているのに、氷高には、まる

で彼女の裸が透けて見えるような気がした。

あれは誰？　と問うのを待たず、三千代は氷高にささやいた。

「きれいな娘でございましょ。田辺宮子媛と申しますの」

「宮子、というのね」

「はい、気だてもやさしゅうございますし。帝も、とてもお気に入りでございますの」

そうかもしれない。あの妖しいまでの美しさ。しなやかな体つきに、若い弟が心を捉えられないはずがない——とうなずきかけた氷高は、次の瞬間、心を凍りつかせるような事実を知らされてしまった。三千代は言ったのである。

「田辺史の娘でございます」

——えっ、史の？

口からほとばしりそうになった言葉を危うく氷高はこらえた。

——三千代、そなたは史を大嫌いじゃなかったの。

——私は史を大嫌いよ。お祖母さまもお母さまも、みんなそうなのに、どうしてそなたは、史の娘などを弟に近づけたの……

が、怒りと驚きの声は、遂に氷高の口からは洩れなかった。

——そうだったのか……

氷高はいままざまざと知ったのだ。それは単に若い男と女の問題ではない、ということを……。

文武が即位して数か月、その間に、時代は大きく変ったのだ。思えば八月一日、甲子の日を即位の日に選んだということには、深いたくらみがかくされていたのかもしれない……。

たくらみは、ずっと前から用意されていたのだろうか。そして革令の日を合図に、覆面を脱いで起ちあがったということなのか。そうでなければ、この変りようは唐突すぎる。

漠然と感じていたことをいま氷高は、はっきり覚らせられた気がする。あきらかな変化を何よりもよくしめしているのは、眼の前にいる三千代の瞳である。

彼女は史の娘を後宮に納れたことに、何のためらいも感じていない。いやそれどころか、若き文武が宮子に惹かれていることを当然のこととし、妖しいまでの美しさを湛えた宮子を彼の傍に侍らせたことを、むしろ手柄顔に語っているではないか。

——三千代、この間までのそなたはどこにいってしまったの。

もしそう問いかけたとしたら、三千代はきょとんとし、何を言われたかわからない、という顔をするだろう。

裏切り?

そう名づけるとしたら、これほどあつかましい裏切りはないであろう。が、三千代はみじんもそう感じていない。

——私は帝のために働いている。

藤原鎌足
不比等(史)——宮子
耳面媛
天智
大友
持統
阿閉
天武
草壁
氷高(元正女帝)
文武(軽)
吉備

嬰児だったころの皇子に乳を含ませたとき以来の三千代のこの思いは、全く変っていないはずだ。若き文武を思えばこそ、足音も立てずにしのびやかに去っていった妖しげな美女の背に、やさしい眼差を送っているのだ。

そしていま、氷高は美女の向うに悠然と立つ男の存在をひしひしと感じている。

田辺史——。

そうなのだ、彼こそは、この数か月の変化の原点に立つ人物なのだ。つい数年前までは多くの官僚群の中に混って、誰の注意もひかなかったこの男が、皇子軽を後継者に選びだすあたりから断然頭角をあらわしはじめ、いまや文武新政の中心人物にのしあがってしまっている。

——あの宮子には似ても似つかぬ小男が。

と氷高は思う。妖艶そのものの宮子と史はどこも似ていない。強いていえば、色の白いことだろうか。首が肩にめりこみ、その背をさらに丸めて歩く四十男は、極端に眉が薄い。その眉の下の小さな下り眼は笑うと柔和な印象さえ与える。

その風貌を、いま改めて氷高は思い出す。柔和にさえ見えるあの瞳は、耐えることを知っているおそろしい瞳だ。鎌足の死後、藤原氏を襲った悲運に、彼はじっと耐えてきた。過去を忘れたように装って田辺を名乗っているいまも、あの男が過去への記憶を消したとは思われない。とすれば、ひそかにその胸に燃やしつづけている執念は、父鎌足の世界への回帰、そして彼が思い描くのは、父が天智の皇子大友に、わが子耳面媛を侍らせたときのこと……。

氷高はぎょっとして立ちすくむ。三千代の饒舌は、いまは全く耳にも入らなかった。

田辺史が、文武の詔によって、鎌足に与えられた藤原姓に還ったのは翌年の八月。これに従って、妖艶な美女宮子も同じく藤原姓を名乗るようになったのはいうまでもない。

予想の的中を、いま、氷高は心をふるわせてうけとめる。田辺史が藤原不比等に変身したのをきっかけに、廟堂における革新のテンポはいよいよ速まったようだ。

まず提案されたのは新しい律令の制定である。つづいて三十年ぶりに、遣唐使派遣のことが審議された。が、さきに飛鳥浄御原令が施行されてからほぼ十年。それを何でむざむざ廃棄しようというのか。遣唐使派遣にいたっては、明らかな国是の変更だ。壬申の戦以後、唐寄りの路線と訣別した天武は、新羅との交渉を密にし、唐との交渉を断った。そしてこの路線は持統女帝にひきつがれて現在に到っている。

見方によっては天武・持統両朝の築きあげたものの徹底的な否定を、青年帝文武はあえて行おうとしているかのようだ。彼は甲子革令の日の即位に、ある使命を感じているらしい。

――そして、その後には、あの妖艶な宮子と、そして不比等が……

氷高はふと不安に襲われる。問題は政策だけではない。もっと深いところにある、どろどろしたものが感じられるからだ。

新提案は、たちまち廟堂に大きな渦を巻きおこした。革新推進派と反対派と――。血こそ流されなかったが、すさまじい攻防戦が続いた。その中で、氷高の恐れていたことが、しだいにあらわな形をとりはじめた。

革新派は不比等を中心に、青年帝文武を抱きこんでいる。反対派は壬申の戦の功臣グループで、その背後には持統太上天皇がいる。皇太妃阿閇も心情的にはこのグループに近い。

革新派が理論で押してくるのに対し、反対派を推す持統はしきりに壬申の戦の功臣を顕彰して結束を固めようとした。しかし功臣たちはすでに年老い、半ばはこの世を去っている。褒賞は遺児たちにも特旨をもって与えられたが、その効果は思ったほどには上らなかった。持統を蔭の中心勢力とするこのグループはしだいに押され、遂に廟議は新律令制定を決定した。

まるでその決定を待ちうけてでもいたように、制定作業に乗りだしたのは不比等である。手廻しよく新進の知識人を集める一方、最上席には天武の皇子、刑部親王を据えた。

「もちろん根本は飛鳥浄御原令と同じでございまして、その足りないところを補うものでありまして」

ぬかりなく持統や阿閉にもそう説明したが、できあがったものは、かなり浄御原令とは違ったものになっていた。

たとえば、公文書の書き方にしても、いままでとは一変した。諸国からの貢納物につけてくる木の札は、これまでは年月日をまず書き、その後に国名を書き、責任者の名を書くしきたりだったのが、地名をまず書き、その後に日付を書くことに変えられた。

「何でそんなことをするのです」

太上天皇持統は、そのことを聞いてあからさまに不快をしめし、

「そんな細いことを変えて何の意味があるのです」

文武に向って、きびしい口調で言った。

「こんなことは変えても変えなくても同じことじゃありませんか」

「たしかにそれはそうですが」

若い文武は言い淀む。

「くだらないとは思わないのですか」

「は、しかし」

僅かに文武は弁解の言葉をさしはさむ。

「浄御原令の根本精神はなるべくそのままということにして、この辺で新味を出すことを考えたようです」

「つまらないことです」

言いながら持統は眉をよせる。

「下毛野国足利郡……。この郡というのは？」

「こおりということです」

「いままでこおりは評と書いていましたね。それをなぜ郡の字を使うのです？」

「それは……唐では郡の字を書きますので」

「唐のまねをしなくてもいいではありませんか。何も属国ではないのですから」

「しかし、お祖母さま」

やさしく、許しを乞うように文武は祖母を見あげる。

「評の字を使っているのはわが国だけです」

「それでもいいではありませんか」

「しかし、これからはわが国も国交をひろげてゆかねばなりません。とすれば、何事もお互いに理解のしやすい形に……」

「わかりました。何でも唐のまねをしたいというのですね」

「決してそういうわけではありません。わが国はわが国なりの考え方を通しているところも多いのです」

祖母と孫の話は平行線を辿ることが多かった。が、これらの部分は、根本的な変革とはいえなかったかもしれない。大幅な変化が起ったのは位階制である。革新側が主張するとおり、これは決して唐制の模倣ではなかったが、浄御原令の制度は根本的に変えられた。

従来は冠位制といって、親王、諸王に「明」「浄」の冠、臣下には「正」「直」「勤」「務」などの冠を与えて位階を区別し、さらにそれぞれの冠を「大」「広」に分けていたのを、正一位から少初位下（親王は一品から四品）に分けようというのである。同時に冠の賜与を、位記（何位に叙すという証書）の交付に改めることにした。

位階には官吏の生命がかかっている。当然旧勢力の根強い反対もあり、事態はかなり流動的だったが、革新側は妥協を装いつつ、強引に新制度の定着をはかった。

その結果はどうか。いままでの位を新制度のどこにあてはめるか、微妙な格上げ、格下げが行われ、不比等はより格の高い正正三位に、不比等より上位にいたはずの中納言大伴安麻呂は正従三位に位置づけられた。

冠位制の遺制を残したような正従三位という表記も過渡的なものだろうが、革新側はこのとき巧みに官制も改革してしまう。中納言だった不比等はじめ数人を揃って大納言に昇進させると同時に、中納言を廃止した。一人とりのこされた大伴安麻呂は自動的にその地位を失ったのだ。安麻呂が壬申の功臣である大伴氏の代表者であることを思えば、このときの官制改革の狙いが何であったかは、たちまち察しがつく。同時に「大宝」という年号が制定された。以後「大宝律令」と呼ばれる新律令は、かくのごとき波瀾(はらん)を含んだものだった（なお、中納言の官は四年後に復活している）。

ここに及んで持統と不比等の対立は、決定的な様相をしめしはじめた。病み衰えながらも、持統はまだ闘志を失っていない。

――そうか。そなたは長いこと、このことを狙いつづけていたのだね。

あたかも眼前に不比等を見据えるかのようにぎらぎら輝くその瞳を見るとき、氷高がふと思い浮かべるのは、不比等の小さな下り眼だ。多分あの男はうやうやしげに、その眼で答えることだろう。

――いまごろお気づきになられましたか、太上帝(おおきみかど)……

持統はもう文武のことも許してはいないらしかった。そのことで母が苦境に立っていることも氷高は知っている。誇高い持統は絶対に口に出しはしなかったけれど、その憎しみが宮子に向けられていることも察しがつく。いまや文武が宮子にのめりこんでいることは後宮中誰ひとり知らないものはないからだ。

――何とかせねば、私たちはばらばらになってしまう。それには文武と宮子を引きはなすことだ。

そう思いながら、氷高はそれが不可能に近いことを感じざるを得ない。

ところが、それからまもなく……彼女は思いがけない噂(うわさ)を聞く。

宮子が文武の後宮から姿を消してしまったというのだ。同時に県犬養三千代までも、本拠の河内に戻ったという。片時も文武の傍を離れないあの三千代がどうして？

さまざまな謎を残して大宝元（七〇一）年は、しだいに終りに近づこうとしていた。

あしびの窓

あしびの白い花房の揺れる季節になった。丈高くのびたその梢を風が渡るたび、連子窓の近くに置かれた机に、緑のゆらめきを伝えてくる。そのかすかな明滅を吸って、机上の螺鈿の筥が、ときに思いがけない光を放つのはなぜなのか。中にかくしおおせたと思った秘密が、そのときだけ、こらえきれずに自分に向って叫び声をあげているように思われて、氷高は、心をおののかせる。

――誰にも見つかりはしなかったかしら。

胸の思いに応じるように、軽い沓音がした。

「春山のあしびの花の悪しからぬ……」

おどけて古歌を口ずさんで入ってきたのは、妹のひめみこ吉備。十七歳の春を迎えた彼女は、まぶしいばかりの美女に成長している。時として近よりがたい気品を感じさせる幽艶な氷高に比べて、彼女の雰囲気はあくまで華麗に明るい。

「君にはしゑやよそるともよし……。ねえ、お姉さま」

勝気をのぞかせたすずやかな瞳で、わざと睨むようにして、吉備は氷高をみつめた。

「そうじゃなくて？　あの方とだったら、何と言われたっていいじゃないの、それに——」

姉の大切な宝の筥に、そっと触れるまねをする。吉備はそこにかくされている姉の秘密を知っているのだ。

「あの方だって、そうおっしゃっていらっしゃるんですもの」

筥にしまわれた長屋王の愛の歌の数々を、そっと運んできてくれるのは、ほかならぬ吉備だったからだ。

「じれったいお二人」

小倚子に身をゆだね、花飾りのついた絹の沓の先を思いきり伸ばして吉備は言う。

「お会いになればいいのに。私にばかり文使いをさせないで」

氷高は静かに微笑する。たしかに前よりは二人の会う機は少なくなってしまった。それが吉備にはじれったいらしい。

「お母さまのお言いつけを守ろうというわけなのね」

母の阿閉は、前から長屋と氷高の恋には難色をしめしている。そして、いまは、よりきっぱりと、二人の間を認めない、という態度に変った。なぜなら、二人のしあわせを思うからだ——と母は真剣に言うのである。それについても、吉備は、

「そんなこと、気にすることはないわ」

と、日頃言いつづけていたのであった。

だから、この日も、花沓の先をゆらゆらさせながら、彼女は言う。

「お姉さま、あの方がお気の毒よ。つまらない占いなんか信じていらしては」

「信じているわけではないわ、私だって」

そういう氷高の前で、ひどく真剣な瞳になった。

「私だったら、お母さまがいけないとおっしゃっても恋を遂げるわ」

「あなたらしいことね」

「自分がどうなったって構わない。お姉さまには勇気がおありにならないのよ」

「勇気の問題ではないと思うわ」

意気込んだ妹に、はじめて、やんわりと氷高は口をはさんだ。

「言っていいことかどうかわからないけれど」

その瞳の底をちらりとすみれ色の翳(かげ)がかすめたようだった。

「私には、お母さまの御心の中が少しずつわかってきたの」

口に出して言わないが、母の阿閉はまた新しい心労をかかえ始めてしまったのだ。案じていた太上天皇(だいじょうてんのう)持統の体はどうやら持ちこたえているものの、代って病弱なわが子文武(もんむ)が、このところひどく体調を崩してしまったからだ。

が、それについても、吉備は事もなげに笑いとばす。

「恋の病よ、お兄さまは」

「まあ」

「ほら、あの藤原宮子(みやこ)——。あの人が突然身をかくしてしまったので、気が気でなくなっておしまいなのよ」

三歳年上の兄の心を見透かしたようなことを言った。

「それにきまっているわよ。お兄さまはそういう方なのよ」

「それにしても」

氷高も首をかしげざるを得ない。

「宮子はどうして姿をかくしてしまったのかしら」

「さあ、それはわからないけれど」

吉備は首をすくめる。

「お兄さまも気のお弱い方ね、いなくなってしまった人に恋いこがれるなんて。ほかにもきれいな人は幾人もいるのに。ほら、あの石川刀子娘――」

石川刀子娘と紀竈門娘は、いまや正式の文武のきさきとしての待遇をうけ、嬪（きさきの中で妃、夫人に次ぐ地位）と呼ばれるようになっている。とりわけ自分たちの一族に連なる刀子娘に、吉備は好意を持っているらしい。

「私、宮子より、刀子娘の方が魅力があると思うわ。宮子は何だか凶々しい妖気を漂わせるようなところがあったわね。そこへゆくと刀子娘はかわいい、って感じでしょ。お兄さまも、宮子のことなどは忘れて、刀子娘をいつくしみなされればいいのだわ」

「あら、でも」

氷高は微笑をうかべた。

「いま、あなたは、好きな方とならその愛を貫くのが勇気のあるやり方だって、言ったばかりじゃないの」

「え？　そ、それはそうだけれど」

返事につまったのは一瞬のことで、吉備はけろりとして言ったものだ。

「でも、そりゃあ、お兄さまは帝ですもの。帝と私たちとは違うわ」

「あら、そうなの」

しまいには声をたてて笑いあってしまった二人だった。

――大人になったようでもまだ子供なのだわ。

笑い声を残して去った妹のことを、氷高はほほえましく思わないではいられない。自分には恋を貫けと言い、文武には宮子を諦めるべきだと言って、何の矛盾も感じないあの朗らかさ。それは真の恋を知らない勁さなのかもしれない……。

宮子のことで話が逸れてしまったけれど、じつは彼女が妹に話したかったのは別のことなのだ。

――お母さまは、帝のお体に万一のことがあったときを考えておいでではないのか。

最悪の事態にならないまでも、政務にさしさわりが出てきたらどうするか。まだ子供に恵まれていない文武の後は？　後継者問題がむずかしいことは、それこそ文武のときに経験させられている。皇太妃としてわが子と共同統治の責任を持つ母の表情の重さは、多分このことと無関係ではないだろう。

そして、もしかすると――と氷高は思う。

――お母さまが頭に描いているのは、あの方、長屋王ではないのか？

長屋王の母は、持統の異母妹（阿閉の同母姉）御名部――。持統の子の草壁は即位せずに世を去ったが、その後を阿閉の子の文武が継いだからには、次は御名部の子、というありようは十分考えられる。長屋の父の高市は草壁の死後、皇太子に準じた扱いをうけていたし、さらに母系の血筋の尊貴を考えれば、むしろそれは自然なことだ。

――してみれば、ここは慎重に、あの方の周囲によけいな波風を立てない方が、とお母さまはお考えなのかもしれない。私たちのことは、それがきまってから後でも遅くはない。

そのことを氷高は妹に言いたかったのだ。

その思いに捉われていたせいだろうか、彼女は、去りぎわに妹の残していった一言をつい聞きもらしていたようだ。

「そうそう、三千代はまもなく戻ってくるんですって」

宮中を飛びあるき、好奇の眼を輝かして、あらゆる噂を嗅ぎつけてしまう吉備は、文武の忠実な乳母県犬養三千代について、こう言っていたのであるが……。

噂に違わず、三千代はまもなく宮中に姿を現わし、また周囲に愛嬌をふりまきはじめた。

そしてその直後、氷高は、

「お姉さま」

ただならぬ表情の吉備に袖を強く摑まれる。そのまま、物も言わずに、自分の寝所まで姉を引っぱってきた彼女は、あたりに人影のないことを確かめてから、こう言ったのだ。

「三千代はね、里へ下って、こっそり子供を産んだのよ」

「えっ、まあ……」

しいっ、というように吉備は唇に指を立てた。尋常の懐妊、出産ではないことを、口に出して確かめあうほど、二人は幼くはなかった。

三千代の夫、美努王はそのころ筑紫に赴任していたはずだ。この年の春、都に戻って左京大夫――都の東半分である左京の長官――になっている美努王であったが、三千代の懐妊、出産はその留守の間に行われたということになる。もっとも、そういうことはさまで珍しいことではない。夫婦が別居することがむしろ常識だったそのころ、その結びつきはひどく脆く、崩れやすいものだった。あるいは、美努王の筑紫赴任とともにその仲はしぜんとだえたとしてもふしぎはないし、三千代が別の相手と交渉を持ったことも、決して不貞として責められることではない。

むしろわざわざ宮廷から身をかくして子供を産んだことが不自然なのだ。新しい相手と恋に陥ったとしても、それは誰からも認められることだし、都の中のわが家で出産を迎えればいいのである。それをなぜ三千代は不自然に身をかくすようなことをしたのか。よほど周囲に知られたくない相手だったのだろうか……。

氷高はふと、数年前の冬の夜、内廷の庭で男ともつれあっていた三千代らしい人影を見たことを思いだした。

――あの方に送られて帰ってきたときだったわ。

闇の中に噎せるばかりの女の香をふりまいたその人影を三千代だとすると、男はいったい誰だったのか……。

そのことを口にすべきかどうか、ためらっている間に、吉備はもう勝気そうに瞳を輝かせて、こう言っていた。

「いいわ、私、きっとつきとめてみせるから」

そして数日後、同じように、氷高を寝所に引きいれて、

「お姉さま」

声を殺して吉備は言ったのである。

「わかったわ」

自分の手柄を子供っぽく誇るというより、その頰はむしろ蒼ざめてさえいた。きゅっと、氷高の腕を握ってひきよせたその手はひどく冷たかった。そして妹の口からその言葉を聞いた瞬間、体の中を走りぬけた悪寒に似た思いだけが、長く氷高の記憶に残った。

「藤原不比等よ」

そう吉備は言ったのである。すぐには返す言葉もなかった。が、驚愕の瞬間が過ぎたとき、むしろ、すべての謎が解けたような気がした。私も不比等は大嫌いでございます、と言った三千代。軽皇子（文武）のためには嫌な奴でも何でも利用するのだ、と言った三千代。そして内廷で宮子を見送った眼差――。

三千代は不比等の術中に陥ちたのか。それとも、文武の身を思って不比等を抱きこんだのか。いや、それを上廻る大人の打算と愉悦がそこにはある。小ぎれいな大義名分を口実に、その実、恥しらずに性のたのしみをむさぼりあいながら、それがそのまま二人の利害に連なることを無言で了解しあっているようなふてぶてしさ。

その構図の上に、あの妖艶な宮子の面差を重ねあわせたとき、思わず、氷高はぎょっとして口走っていた。

「もしかしたら、宮子は、三千代がどこかへかくしたのではないの？」

人知れず身をかくさなければならないようなことが、宮子の身の上に起った、ということは？　三千代のそれと思いあわせれば、たちまち察しがつく。

「お姉さま……」

吉備は立ちあがっていた。

「お母さまにお知らせしなくては」

宮子がひそかにみごもり、文武の皇子を産みおとしていたことがわかるまでにさほど日数はかからなかった。三千代が産んだ不比等の子は女児だった。三千代の本拠河内で育てられ、その近くから召しだした乳母の出身地に因んで、安宿媛と名づけられてすくすくと育っているという。

一説によると、宮子の産んだ皇子も、同じく三千代の本拠で育てられているのだという。出産の後、宮子はなぜか心神を喪失し、遂に正常に戻らず、わが子とも引きはなされ、さるところにかくされている、ともいう。かと思えば、それらはすべて作り話だとも……。

諸説が乱れとぶのは、不比等と三千代が、宮子の出産を極秘にしているからだ。ふつうなら現帝の第一皇子の出産を誇らかに宣言したいところを、わざと避けているのは、不比等一流の慎重さからきている。

政界に復帰したとはいえ、まだ彼の勢力は安定していない。ここで文武との接近を見せつければ、どんな報復をこうむるか。宮子ともども皇子も闇に葬られる危険もなしとしない。とりわけ彼が警戒しているのは、持統や阿閉の眼だ。彼女たちは決して自分を許してはいない。まして宮子が皇子を抱いて後宮に姿を現わしでもしたら、どういうことが起るか……。多分彼は文武に言ったことだろう。

「太上帝にも皇太妃さまにも、このことは御内聞に……」

この秘密を守る苦しさにたえかねて、病弱な文武は神経をすりへらしてしまったのだ。そして、ことの輪郭がはっきりしてきたとき、文武の恐れていた事態が起った。

持統と阿閉は、ただちに不比等への反撃にとりかかった。一刻も猶予は許されない、と彼女たちは思ったのである。まず、持統の信任の篤い大伴安麻呂の復権が試みられた。

さきに、中納言という官を廃することによって廟堂を追われてしまった彼は、大納言にはなれなかったものの、「朝政ニ参議セシム」という形で閣議に復帰する。もちろん不比等はすんなりこれを受け入れたわけではない。彼と親しく、すでに遣唐使に任じられていた粟田真人ら数人も同列で閣議に列ならせたが、ともかく持統と阿閉の巻き返しは成功した。

ついで彼女たちは、安麻呂を兵部卿に任命する。軍事権の掌握であった。こうしておいて、持統は病み衰えた体を引きずって旅に出ることを宣言する。

健康を理由に、不比等らはしきりに止めた。しかし、持統は凜としてこれをはねつけた。

「私はゆきます。ゆかねばなりませぬ」

巡行の地は、伊賀、伊勢、美濃、尾張、三河――。まさに壬申の戦を彼女とともに戦った人々の本拠である。行く先々で強固な城砦ともいうべき行宮が作られ、壬申の功臣たちの子孫には異例の褒賞が与えられた。

「壬申の戦が抹殺できるものならしてごらん」

老いたる持統の生命を賭(と)しての挑戦だった。彼の地で功臣の子孫たちと重ねた密談は何だったのか。彼らの上京を期待したのか、それとも壬申の折のように、持統みずからが文武帝を引きずって彼の地に移り、不比等との対決を期すためだったのか。しかしその謎を解く機会は遂にこなかった。なぜなら一月余の旅から帰るなり、持統は病の床に臥(ふ)し、遂に起つことがなかったからである。

　氷高が、祖母、持統の病床に呼ばれたのは、十二月の半ばのことであった。すでに顔色は土気色に変り、吐く息も絶えだえであったにもかかわらず、その顔を見るなり、祖母はしいて微笑を見せようとした。

「美しいこと、そなたは……いつも」

が、氷高がその病床の傍にひざまずいたとき、微笑は乾いた頬からは消えていた。

「もう私の命は長いことはありません。余裕はないのです。口のきける間に、そなただけに言っておかねばならぬことがあります」

侍女たちを遠ざけ、苦しい息の下から、短く持統は言ったのである。

「皇太妃を、あなたの母を、助けてあげなさい」

「はい、お祖母(ばあ)さま」

「力になれるのはそなたしかありません」

言外の意味の重さに氷高は体を固くする。

「はい。母とともに帝をお守りいたします」

持統は眼を閉じてそれには応えず、切れ切れの息の下で言った。

「いざというとき、伊勢、伊賀、尾張など五か国の者どもが力になってくれるでしょう。今度の旅で、よく話をしてきましたから」

「はい、お言葉をよく憶えておきます」

ゆっくりと持統はうなずいた。それから、あらんかぎりの力をこめて、氷高をみつめた。

「そう、そなたが、次の大家ですよ」

「は？」

「母君の次はそなた……蘇我倉山田石川麻呂家の大家はそなた」

それから、呟くように言った。

「石川刀子娘を考えたこともあったのでしたが」

聞きとりにくい、かすれた、短いその言葉が、耳いっぱいに鳴りひびくように氷高には思われた。

——そうだったのか……

刀子娘にかけた期待を撤回するということは、すでに祖母が文武を切り棄てているということではないのか。宮子にうつつをぬかし、男の子を産ませた文武を……。さっき、「帝を守る」と言ったとき、眼を閉じて応えなかったのはかりそめのことではなかったのだ。死に瀕しながらも、なお、肉親に対しても、祖母はきびしい姿勢を崩してはいないのだった。

「お祖母さま」

氷高は静かに言った。

「刀子娘に男の皇子(みこ)が生まれましたら、私がお守りいたします」

せめて、文武に対する一抹の許しを得ておきたかったのだ。持統はかすかにうなずいた。

「そうしてください。むずかしいことですが。いえ、どのみち、私たちの行く道は嶮(けわ)しいのです」

ぼうっと遠くを見る眼になった。

「私たちの母も、私たちも、その中を歩んできました。そして、時にはからだいっぱいの批難も浴びました」

やがて瞳は氷高へと戻ってきた。

「氷高よ」

「はい」

「悪評を恐れてはなりませぬ」

「はい」

「誓えますね、そのことを……」

ひたとみつめる祖母の瞳の光を恐ろしい、と氷高は思った。病みほうけた人とは思えぬそのたけだけしさにひるみかけたとき、最後の力をふりしぼって、持統は言ったのである。

「私も多くの悪評を背負って生きてきました」

「……」

「一度は壬申のとき。父君を棄てて、わが夫(つま)大海人(おおあま)皇子に従いました。その皇子こそ、そなたのお祖父さまです」

「はい」

「人々は私を不孝者とそしりました。が、私はあえて、近江に残った異母弟と戦いました。そして二度めは」

祖母の顔は苦しげに歪んだ。

「大津皇子を——姉上の子を私はあえて罪しました。そのことはそなたも知るとおりです」

持統の姉、大田皇女は天武との間に、大来皇女と大津皇子の二人をもうけていた。とりわけ才幹に恵まれた大津を、持統はその治世の初めに、謀叛をたくらんだとして死に追いやった。姉の子を冷酷に切り捨てたといわれる事件は、あまりに有名すぎて、それだけに誰も持統の前で口にすることを憚っていたのだが、死に臨んで、持統はみずからそのことに触れようとしている。

「冷たい女と言われているのも知っています。それもみな、わが子を——そなたの父君草壁のことですけれど——位につけたいためだ、と言われていることも承知です。なぜ、私がそうしたか、わかりますか」

すでに祖母の声は聞きとりにくいほどかすれている。

「それはね、氷高。大津が山辺皇女を妻にしていたからです。山辺の母は蘇我赤兄の娘。赤兄こそは、私のお祖父さまの憎い敵、兄弟でありながらお祖父さまを見殺しにした男なのですよ。その血をひく女が皇后の位につくことを、私は許さなかったのです」

瘦せさらばえた持統の手が、何かを求めているようだった。氷高が急いで握ったその手の爪は紫色に変り、石のように冷たくなっていた。

――そうだったのか……

氷高がはじめて聞く話だった。髪ふり乱して夫に殉じた山辺への同情が高まる分だけ、わが身に投げつけられる批難が加わってゆくのに、祖母は一切抗弁をしないで生きてきたのだ。

いつか晩秋の夕暮、母や長屋とともに、落日の異様な紅さの中で二上山（ふたかみやま）を見た覚えがある。そこに大津皇子が葬られているのを知っている氷高たちは、一様に視線を逸らせたものだったが、多分祖母は、生涯、眉根ひとつ動かさずに、山を眺め続けてきたに違いない。

なおもその乾いた唇はかすかに動く。うわごとに似た響きの中に、氷高は辛うじて祖母の言葉を読みとった。

「大家とは……そうした……もの………」

祖母の手を握る指先に力を入れた。それが祖母への誓いだと思った。

そう思いながらも、氷高の心は揺れる。

――大家になるということは、長屋との愛を諦めるということだろうか。いいえ、そんなことはできはしない。私はもう、あの方を愛してしまっているのだもの。それに……

自分が祖母のような人間でないことを氷高は知っている。数々の難局をきりぬけ、政治の大舞台でも、一瞬のたじろぎもみせなかった祖母――そんな力量が自分にあるとは思えなかった。

――私にふさわしいのは、あの方のような一皇族の妻として、ささやかな幸福を守ってゆくことなのに……

が、死の床にある祖母は、いま、重大なことを語ってくれた。文武と宮子を切り捨ててしまえば、いま残るのは母と自分と吉備——。とすれば、母を支えてゆくのは、自分しかないではないか。

眼を閉じると、長屋の面影が浮かぶ。そしてその面影がしだいに小さく遠のいてゆく。

——ああ、皇子。

心ならずも、自分はあの方を裏切ることになる。

——あの方は責めるだろう。そして世の人々も……

そのとき、氷高の耳許によみがえってきたのは、

「悪評を恐れてはなりませぬ」

きびしい祖母の言葉だった。長屋の面影は、闇の彼方に遠ざかってゆこうとしている。そしていま、氷高は自分の頭上に、極北の星の輝きを感じている。

太上天皇持統が世を去ったのはその数日後、大宝二（七〇二）年、十二月二十二日のことであった。

楯立つらしも

巨木が音もなく倒れたような、持統の死であった。しかし、ぽっかり空いてしまった灰色の空間には、今も、かつての日の巍然たる女帝の記憶が刻みこまれている。氷高にはそう思われてならない。

現身が存在しなくなったことによって、かえって生前よりも祖母を身近に感じるのは、死の床から語りかけてくれた言葉のせいだろうか。

――私はお祖母さまに誓ってしまった。お母さまを助けてゆかねばならない。

周囲の批難から一歩も退くな、と祖母は言った。幽艶な氷高の面差に、鍼の鋭さが加わったのはそれ以来のことだ。長屋王を強いて避けるようなそぶりを見せはじめたのもそのころからである。

「お二人の間に何かがあったのかしら？」

侍女たちは、不可解な恋のなりゆきをいぶかしみながら声をひそめてささやきあった。

「ひめみこさまが心変りされたとか」

そんなささやきが、間もなく氷高の耳にも届いてきた。噂がひろがれば、我儘、冷酷、と人は自分を誇るかもしれない。

——お祖母さまが、周囲の批難から一歩も退くな、とおっしゃったのはここなのだわ。

氷高は息をつめた。持統の死以来、政局も微妙な変化を見せはじめている。人々は、強い指導力を保ちつづけたこの女帝への記憶を、急いで拭いさろうとしているかにみえた。

持統の伊勢行きに反対し中納言を辞めさせられ、一地方官の地位に甘んじていた大神高市麻呂が都の東半分を統轄する左京大夫に任じられたのもその一つだ。

これに先立ち、藤原不比等の第二子、房前が、各地へ派遣される政情調査官の一人に選ばれたことと思いあわせれば、おのずとその意図するところもはっきりしてくる。

氷高には、これまで見えなかったものが見えてきた。不比等はしだいに自分の味方をふやそうとして地方にまで手をのばしはじめているのだ。房前の分担は東海道——。持統がぎりぎりまで協力をあてにしていた地方である。ここで房前が何に眼を光らせたかも、氷高にはほぼ見当がつく。

いわばこれは一種の地ならしである。こうしておいて、ある日、さりげなく後宮に一人の幼児が迎えいれられる。

不比等の娘、宮子が、文武との間にもうけた首である。幼児は数え年三つになっていた。が、ふしぎなことに、幼児の母、宮子は、そうなっても後宮に姿を見せなかった。幼児を抱くのはいつも県犬養三千代。文武の乳母だからそれがあたりまえ、といわぬばかりの誇らしさで、

「ほら、おかわいらしい皇子さまでしょ。母君そっくりで」

誰彼なしに見せびらかすようにした。言われるまでもなく、幼児はあきらかに宮子の美貌を

うけついでいる。透きとおるような白い肌、長い睫、女児にもみまがうばかりの線の細さが、ひよわな体質を感じさせたが、

「こんなお美しいお子さまは、どこにもいらっしゃらないのでは」

と言う侍女たちの言葉は、媚びやへつらいではなかった。三千代の顔はいよいよ誇らしげになる。ゆっくりうなずく眼の隅には、

――このおかわいらしい皇子さまが今まで宮中入りできなかったのは、太上帝のお眼が光っていたから……

とでも言いたげな気配が窺える。裏をかえせば、不比等も三千代も宮子も幼児も、持統の死を心待ちにしていたということなのか。

幼児を抱く三千代の裾には、時折、小さな女児がまつわりついていることがある。すでに三千代はこの女児の父が不比等であることをかくそうとはしない。安宿媛と呼ばれる女児は、宮子の子と同い年のはずだが、ずっと足もしっかりしていて、柄も大きい。幼児に似合わないほど、眼の光の強いこの子をかえりみて、

「皇子さまのよいお遊び相手ですの」

と三千代は相好をくずす。が、その三千代も、宮子のこととなると、にわかに口を閉ざしてしまう。何で宮中入りしないのか、今もってその謎は解かれていない。周囲の嫉視を恐れているからだとも、出産以来、全く体調をくずしているのだとも、心の病に冒されているのだとも、噂はさまざまだった。実母の賀茂比売の所にいるとも、ひそかに不比等の邸内に迎えられたともいうが、それを確かめたものは誰もいない。幼児の顔を見ても文武がさほど嬉しそうな顔を

しないのは、宮子の後宮帰還が実現しなかったからだ、と侍女たちはしきりに噂しあった。

文武はやはり宮子を愛しつづけているのだろうか。代って文武に侍する石川刀子娘と紀竈門娘は嬪の称号を与えられてはいるものの影の薄い存在になっている。

「私は帝をお慰めすることが下手なのです」

途方にくれたように、刀子娘が氷高にそう言ったことがある。気のやさしい、美しい娘なのに、内気すぎて自信がないのだ。石川の姓がしめすように、氷高と同じく蘇我倉山田石川麻呂の血筋をひいてはいるのだが、有力な肉親がいない。

「どうしても石川麻呂系の娘をききさきに」

という故持統の強い希望があって後宮入りしたのだが、そのことじたい彼女には重荷らしい。

「あなたの心のやさしさは、いつか帝もわかってくださると思うわ」

氷高にはそれしか慰めようがなかった。期待というより、祈りに近い思いでしかなかったのだが、大分経ってから、氷高は刀子娘の口から、そっとこう告げられたのである。

「あの、私……帝の御子をみごもったようなのです」

持統の死後、一年半ほど経ち、慶雲と改元されてまもなくのことであった。月のない夜を選んで氷高の殿舎にしのんできた刀子娘の眼はうるみながら輝いていた。

「まあ、それはほんとう?」

思わず氷高は刀子娘の白いふっくらした手を強く握った。

「はい」

頬に漂っていた自信のなさは消え、母になる喜びが体じゅうにあふれている。

「よかったこと」

言いながらも、氷高は、

「ここに来たことを、誰にも気づかれなかったでしょうね」

つけ加えずにはいられなかった。

「はい、それは誰にも」

氷高を姉のように慕っている刀子娘は、まずそのことを知らせたかったのだ、と言った。

「ありがとう。早速私から母君にはお知らせしておきます。まだ帝には申しあげてはいないのですね」

「はい、明日にでも……」

氷高は首を振った。

「いえ、それは少し先の方がいいでしょう」

「は？」

灯の下で、刀子娘の眼が、いぶかしげな色を見せる。

「このことは、ほかの誰にも覚られないように」

「は、はい……」

おぼつかなげなうなずき方に、氷高は彼女が事の重大性をまだ認識していないことを知った。

「体をいたわってね。さ、気をつけてお帰りなさい。誰か供をつけましょう」

侍女を呼んで、屈強な舎人に見えがくれに警護するように言いつけたまま、氷高は窓辺に身をあずけた。内廷の庭は暗い。ゆっさりと樹冠を茂らせた樹々が、かすかに葉を揺らせる気配がする。

刀子娘の出産は来年——。もしそれが男の子だったら？　いまも、三千代の懐ですやすやと寝息をたてているであろうあの幼児との対立は必至である。三千代や不比等を相手にいかに戦うべきか。それにもう一人のきさき、紀竈門娘の背後には古来の名門紀氏がついている。しかし、死にゆく祖母持統との間に交わした約束は、どうしても守らねばならない、と氷高は思った。

事態は新たな展開を見せはじめた。文武の血を享けた生命がもう一つこの世に生れでることは、少なくとも、宮子の産んだ幼児の独走を阻むことになるはずだ。

そう思いながら、しかし、氷高の胸はひどく重い。刀子娘をみごもらせた弟の文武に、晴れ晴れと祝いの言葉を贈る気にはなれないのだ。不比等の娘、宮子に溺れ、今も未練を断ちきれない弟を許せないでいる自分としては、心から喜んでいいはずなのに……。

——人の心はうつろいやすい。離れていれば、人間はみなそうしたものさ。

さかしらなささやきが聞えるような気がする。文武は姿を見せない宮子を早くも忘れてしまったというのか。そのことは、おのずと氷高に一つの面影を思いださせる。

別れてしまった長屋王のことだ。

——あの方もまた……

そうかもしれない。青年長屋の身辺には、その後、しきりに女たちがまつわりつくようになったとも聞いている。その中で自分の影が次第に薄れてゆくことを、自分もまた平静な思いで受けとめなければならないことを、氷高は感じていた。

そのとき、しのびやかに戸を叩(たた)く音がした。

夜半の来訪者は、隣の殿舎に住むようになっていた妹の吉備(きび)だった。

「お邪魔していいかしら」

日頃の遠慮のなさとは打って変ったぎこちなさで吉備は入ってきた。

「おかけなさいな」

小倚子(こいし)をすすめ、

姪娘
天智
遠智娘
持統
天武
尼子娘
阿閉
草壁
御名部
高市
氷高
不比等
吉備
長屋
宮子
文武
刀子娘
首
広成
広世
膳夫
葛木
鉤取

「灯を明るくしましょうね」

侍女を呼ぼうとするのを手で制して、

「お話があるの」

思いつめた口調で言うなり、吉備は唐突に床にひざまずき、氷高の手を握りしめた。

「いえ、お許しをいただかなくてはならないの」

「ま、どうしたの、突然に」

「お姉さま……」

吉備はじっと氷高をみつめてから、力なくうなだれ、姉の膝に頭をもたせかけた。

「だめ、どうしても言えないわ」

「いったい、どうしたというの」

無言でしばらく顔を伏せていた吉備は、やっと首をあげると、氷高の膝を離れ、床に坐りなおした。

「さ、立って倚子におかけなさいな。そして何でも話して。あなたのしたことで、私が許せないことなんてないと思うわ」

氷高の言葉に首を振って、それから思い決した口調で言った。

「お許しいただけることではないのよ。それは……」

必死の眼差が迫ってきた。

「長屋さまのことなの」

えっ！

思わず叫びそうになる声をこらえ、よろめく体を、氷高は危うく卓にすがって支えた。

「長屋さまと私のこと、お許しいただけるかしら」

長屋と妹が？　そんなことがあっていいものか。自分がこんなに苦しみながら、長屋のことを諦めようとしているのに……。長屋の傍に飛んでいって、すべてを打ちあけたかった。いや、それよりも、妹の髪を摑んで床を引きずり廻したかった。が、氷高は、いま、それができずにいる。

——皇女の誇からか？

誇ではない。自分は心弱くてそれができないだけのことなのだ。それが誇ならば、誇よ、呪われてあれ！　この期に及んで何もできない自分がみじめだった。そんな自分を、もう一人の自分が嘲笑っている。

――いまさっき、お前は人の心は移ろいやすい、と知ったはずじゃないか。長屋が遠ざかってゆくことを覚悟したというのも、つまりはきれいごとだったのだね。それならそれで泣くがいい。吠えるがいい。それができないのか。愛していながら、それもいえなかった意気地なし！

混乱はまだ頭の中で渦巻いている。ひどく叩きのめされながら、僅かに氷高が言えたのは、

「許すとか、許さないとかいうことではないわ」

という言葉だけだった。

見れば妹は床に坐ったまま嗚咽している。むしろ恋人を奪われ、叩きのめされているのは自分であるかのように、吉備は紅の袖で顔を被って泣き続けた。我に返った氷高の耳に、切れ切れの言葉が入ってきた。

「そうなの……わかっているの。申しひらきのできることではないわ。顔向けのできないことよ。批難されてあたりまえだわ。あの方とお姉さまが結ばれることをいちばん願っていた私が、こんなことになるなんて」

言いかけて涙に濡れた顔をあげた。

「でも、お姉さま、わかってくださるかしら。私とあの方とのこと。いいえ、今すぐわかってくださいとは言えないわ。でも、これだけは知っておいていただきたいの」

かたちを改めて、吉備はぽつりと言った。

「あの方は、今でもお姉さまを愛していらっしゃるわ」

「何ですって」

氷高の声を制して続けた。

「そうなの。もう結ばれないとわかっていても、あの方の胸からお姉さまの幻を消すことはできないのよ、だから……」

胸の痛みに耐えきれず、気をまぎらすかのように長屋は幾人もの女たちと交渉を持った。しかし誰ひとりとして、彼の魂を慰めてくれる者はいなかった……。

そんな長屋をみつめていた吉備の同情が愛に変ったとしてもふしぎはない。そのことを認めながら、

「お姉さま……」

静かに吉備は氷高に眼を向けた。すでにその瞳には涙はなかった。

「そうなの、だから、あの方にとって、私はお姉さまの身代りなの」

「えっ、何ということを」

「いえ、私は知っているの。顔立ちも性格も違うけれど、私がいることで、あの方はまだしも慰められるのだわ」

「……」

「私にはわかるの。今のあの方には、そういう人間がどうしても必要なの」

「でも、それじゃあ」

私があなたに犠牲を強いたことになりはしないか――と言いかけた氷高の前で、きゅっと口を結んで吉備はかぶりを振った。

「いいの。私はそれでいいと思っているの」

それから、ゆっくりと一語一語に力をこめて吉備は言ったのである。

「だって、私、あの方を愛してしまったのですもの」

不敵な挑戦ともとれる言葉に辛うじて氷高は応えた。

「あなたらしいことね」

亡き祖母の面影が眼に浮かんだのはこのときである。その面影に必死に氷高はすがりつこうとしていた。

――そうなのだわ、私はお祖母さまの道を歩かねばならないのだもの。

それが口実であり、ごまかしであることは、彼女自身が一番よく知っていた。

と、そのとき、立ちあがった吉備は、氷高に近づいて、その肩に手をかけてささやいた。

「それに、お姉さま。私……あの方の子をみごもっているの」

氷高は瞬間、体の中をひどく生臭い何かが走りぬけたことにうろたえた。嫌悪か、羨望か、それとも眩暈(めまい)に似た陶酔か？　ふしぎな女の生理が体の奥で吉備の言葉に応えたのだ。石川刀子娘から懐妊を打ちあけられたときは何とも感じなかったのに、この奇妙な反応も、やはり肉親であるがためのものなのか。

「あなたらしいことね」

動揺を覚られまいとして、つとめて静かに言いながら、氷高は、長屋がすでに自分とは全く別の世界の存在になってしまったのをさとらないわけにはいかなかった。

吉備の頰に、そのときはじめて微笑が浮かんだ。

「憶えていらっしゃる？　お母さまのおっしゃった夕占問のこと」

「ええ」

「世の常の恋をすれば、おそろしい運命に陥るって言われた、あのお話。今までそれはお姉さまのことだとばかり思っていたのだけれど、案外、私のことじゃないかしら」

「まあ」

「でも私、それでもいいと思っているの」

ひるみも見せず、吉備は言いきった。


翌年、吉備は男児を産んだ。長屋と氷高の結婚に難色をしめしつづけた母を、吉備は強引に事実を突きつける形で承諾させてしまったのである。男児は膳夫王と名づけられた。この後、吉備は、葛木、鉤取の二児をも産むのだが、それはもっと先のことだ。しかもその間、母の恐れていたような不幸は全く訪れなかった。

それどころか、吉備の夫となることによって、長屋王の地位もしだいに確立していった趣がある。結婚より以前に彼は無位から正四位上に叙せられている。若手の皇族としては最も優遇された出発である。父の高市が皇太子同様の待遇を受けていたこと、母の御名部が天智の娘であり、しかも皇太妃として文武と共同統治の任を背負っている阿閉の同母姉であることから、血筋の尊貴さが認められてのことであったが、この段階ではまだ官途にはついていなかった。

が、吉備との結びつきによって、阿閉と御名部はいよいよ親密になり、長屋は皇太妃阿閉にとってなくてはならない存在となった。たしかに長屋自身、その信頼に応えるに足る実力の持主でもある。律令にも明るく、詩文にもすぐれ、その才幹を慕って集ってくる知識人たちも多かった。いまや彼は若手皇族の中で、最も将来を期待される人物とみなされつつある。ここにも不幸の翳は全く見られない。吉備は夕占問のことなどすっかり忘れたような顔をしている。

そして、我ながらふしぎなことだが、氷高も、いつか、長屋へのこだわりを薄れさせていった。ひどくうちのめされ、苦しみ、母の許を訪れる長屋とも決して顔をあわさないようにしていたが、気がついてみると、いつか、彼の政治的才幹の豊かさを平静に評価できるまでになっていた。

――むしろ二人にとってはこの方がよかったのだ。

そう思えるようになったのは、その間に彼女が政治状況の中で恋よりもすさまじい試練に遭い心を鍛える術（すべ）を身につけたからかもしれない。まず、彼女が直面したのは、石川刀子娘の出産をめぐる諸問題であった。懐妊とわかると、藤原不比等や県犬養三千代たちは、あきらかな嫌がらせをはじめた。宮子の産んだ男児の地位がゆらぐことへの危機感からである。

「食事にも毒が盛られているのではないかと、不安になってまいりました」

刀子娘からひそかな連絡があった。みごもった女の異常な神経の昂ぶりかもしれなかったが、とにかく急いで刀子娘の身を隠す必要があった。かつて三千代が宮子ともども早々に後宮から姿を消した深謀遠慮が、今になってしみじみと思いあたった。

一応石川一族のつてを辿って、都の中のとある邸に身をひそめさせた。氷高たちの殿舎に連れてきてしまえば一番安心なのだが、それでは対立があらわになりすぎ、不比等たちを刺戟するだろう。こっそりと阿閉の舎人や氷高の従者にその身辺を警護させた。

石川、つまり蘇我の一族は、いま凋落の一途を辿っている。女系ではたしかに阿閉、御名部、そして氷高姉妹と、尊貴の地位を独占しているが、男たちは一族の相剋によって没落し、高官の座にあるものは一人もいない。中で最長老は石川宮麻呂だが、いまは大宰大弐として筑紫にあるので、現実には役に立たない。

しかし、その困難の中で刀子娘は無事に出産を迎える。生れたのは、逞しい男の子だった。広成と名づけられた嬰児を抱いて、

「ひめみこさまのおかげでございます」

刀子娘は涙を流して喜んだが、それによって、前途がいよいよ嶮しいものになったことを氷高は感じずにはいられなかった。

不比等たちは急いで宮子所生の首の立太子を画策しはじめたが、皇太妃阿閉は、

「藤原氏の女性の産んだ皇子が皇太子に立つなどは聞いたことがありません」

一言のもとに撥ねつけた。たしかに、これまで藤原氏の血をひく皇太子や天皇は史上ひとりもいない。母系を尊重する当時にあっては、阿閉の一言は絶対的な重みを持った。

では、石川刀子娘の産んだ広成はどうか。

「たしかに刀子娘は帝とも血のつながりの深い石川氏の出であられますが」

不比等は恭しく反論する。

「いまや石川一族に昔日のおもかげはございません」

すでに石川は卑姓といってもいい、といわぬばかりの言い方をした。しかし、この時点での皇太子擁立は無理な話だった。第一、首も広成もあまりにも幼なすぎる。不比等が焦りすぎているのが誰の目にも明らかである。

一方の阿閉側も、後に退けぬところである。これまで、天皇には必ず蘇我の血をひくきさきがいた。正后でない場合もあったが、欽明天皇以来百数十年、この伝統はほとんどゆらいでいない。これだけ蘇我の娘と天皇との結びつきは強かったから、しぜん次期の天皇の多くは蘇我の娘たちの血を享けている。

例外は天智の皇子、大友で、皇太子に擬せられた彼は、伊賀の采女の子で、しかもきさきに蘇我の娘はいなかった。それどころか、中の一人は藤原鎌足の娘だった……。

不比等がそれを持ち出そうとするのを、阿閉の眼は冷たく拒否する。

——不比等よ、だからこそ私たちは壬申の戦を戦ったのですよ。ごらん、大友は皇位につけなかったではありませんか。

もちろん天武にも藤原氏からきさきは入っているが、それより優位に倉山田石川麻呂の血をひく娘たちがいた。阿閉と不比等の対立の中で壬申の戦の記憶が重苦しくむしかえされる。結局、血は流さないまでも、文武の両皇子が成長するまで、二十年近く、息づまる戦いを続けねばなるまい、と両者が覚悟をきめたとき、思いがけない事態が起った。

文武が、たった二十五歳の若さでこの世を去ってしまったのだ。宮子のことや、後嗣問題など、さまざまの悩みが、病弱な王者を押し潰してしまったのだろうか。このとき石川刀子娘はふたたびみごもっていて、文武の死後、もう一人の男児を産んだ。広世である。

慣例に従って、このとき皇位についたのは、共同統治者の皇太妃阿閉——元明天皇である。異母姉持統の歩んだ道を、彼女もまた歩まなければならなくなったのだ。が、前途はいよいよ嶮しい。即位にあたって、彼女は一首の歌を遺している。

丈夫之　鞆乃音為奈利　物部之　大臣　楯立良思母

即位の儀にあたって、宮門にたてかけられるのが大楯である。そして、そのあたりに、いかめしく侍立する兵士たち。が、阿閉はそのものものしい儀式だけを詠んだわけではない。

——お母さまは、敵陣に臨むような覚悟をもって即位しようとしておられるのだわ。

氷高の胸にひしひしと響いてくるのは、そのことだった。

持統を失い、いままた文武を失い、心ならずもつかねばならない栄光の座だった。前途の多難はあきらかである。

——そうなのだ。お母さまは後に退くことを許されないお立場なのだわ。

その母の思いに応えるように、同母の姉である御名部（長屋の母）が一首を詠んだ。

吾大王　物莫御念　須売神乃　継而賜流　吾莫勿尓

わが君よ、決して御懸念には及びません。神さまの命をうけて、あなたのお後を継ぐ者として、ほら、ごらんのとおり、私がおります。

まさしく元明の傍には、御名部と長屋、そして吉備がいる。

――私たちはすでに楯を立ててしまっている。そしてじつは、味方になるのはこの人たちだけなのだ。

と、氷高は改めて思うのだった。

和銅元年

嵐のまっ只中に乗りだすかたちで、女帝元明の治世は始まった。

豊かな胸を張ってゆるやかに歩をすすめる物腰は以前のままなのに、

——お母さまはお変りになった。

氷高は、そう思わざるを得ない。四十七歳の年齢を感じさせない、ふくよかな頬には、強固な決意を思わせるきびしさが漂いはじめている。

即位の数日後、元明はあざやかな手をうつ。授刀舎人の制度を新設したのだ。文字どおり、太刀を帯びて身辺の警護にあたる彼らは、元明の親衛隊である。

「そなたたちを守るためにね」

その夜、内廷に戻って食膳についたとき、元明は氷高に言葉少なにそれだけ言った。そしてその言葉の短さの中に、氷高は、鋭い短剣のきらめきに似たものを感じたのであった。

元明の後継者はまだきまっていない。文武の直系というなら、石川刀子娘の産んだ広成、広世。不比等の娘、宮子所生の首——。元明の直系というなら、氷高、吉備、そして吉備の子供たち。その誰をということは、たとえ内廷にあるときでも、口に出して言うことは憚られる現在だった。

その危うさの中で、元明は、翼をひろげる親鳥のように、まず身辺を庇うことからはじめたのである。もちろん、制度的には、兵衛府、衛門府、衛士府がおかれているのだが、それらは律令官僚機構の中に組みこまれているし、しかもその中枢を握るのが、藤原不比等であってみれば、彼らの動きには期待できない。

そこで元明は、自分の直接指揮できる戦力を身辺に貯え、不測の事態に備えたのだ。それはあくまで「兵士」ではなく、身辺の雑用に奉仕する舎人の中の何人かを武装させるのだ、という形をとって……。

電撃的なこの早業に、さしあたって不比等は沈黙を守った。元明の身辺の武備がととのえられてゆくのを見守りつつ、

「それは結構なことで」

妥協的な態度をしめしたのは、しばらくしてからである。

「このような世の中では、御用心に越したことはございません」

静かに笑みを含んでそう言ったという。

氷高にはそのときの不比等の笑顔が想像できた。すでに五十歳、猪首を肩にめりこませたこの男は、眉毛がいよいよ薄くなり、下り眼に湛えられた微笑は、薄気味悪いくらいおだやかになっている。

——何事も帝の仰せのとおり……

という恭しげな態度に、近頃、氷高はかえって隙のない手強さを感じる。これに対しては、

った。

先手を打って自分たちの防禦を固めるよりほかはないという母親の判断が、痛いほどよくわかった。

政治はつねに妥協である。妥協しながら、要は最後に何をかちとるかだ。元明も不比等もそのことはよく知りぬいている。心に秘めた野望が大きければ大きいほど、無用の刺戟は避けて機を待たねばならない。不比等の音なしの構えはそれを意味しているのだろう。

一見平和裡に暮れたその年の翌年、正月早々に武蔵国から朗報がもたらされた。秩父郡から自然銅が産出したというのである。持統の死から文武の死へと、暗いできごとの続いた当時、それは一陣の春風に似たよろこびの便りだった。

早速年号を和銅と改めよう、恩赦も行おう、武蔵の国の庸と、秩父郡の調、庸を免じよう、群臣の叙位も行おう……。

元明の名によって発せられるよろこびの詔の準備に追われていたある夜、天武の皇子、穂積が、内廷にくつろぐ女帝の許を訪れた。

「この度の和銅産出は、まことにめでたいかぎりで……」

彼はいま知太政官事という職にある。大臣とともに太政官を総括する役で、はじめ天武の皇子、刑部が任じられ、その死後、穂積が継承した。廟堂に皇族を加えていた伝統と、令制を妥協させたようなこの地位にある彼は、もともと元明たちと親しい間柄ではない。穂積の母は蘇我赤兄の娘、つまり石川麻呂系の元明たちとは立場を異にした存在だ。すぐれた歌人でもある彼は政治的にはさほど才走ったところはなく、刑部の死後、順送りに与えられたその座にただ坐っている、というような趣がある。

「新しく鋳銭もはじめられると聞きましたが、これでわが国にも独自の貨幣が生れるわけですな」

ひとしきりそのよろこびを語ってから、

「ついては——」

彼が切りだしたのは、右大臣石上麻呂（いそのかみのまろ）の処遇についてであった。

「今度、正二位を与えられるのがいい機会（しお）だと思うのですが……」

すでに麻呂は六十九歳、年に比して老いこみが甚しく、右大臣の職責を果しかねている。正二位を与えられるのを花道として、現実の政治から離れさせたらどうか、と穂積は言ったのである。

「何しろ只今は、左大臣がおりません。麻呂と私だけでは、複雑になってまいりました政務を取りさばくのは至難のことで……」

困惑しきった表情に偽りは感じられなかった。そのことは元明自身も感じている。老いた石上麻呂が新しい大宝律令に順応しきれないために、政務が渋滞していることは事実なのだ。

が、元明は、それに触れることをためらい続けてきた。後任の人事が問題だからである。麻呂に次ぐ位置にあるのは、大納言藤原不比等。彼を昇格させるのがまず順当だし、廟堂に支持者の多い不比等なら反対もないはずだ。しかし、それでは彼に一層権力を集中させることになりはしないか。彼の装う恭順のポーズに、元明は心を許していないのである。

さすがに穂積もそのあたりのことは察しがついているのだろう。

「ま、これはなかなかむずかしいことで」

と声を低くした。その夜二人の密談は長く続けられた。立場の微妙な穂積には、元明もうかつに手のうちをさらけだすことはできない。

「石上麻呂はたしかに老いました。でも、これまでの長年の労を思いますとね……」

女らしい憐れみを武器に、元明は提案した。麻呂は引退させるよりも、むしろ左大臣に昇進させるべきではないか。その代り右大臣を不比等に譲り、実務を担当させる。形の上だけでも麻呂が左大臣として坐っていれば、不比等の権力に歯止めをかけることにはなるだろうという意図を読みとったかどうか、

「おやさしいお心づかいで……」

穂積は小さく何度かうなずいた。

元明はここでさらに踏みこむ。そのころ大納言の座に辿りついていた大伴安麻呂（おおとものやすまろ）についてである。大納言の定員は二人、しかし安麻呂は大宰帥（だざいのそつ）として筑紫にある。不比等を昇格させると、実質的には大納言は空席になってしまう。

「やはりこの際、安麻呂は呼び戻しましょう」

「といたしますと、帥は？」

「中納言の筆頭、粟田真人（あわたのまひと）はどうでしょうか。渡唐の経験もあることですし」

大宰府は当時、唐や新羅との外交の窓口であった。

「適任でございますな」

「そのような計らいをお願いします」

「極力努力いたしましょう」

穂積が辞したあと、元明はしばらく倚子に身をゆだねたまま、起つこともできなかった。今までにこやかに湛えられていた笑みが消えると、代って疲労の翳が俄かに深まった。

気心の知れた安麻呂を呼び戻して、麻呂と彼とで不比等を挟む形にする。一方、不比等の腹心ともいうべき粟田真人は遠く筑紫に飛ばして、少しでも不比等側の勢力を削ぐ。考えられる布石はそのくらいしかない。

が、果して穂積の工作に期待できるのかどうか、その能力も真意も摑めないだけに、不安は募るのである。

母の身を案じた氷高が、足音をしのばせて、遠慮がちに扉を叩いたのはそのときだった。

「まだお寝みになりませんの」

ふりかえった母の眼の周りの深い隈に、彼女は気づいたはずである。が、母は無理にも微笑を浮かべようとしていた。

「そなたこそ……私が寝まずにここにいることが、どうしてわかったの？」

「ただ、何となく……」

氷高はぽつりと言った。

「自分でもふしぎなのですけれど、私、お母さまが、どこで何をしていらっしゃるか、わかるようになってきたのです」

瞳の底に、すみれ色の翳がちらと走ったようだった。同じ内廷でも氷高と母の殿舎は離れている。にも拘らず、このごろ彼女は母の起居のすべてが感じとれるようになってきているのだ。

体は離れていても、心は常に母に副わせている、とでもいうべきなのか。長屋との恋を終らせた彼女の、それは新しい出発なのだろうか。

「さ、そなたもお寝み。ちょっと訪ねてきた人がいたので、つい遅くなって」

倚子を離れた母が、そっと肩を抱くようにしたとき、氷高は言った。

「お客さまは、穂積さまですか？」

「ま、そなた、見ていたの？」

「いえ、ちょっとそんな気がしたのです」

夜明けが近いのか、どこかで鳥の声がしはじめていた。


廟堂における穂積の工作は予期していたよりも順調に運んだ。

「すべては帝の仰せのとおりに内定いたしました」

元明がこういう報告をうけたのは、それから間もなくであった。さまざまな事情から、発令は三月ということになったが、

「ともあれ、お礼を申しあげたくて」

よろこびをかくしきれない様子で、不比等は早速元明の許へやってきた。

「帝の御計らい、終世忘れませぬ。このような御恩にあずかれるとは、夢にも思っておりませんでした」

眼尻の下った細い眼は、ますます細くなった。

「この上は、ふつつかながら、帝のおんために命がけで働かせていただきます」

背中を丸めて深々と頭を垂れた。

「石上麻呂も年ですから、よく助けてやってください」

元明の言葉にも、謙虚に首を振った。

「いえいえ、右大臣はまだ健在です。私などの及ぶところではございません」

しかし、日ならずして不比等は実力を発揮しはじめた。石上麻呂が風邪をこじらせて病臥したために、しぜんその代行をつとめるようになったのだが、その間に、滞っていた諸問題は一挙に処理されてしまったのだ。まるで律令のすべての条項を頭にたたみこんでいるかのように、彼の指揮には淀みがなかった。

元明の臨席した会議の席上で、不比等がやや緊張した面持で口を切ったのは、それから間もなくである。

「今回、事の処理にあたりまして、大きな発見をいたしました」

「ほ、それはどのような」

穂積の問に不比等は背を丸めたままうなずいた。

「政務の渋滞についてであります」

それだけ言って、一座を見廻した。

「これにつきましては、処理する側の不手際のように、私も考えておりましたが」

石上麻呂の名を挙げずに、やんわりと言い、

「問題はそのようなことではないことが、私自身その立場に立ってみて、よくわかりました」

「藤大納言よ」

口を挟んだのは元明である。

「卿はしかし、みごとに懸案を解決したではないか」

「有難いお言葉でございます」

細い眼を一瞬輝かせてから、不比等は続ける。

「それは一時的なことでございます。根本的なことは解決されておりません」

「なぜに？」

誰かの小さな問に蔽い被せるように、不比等は野太い声を響かせた。

「都のありかたが間違っている」

周囲があっ、と息を呑むような断定的な言い方であった。そもそもこの藤原の都は、飛鳥浄御原令に相応する作り方がなされている。が、すでにその規模を遥かに超えた大宝律令がとのい、公布された今、藤原京はそれに対応できなくなっている。

官制も変った。役所の数も飛躍的に増加した。役人の数もふえた。それが狭いところにひしめきあっているから機能は低下し、政務は混乱するのである。

「これはもう救いがたい状態といっていい」

不敵にそう言って人々を沈黙させたとき、下り眼は静かに、そして不気味な光り方をした。

「しかし卿よ」

元明の声が沈黙を截った。

「この藤原京は、天武の帝の御遺志をうけついで、持統の帝が創められたもの。文武の帝から今までまだ造営は続いています。その都をどうしようというのか」

俄かに不比等は表情を和らげた。

「は、左様でございますからこそ、私も困惑いたしておりますので……」

その日の会議はそれで打ち切られたが、考えてみれば、これは容易ならざる提案であった。二度、三度、会議が続けられるうちに、元明は不比等の意図に気づく。

彼は単に官衙の拡張、配置替えだけを望んでいるのではない。この藤原京そのものを否定しようとしているのだ！

――そうだったのだね、不比等。

復讐の構図はいまや明らかである。彼は壬申の戦以後、つまり天武以来の時代を地上から剝ぎとり、抹殺しようというのだ。

――そうはさせじ！

廟堂において、元明と不比等の死闘がはじまった。元明は孤立無援である。高官の多くは不比等派だ。頼みとする大伴安麻呂の帰京は正式にはまだ発令されていない。多数決できまるしきたりでなかったそのころとはいえ、不比等の遷都論を覆すのは至難のことだった。

「ここまで巨費を投じた都を立ち腐れにすることはできない」

元明がこう言えば、不比等は反論する。

「役に立たないものを維持することこそ大浪費ではないか」

結局は大宝律令か藤原京か、法か都かという論争になってしまう。ここに及んで、元明は、大宝律令撰定に並々ならぬ情熱を傾けた不比等の真の意図を覚ったのである。

――あのとき、持統の帝が、むきになって反対なさったのも、もっともだった。

しかし、その新体制を支持したのは、ほかならぬわが子、文武なのだ。その意をうけて発足し、ここまでできあがってしまった体制を崩すことは、今となっては不可能に近い。思えば大宝律令制定に踏みきった時点から、元明たちの敗北は始まっていたのだった。

その思いに身を噛まれながらも、元明は敢然と戦った。最後には、

「嫌なものは嫌です」

女の非論理性を楯に頑張った。さすがの不比等も、

「それではやむを得ませぬな。私は何事も帝の思召しに沿いたい、と思いますので」

遷都の提案を引っこめる素振りをみせたが、そのときになって、元明には彼の真の意図がはっきり見えてきた。

——そうだ。あの男は、ずっと近江復帰を狙ってきたのだ。

天武以後の歴史を否定し、父鎌足が構想した近江の都に戻ることこそ、彼の念願ではないのか。

——そんなこと、絶対にさせるものですか。

唇をひきしめて会議に臨んだある日、彼女は思いがけない沈痛な表情の不比等と向きあうことになった。

「帝、まことに申しあげにくいことでございますが」

その声もくぐもりがちだった。

自分は帝の意思を第一に考えている、と彼は前置きした。だから遷都案はすっぱりと撤回するつもりだった。ところが、ここに思いがけないことが起った。

というのは——

天文・陰陽をよくする者からの進言があったのだ。

「それによりますと、ここ藤原京は、凶相ただならぬところなのだそうでございます」

「嘘です。嘘をおっしゃい」

思わず元明は叫んでしまっていた。虚を衝かれた感じである。女の非論理性に対抗して、不比等は新手の攻撃をかけてきたのだ。しかも彼は事実を突きつけてきた。

「遷都を推進した高市皇子は都うつりから二年経たぬうちに亡くなられました。そして、持統の帝も、文武の帝も……」

さらにその不幸はひろがるであろう、と彼は言う。

「私は帝の御身を御案じ申しあげております」

「脅そうというのですね」

元明はつとめて静かに言った。

「脅す？　とんでもございません。私は帝のおんため、命がけで働くことをお誓いしております。みすみす帝のお命を危くなしまいらせるようなことは、何としてでも避けねばなりませぬ」

「有難う。でも私は平気です。禍を恐れていては何もできません」

「御立派なお覚悟でございます。しかし、氷高さま、吉備さまのお身の上にそれが及ぶといたしましたら？」

元明は思わず絶句する。そこに不比等はつけこむ。

「いや、吉備さまの王子（みこ）さまや、ひいては文武の帝のお忘れ形見、広成王、広世王のお身に何かが起きましたら」

「信じませぬ！」

元明は辛うじて口をはさんだが、その声は揺れていた。

「信じません、そんなことは！　不比等、そなたは私たちを脅してどこへ連れて行こうというのです」

「何も脅すなどと……」

「さあ言いなさい。どこへ行くつもりです」

「……」

「言わないなら言ってあげましょうか」

「は……」

「近江でしょう」

元明は不比等を睨（ね）めすえた。

「誰がそのようなところへ行くものですか」

不比等の顔に静かな笑みが浮かんだのはそのときである。

「近江？　ほう……」

珍しいことを聞くというようにくりかえし、

「そのようなことは思ってもおりませんでした」

小さな眼はじっと元明を見つめている。眉の薄い顔が奇妙な仮面に似てきた。

「私はただ、忌わしいこの地でなければ、どこでもよろしいと思っているのでございます」

一座にこれに同調するざわめきが起った。すでに人々は、藤原京の凶相に怯えはじめていたのだ。

「帝の御身を気づかう彼の卿の意見はもっともと思われます」

「私も」

「私も」

うなずく中に穂積の顔もあった。悪意はないのかもしれない。深夜の来訪も、よもや不比等にそそのかされてのことではなかったかもしれない。が、何の考えもなく大勢に順応してしまう穂積の人のよさに、元明は限りない苛立ちを感じざるを得なかった。

大勢は明らかに非であった。高官たちは怯え、浮足立っている。明日にはその部下たちに、そしてその翌日には下僚や庶民たちにこの波紋がひろがってゆくであろう。

が、元明はまだ後には退かなかった。

「私は嫌です。歴代の帝が造られたこの藤原京から遷ろうとは思いませぬ。それに――」

ゆっくり一座を見廻した。

「私は薬師如来のお力を信じています」

「薬師？」

誰かの小さな呟きに、元明は胸を張って応えた。

「そうです。薬師寺の、あの三尊です」

かつて天武帝が、きさきの鸕野讃良（後の持統）のために発願し、その死後、持統から元明へと引きつがれたこの寺は、この地に腰を据えた天皇家の寺だ。それにもう一つ、元明たち蘇我倉山田石川麻呂系の娘たちの帰依する山田寺のあの荘厳な仏たち――。

「私はその加護を信じ、御仏とともに、力の限りこの地で生きぬきます」

そのときである。不比等の小さい瞳に、薄気味の悪いほどおだやかな微笑が浮かんだのは。

「帝」

声はあくまで静かだ。ふつうなら興奮の絶頂に達すべきときに、彼は妙にもの静かになるのである。

「ならば、その御仏を、帝の遷られるところまでお運びいたしましょう」

「え？　あの薬師三尊を、お運びするんですって」

あの巨像を？　あの黄金の仏たちを？

「できもしないことを言うのはおやめなさい」

元明の声がうわずってゆくのをさらりとうけとめて、不比等は言う。

「できないことではありませぬ」

「……………」

「私がやってごらんにいれます」

「……………」

「どこまでも。帝のよしと仰せられるところまで。仰せとあらば近江までも。いや、心にもないことを申しました。近江などには参りますまい。ただ、私は帝のおんためなら、命がけで何でもいたします」

意地ずくになっているのか。それにしても、果してあの三尊を動かすことはできるのだろうか？

廟議が何度もくりかえされた後、遂に元明は遷都を承諾した。遷都の詔が発せられたのは和銅元（七〇八）年二月。

「……遷都ノ事、必ズトスルコト未ダ遑(イトマ)アラズ。而ルニ王公大臣咸言(ミナマウ)サク。往古ヨリ已降(コノカタ)近代ニ至ルマデ、日ヲ揆(ハカ)リ、星ヲ瞻(ミ)テ宮室ノ基ヲ起シ、世ヲ卜(ボク)シ土ヲ相(ミ)テ帝皇ノ邑(イフ)ヲ建ツ……衆議忍ビ難ク詞情深切ナリ。……豈(アニ)独リ逸予センヤ」

廟議に列していたわけではなかったが、氷高は、その言葉の中に母の真情がこめられているように思えてならなかった。

——お母さまは、お心の中では、この藤原京から遷らなくてもいいのに、と思っていらっしゃるのではないかしら。

あをによし

藤原京を北上した奈良の地、平城京へ——。元明女帝にとってはかなり苦渋にみちた決定であったにもかかわらず、遷都と決ると、宮廷の内外に、微妙な明るさが漂いはじめたのを、氷高は感じている。

俄かにやさしさを帯びはじめた空の色のせいか。遥かな山脈の稜線が、霞に包まれるようになったからか。いや、そうではあるまい。

——誰もが、今度の遷都決定にほっとしている。

氷高はそう思わざるを得ない。

そのために厖大な費用と労力を必要とするというのに、侍女の中には、氷高に向って、

「ほっといたしました。じつは帝やひめみこさまの御身に禍がふりかかっては、と御案じ申しあげておりました」

口に出せなかったことを、やっと言えるようになった、というふうであった。

「新しい都は大吉相の地と承っております」

移り住む日を待ちかねている声が、潮のように湧きあがりはじめている。

——この突然の変化は何なのか。こんなにも、藤原の地を人々は恐れていたのか。それに気づかなかったのは私たちだけなのか。

いや、そうではあるまい。巧妙な人心の操縦がどこかで行われ、知らず知らずのうちに自分たちだけが孤立させられてしまったのではないか。

唯一の救いは、人々が詔勅の意味を氷高のようには受けとらず、「平城の地は方角がよいのでそこに遷ることにした」という決定を元明その人の意思だ、と思いこんでいることだ。さすがに廟堂での不比等と元明の激しいやりとりまでは外部に洩れてはいないらしい。それと知ってか、元明の態度に、微妙な変化があらわれた。

「皆のためによかれと思って決めました。そなたたちが喜んでくれるなら、私も嬉しい」

鷹揚な微笑を絶やさずそう言う元明の前に人々はひれ伏す。

「もったいないことでございます」

決心を定めた以上、それに向ってひたすら進もうとしている母の態度に、氷高はある潔さを感じた。

三月、既定の方針通り、人事異動が発表された。石上麻呂が左大臣に、藤原不比等が右大臣に、そして大納言大伴安麻呂は大宰帥の兼任を解かれて帰京した。遷都を明後年と定め、建築計画が練られ、造宮の責任者も決った。直接造営にあたるのは、土木、建築の技術に長じた倭漢氏たちだが、もちろん真の総指揮官は不比等である。

奈良の新都は、藤原京の約三倍に拡張されるはずであった。以前から大和には南北に走る三つの古道がある。東側から順に上つ道、中つ道、下つ道と呼ばれているが、藤原京はちょうどこの中つ道と下つ道の間の東西四里（現在の約二・一キロ）、南北六里を京域としている（当時の測り方では一里は高麗尺の一五〇〇丈とされていた）。

新都は、この藤原京をまっすぐ北上した奈良盆地の北辺に計画された。藤原京の西端を走る下つ道を北に辿り、この道を中心として、東西に四里ずつ京域をとると、それだけで、二倍の広さが得られる。南北も同様に倍に引き伸ばしたいところだが、丘陵などに遮られるので、これは一倍半に止めることになった。

藤原京はこの京域を南北十二条、東西八坊に区切ったが、新都は東西を同じく八坊とし、南北は北の二条、南の一条分を省いて九条とした。条坊の数は減じたが、一区割（坊）の大きさはずっとひろがっている。

計画が示されたとき、高官たちは驚嘆した。

「そんなに広いところがあるのですか。三倍も広い都が造れるとはすばらしい」

「下つ道をまっすぐ北に辿って、その左右に京域をとるのですな。下つ道がそのまま中央の大路になるとはうまい計画だ」

新都と藤原京の比較図を示されると、いよいよわかりやすくなった。都の中心を走る大路をうけとめる形で宮域があるのもよく似ている。

「とすれば、藤原京に准じて、それぞれの建物の位置をきめればよろしいわけですな」

声に応じて不比等はうなずく。

「左様。たとえば左京十条四坊の大官大寺、右京八条三坊の薬師寺は、ほぼその位置に遷します。ただし、新都は九条ですので、多少の変更はやむを得ませんが」

細い下り眼がちらりと元明を見る。

――あの日の仰せ、忘れてはおりませぬ。

というふうに。元明もさりげなく不比等をみつめる。もっとも、藤原京をはずれる川原寺、橘寺はそのまま飛鳥故京に留めることになった。ただし、飛鳥寺は、大仏や伽藍はそのまま故地に留め、寺籍のみを移して、新都の適当な位置に新たに建立する。飛鳥寺は法興寺とも呼ばれ、蘇我氏の宗家である馬子が建立し、後に官寺として手厚い保護を加えられてきた寺だから無視するわけにゆかなかった。

その代り、山田寺は、蘇我倉山田石川麻呂系の寺ではあるが、私的な寺だというので移転は見合わされた。元明ははじめ難色をしめしたが、それよりもまず移転すべき寺があるので、山田寺については譲歩せざるを得なかったのだ。

移転を必要とする寺の一つは大官大寺である。これは不比等も無条件に認めている。さきに百済大寺、ついで天武天皇によって高市郡に遷されてその名も高市大寺と呼ばれたこの寺は、藤原京造営とともに、左京十条四坊に建立された。文字通りの官の大寺で、いわば天武追憶のシンボルである。規模が大きいだけに、まだ完成に達していないこの寺について、不比等は、

「飛鳥寺と同じく、新都にふさわしく、大唐の様式をとりいれた寺を新たに建てる方がよろしいのでは」

と提案したが、元明はこのままの移転を強く主張した。それは、薬師寺の移建にもかかわってくることだからである。

不比等はさきに、薬師寺は伽藍も仏像もそっくり移転させることを元明に誓っている。その

約束を実行させるためにも、大官大寺の移建に元明は固執した。なし崩しに新規建立の事実を押しつけられることを警戒したのだ。

こんなとき、元明の眼は強い光を帯びる。

——不比等、約束を破りはしないでしょうね。

——心得ております。

両者の間に無言の火花が散る。

寺の問題ひとつでもこのとおりで、遷都に伴う問題は山積している。元明は精力的に一つ一つの難問を解決していった。

彼女はいつも堂々として、ひるんだところを見せなかった。事が決った以上、先頭に立って指揮するのが王者の任務であると思い定めているかのようだった。

和銅三年三月、遷都のときは来た。

新しい都——平城京と名づけられたその地の建設は、まだ完了したわけではない。新宮内の諸殿、官衙(かんが)も、どうやら日常に支障を来さない程度の仕上りである。例の大官大寺や薬師寺の移転計画は白紙状態だ。

しかし、藤原京の木材や瓦を運びながらの新都建設だから、ある程度建物が移されてしまうと、藤原京じたいの機能は低下せざるを得ない。それに、何よりも、早く凶相の地を離れたいという人々の思いに促されて、

「諸寺の移建はいずれのこととして」

と、元明たちと、政府機関の移転が、まず行われることになったのである。

遷都の日として選ばれたのは三月十日。その数日前、氷高は、数人の侍女を連れて、山田寺と薬師寺に詣でた。

山田寺では、突然の来訪に急いで金堂に御灯を灯しわたそうとする僧たちを、氷高は強いて止めた。

「御仏前の御灯だけでけっこうです」

まだ昼下り、境内の春の陽はまぶしすぎるほどなのだ。押し開かれた扉から射しこんでくる光が、壁を埋める黄金の塼仏をやわらかく浮き出させる。その静かな、淡い黄金の世界は氷高の心に安らぎを与えてくれる。丈六の仏の前に手をあわせたとき、母や長屋王とともにここに詣でた日のことが、ふと胸によみがえってきた。

――あれは、長屋王の父君、高市皇子の御病の平癒を祈りにきたのだった。

あれから何度となくこの寺に詣でているのに、今日、その日のことがあざやかに思い出されるのはなぜなのか。

氷高はすでに三十一歳、思えばあれから十余年の歳月が流れている。あの日、彼女はこの像の巨きさにうたれ、心のおののきに耐えきれずに堂をぬけだしたのだった。

「自分の心に翳のあるとき、あの御仏の顔はまぶしすぎるのさ」

肩に手をおいてそう言ってくれた長屋もまだ若かった。ふしぎな魂の一致を感じさせた彼は、今は妹の夫である。歳月はいつか二人の運命を大きく引き離してしまった。

氷高はもう一度巨像をみつめなおした。永遠の世界に向けられた、さわやかな切れ長の瞳。

唇許にわずかに漂う不可思議な微笑……十余年前と全く変らないその面差の前で、しかし、もう彼女はたじろぎはしない。

――そうなのだ。藤原京であろうと、平城京であろうと、永遠をみつめる御仏の眼には、何程の差はないのだ。遠くに離れ、この御堂にぬかずくことができなくなっても、この御眼差は、私たちを支えてくださる。

堂を出て、回廊を歩みながら、氷高はふと立ちどまって塔を見あげた。

――このあたりだったかしら。お母さまが塔を見あげていらしったのは……

ここから塔を見るのがいちばん好きだ、と母は言った。曾祖父、倉山田石川麻呂の非業の死の真相を、はっきり知らされたのもそのときだ。

肉親の相剋、信と不信の間を生き続けてきた母や持統を、あのときよりもずっと深く理解できるようになっている、と氷高は思った。十余年の歳月は、いつとはなしに彼女を変えたのだ。

薬師寺についたとき、陽はやや西に傾きはじめていた。金堂、講堂、そして高く聳える塔――。華やかな裳階をつけたそれらの建物は、山田寺の伽藍より流麗で軽やかな感じを与える。この寺が新都に移建されると聞いたとき、氷高は、この塔が、金堂が、そのまま宙を飛んでゆくかのような幻想に捉えられたものだった。

が、光り輝く薬師三尊の前にぬかずいたとき、

――この御仏たちに、ほんとうに新しい都でめぐりあえるのだろうか？

不安が胸をかすめた。まだ移建の計画も具体化していないというし、がっしり大地に根をおろしたようにさえ見えるこれらの仏像を遠く平城京まで運ぶのは不可能なような気がした。そ

う思ったとき、台座にかがまる鬼神たちに奇妙な親しみが感じられたのはどうしたことか。醜怪でなじみにくかったこの異形の者たちに、氷高は声をかけてやりたかった。

――お別れね、そなたたち。

異形の者たちは歯をむきだして笑っている。

――そうですとも。

と言っているようにも見え、また、

――いいや、またお目にかかれますよ。

と言っているようにも見えた。

三月十日、遷都の日は晴れていた。元明の輿を中心に、車駕はゆるやかに中つ道を北上した。母に従う輿に乗った氷高には、遠ざかってゆく藤原京の風物は見えない。

――いや、かえってその方がいいのかもしれない。

氷高は眼を閉じた。住みなれた殿舎の屋根が小さくなり、やがて周囲の緑の中に沈んでしまうのをみつめ続けながら去ってゆくのはむしろ心が重い。

輿に従う侍女たちは氷高の心も知らず、都遷りを声をはずませて語っている。新宮殿のこと、その中に与えられる自分たちの殿舎――。もう半年も前から飽きずにくりかえしてきたことが、いよいよ現実のものとなる興奮を抑えかねているようだった。

そして、母元明はといえば――。

出発にあたって、旧都の留守をあずかる老いたる左大臣、石上麻呂に、

「大臣、しっかり留守を守ってください」

やさしく念を押し、新都への期待に胸をふくらませている侍女たちに、豊かな笑顔を見せて、輿の中に消えたのだった。出発前の数日はほとんど一睡もしないほどの忙しさだったにもかかわらず、元明の頬にその翳はなかった。

一行は日暮前に長屋原に着いた。藤原京と平城京のちょうど中間点といっていい此処に一泊することになっている。さる豪族の邸が元明の宿所にあてられていて、氷高にはその庭続きの小亭が用意されてあった。

庭に出ると、暮れなずむ西の空を区切って、葛城、金剛の山脈が薄墨色に横たわっている。その姿は、飛鳥や藤原の京で眺めたのとさほど違っていないように思われた。

夕餉をすませて、氷高は元明の許を訪れた。五十歳の母の疲れを気づかってのことである。

中年の侍女は氷高に一礼すると、

「まだお寝みではいらっしゃいませんが、しばらく一人でいたいと仰せられて」

とささやいて、奥の扉をさし示した。近づいて来意を告げると、

「お入り」

静かな母の声がした。

「お疲れではないかと存じまして」

うなずきながら、

「疲れていますよ」

ゆっくりと母は言った。

「ま、それは……御輿に乗り続けでいらっしゃいましたから」

「いいえ」

「は？」

「輿のせいではありません」

「………」

「私はもう疲れたのです」

ゆっくりと声を低めてくりかえした。

「戦いに疲れたのです」

ぎょっとする氷高に、元明は卓上の小さな紙片を示した。

「これを……」

紙片にはこうあった。


飛鳥（とぶとりの）　明日香能里乎（あすかのさとを）　置而伊奈婆（おきていなば）　君之当者（きみがあたりは）　不所見香聞安良武（みえずかもあらむ）

氷高が紙片をみつめている間、元明は卓に肘（ひじ）を突き、ふくよかな手で顔を被っていた。

——君があたりは見えずかもあらむ。

口の中でくりかえしながら、

——お父さまのことだわ。

心を震わせながら氷高は思った。飛鳥の真弓の丘には、若くして逝った父草壁の陵（みささぎ）がある。

いや、陵だけではない。飛鳥には母が父と過した島の宮をはじめ、二人の思い出があちこちにある。藤原京にいれば、その思い出の地を常に訪れることができたし、よし訪れなくとも、それは手の届くところにあった。が、平城京に遷れば、思い出の地は、あまりにも遥かなものになってしまう……。

——お母さまのお胸には、いまもお父さまとの思い出があふれておいでなのだわ。

堂々と、そしててきぱきと遷都の計画を推進しているかに見えた母の、人にはあかせなかった胸の裡を覗きこんだような気がして、

「お母さま」

思わず膝にすがろうとしたとき、女帝は指を顔から離して呟いた。

「敗けたのです、私は」

「え？」

聞きかえしたとき、むしろその答は冷静な響きを含んでいた。

「あからさまな敗北です」

「……」

「私たちの飛鳥の地を、藤原京を、守りとおすことができなかったのですから」

「……」

「私の力が足りなかったのです」

「でも、お母さま」

辛うじて氷高は口を挟んだ。

「お敗けになったというよりも、御自分で、はっきり決心をおつけになったのではありませんか」

「……」

「はじめはお気に染まなかったかもしれません。でも、心をお決めになってからのお母さまは、むしろ潔くていらっしゃると……」

「そなたにも、そう見えましたか」

ほとんど表情を動かさずにそう言ってから、女帝の瞳は、ゆっくり氷高に向けられた。やがて口から洩れた言葉は、むしろ呟きに近かった。

「それ以外に、どんな手があるでしょう」

次の瞬間にやってきた沈黙に、氷高は支えきれないほどの重みを感じた。

孤立をあらわにするよりは、妥協を。それも誇高い妥協を——。そう覚って、母は心を奮いおこし、堂々とその役割を演じきったのだ。

——たとえ首に縄を巻かれ、引きずられての遷都であるにしても、その縄を人々に感づかせてはならない。それが女帝の誇であり意地であった。

が、その眼は醒め続けていて、いま母は、おのれの敗北に、容赦のない視線を向けている。

「だから、氷高——」

母の白い頬に淋しげな微笑が漂った。

「この歌は、私のおわびの歌なのです。草壁皇子への、天武、持統、お二人の帝への」

氷高は応える言葉を持たなかった。わが歌に視線を向けていた元明は、静かに言った。

「そなたにだけは、このことを知っておいてほしかったのです」

「はい、お母さま……」

政治の主宰者は、めったに本心をさらけだしてはならない。たとえ魂を引き裂かれようとも……。母はそれを言いたかったのだろうか。孤立し、決戦を挑み、玉砕することはむしろたやすい。が、より困難な後退と妥協の中に、活路を見出すべきだと、母は言っているのか……。いずれにせよ、このことは深く心に刻んでおかねばならない、と氷高がかすかにうなずいたとき、元明は首をしゃんと立てて、はっきり言った。

「でも、私は決して絶望はしていないのですよ」

そのとき扉の外に足音がした。

「お目通り願えますでしょうか」

聞きなれた長屋王の声であった。彼はその前の年の十一月、宮内卿(くないきょう)に任じられている。すでに従三位に昇進している彼が、官僚として初めて与えられたこのポストは、天皇や皇族に関する一切の庶務を管理する宮内省の長官で、血のつながりからいって、元明に親(ちか)しい一人として選ばれたのだった。新都入りして早速必要とする食膳や衣料、木工、金工品などはすべて彼の担当である。

「それについて、今のうちにお耳に入れておきたい事もございまして」

細々としたことを報告しながら、ふと卓の上の紙片を見やった。

「拝見させていただいてもよろしゅうございますか」

一読した後、長屋の瞳には、深い感慨の色があった。彼もまた藤原京で、父、高市皇子を失っている。父の思い出を刻みつけた、飛鳥、藤原の地を去ることには耐えがたい思いがあるに違いない。またこの長屋原こそは、みずからの名の拠り所となった地名である。それらのなつかしい土地を離れてゆくことの意味を知らない長屋ではないはずだ。詩心豊かな彼は、元明に和する歌を思いうかべようとしてか、眼を空に遊ばせた。

——新しい都では、状況はいよいよ厳しくなりそうです。

氷高がそう言いかけたとき、侍女が右大臣不比等の来訪を告げた。

「灯を明るくするように」

侍女に命じ、卓上の紙片をさりげなく隠したとき、元明の頰から憂いの色は消えていた。日頃見せ続けた華やかな笑みを取り戻すと、

「さ、近くへ」

胸を張って不比等を招じ入れた。一礼した彼は、

「お、宮内卿も、ひめみこさまも、これへ」

肩を縮めるようにしながら、下り眼の眼尻に笑みをにじませた。

「私はもう用事を済ませましたので」

長屋は席を起った。その後姿を見やりながら、不比等は、

「宮内卿は、まことにすぐれたお方で」

感に堪えたように言った。

「まだ就任後、日も浅うございますのに、目を見張るほどのみごとさで事を処理されます。いや、内廷の雑事などを担当なさるのはもったいない。いずれ、より重要な仕事をお任せあるべ

きかと存じますが、いかがなもので？」

思いがけないほどの賛辞が続いた。自分たちと長屋との密接なつながりを知らないはずのない不比等の、この称賛は何なのか。もし母の言葉を聞いていなかったら、氷高は彼の言葉の意味を探ることすら思いつかなかったかもしれない。

が、今は違う。母以上に本心を覗かせないこの男の洩らした言葉に、氷高は何とか迫ろうとしている。そんな氷高の方を見ず、不比等は、しきりに元明の疲れを気づかった。

「何しろ長い道のりでございますから」

「いいえ、大丈夫です。明日の都入りを私は楽しみにしております」

にこやかな元明の答に一礼し、

「都造りの者どもも、みな帝の御到着をお待ちしております」

と言ってから、不比等は氷高の方へ瞳をむけた。

「ひめみこさま。いま都で口誦(くちずさ)まれている歌を御披露申し上げましょうか」

「……」

答を聞かずに、不比等は眼を閉じて低く口誦んだ。

「あをによし奈良の宮には万代(よろづよ)に我も通はむ忘ると思ふな」

黙って眉の薄いその顔をみつめながら、氷高はふと心を凍りつかせた。

――この男はお母さまの御歌を知っているのではないか。

いやそんなはずはない。母の歌を知っているのは長屋と自分しかいない。にもかかわらず、心の底を容易に覗かせそうもないこの男には、見えないものまで見通してしまう力があるようにさえ思われるのだった。

新都の運営がしだいに軌道に乗りはじめた翌年、藤原京からの急使が、大官大寺焼失の報をもたらした。それを聞いた瞬間、

「薬師寺は？　薬師寺は無事でしょうか」

氷高は思わず口走っていた。

大官大寺を包んだ猛火がいかにすさまじいものであったか、日を追って詳細が伝えられるに従って、氷高の疑念は、いまや確信に近いものになっている。

「まったく一瞬のうちに、諸伽藍が燃えあがりまして、手のつけようもございませんでした」

旧都藤原京からの使はこう言ったのだ。

「では、金堂も塔も?……」

「はい、一堂宇も残さず」

そのようなことがあってよいものだろうか。広大な寺域に大屋根のうねりを見せて建っていた金堂も、空に聳える九重の塔も、一度に焼けおちてしまうなんて……。紅蓮の炎に包まれた堂宇の辺を、影絵のように駆けぬける何人かの人影が、氷高の眼裏には浮かぶのだ。

——放け火だ。それにきまっている。伽藍をそのまま移建させるという不比等の言葉は口約束にすぎなかったのだ……

天武帝の記憶に連なり、藤原京のシンボルの一つでもあったあの大寺を、不比等は、はじめから新都に移す気はなかったのだ。元明女帝を藤原京から引き離した上で、かの地に終止符を打つための、これは予定の行動だったのではないか。火は付近にも燃えひろがったというが、幸い離れている薬師寺には何の被害もなかったようだ。

が、氷高はそのことに胸を撫(な)でおろす気にはなれない。炎の後から、眉の薄い、下り眼の不比等の薄気味悪い笑顔が浮かんでくるからだ。もっとも、現実の不比等は、大官大寺焼失の報が伝わると、元明女帝の許に、沈痛な面持でやってきた。

「まことに無念のいたりでございます。すぐにも移転にかかりたいと思っておりました矢先でございましたのに」

深く一礼し、

「留守を預る石上大臣(いそのかみのおとど)の手落ちと申すよりほかございませんが、なにとぞ、深くお責め遊ばしませんように。なにしろ老齢のことでございますから」

と行届いた配慮めいたものをつけ加えた。堂宇そのものが焼失してしまった以上、元明もうなずくほかはない。

「そのかわり、これに代るものをこちらで新たに造らせようと存じます。都の中の、ほぼ同じ位置に」

が、新築再建で事がすむという問題ではないはずだ。天武の記念碑(モニュメント)の焼失という事実は拭いきれるものではないだろう。

——復讐だわ。壬申(じんしん)の戦への復讐だわ。

不比等が殊勝げに、新都内に大官大寺再建の土地選定を急いでいると聞いても、氷高の心の中のわだかまりは長く消えなかった。

――この次は、薬師寺だわ。あの薬師寺も焼いてしまうつもりなのだわ。

炎に包まれる堂塔、黄金の仏たち、そして台座の鬼神たちが身もだえするのが見えるような気がした。そんな日が続いたある日、遂に、

――こうしてはいられない。

氷高は胸を衝きあげてくる思いに耐えられなくなった。

――行ってみなくては。

誰にも告げず、装いも変え、身分を秘して行ってみよう。旧都には顔見知りの侍女が何人かは残っている。年老いて、新都へ移るのを諦め、そのままかの地に住みついているそういう連中にひそかに意を含め、寺の付近に住む庶民に金品を与えて警戒を頼もう。

秋の昼下り、なにげなく、新都を見て廻るようなふりをして出よう。そうそう、佐保路に邸を構えた長屋と吉備を訪ねるということにすれば怪しまれまい。衣裳は途中でなるべく目立たないものに脱ぎかえるとして……。

決心がつくと氷高はすばやかった。

廏から乗り馴れた四歳駒の鹿毛を曳き出させ、供はいらないからと、慌てる侍女たちをふりきった。

「吉備の君の所へ行くのですもの、大丈夫。子供たちに久しぶりに会ってやりたいの」

そう言った以上、内廷を出たら一応佐保路を辿ってみせねばならない。

鹿毛の跑足は軽かった。平城宮の東方にある殿舎は東の宮とも東院とも呼ばれて、いま、文武の忘れ形見の首はそこで県犬養橘三千代にかしずかれている。その東宮の隣には広大な不比

等の邸がある。宮中の殿舎に見まがうばかりの豪奢な邸宅で、門ひとつを隔てたこの邸との間を、三千代は幼い首を抱いて自在に往き来している。不比等の邸はあたかも首のための別邸のようでもある。

先夫美努王（みぬ）が世を去り、今や公然と不比等の妻となっている彼女は、一方、元明の女官でもあり、宮廷と不比等の邸との往復に忙しい。三千代の本来の邸は別にあって、そこには先夫との間の葛城王（かずらき）、佐為王（さい）、牟漏女王（むろ）がいるのだが、すでに葛城王は成人しているし、その下の子供たちも、そのころの習慣に従って、それぞれの乳母（めのと）が養育にあたっている。ただ不比等との間に生れた安宿媛（あすかひめ）だけは、母にまつわりついて不比等の邸におり、同い年の首のよき遊び相手にもなっている。すでにここから吉備の邸は近い。

もちろんはじめから立寄るつもりはなかった氷高であったが、不比等の邸を通りすぎたあたりで、

「ひめみこ」

聞きなれた声が後から響いた。

振りかえると、長屋王が馬を近づけてきた。あたりにはかなり気を配って、誰からもつけられていないつもりだったのに、降って湧いたような長屋の出現に、思わずぎょっとしたが、顔をそむけるには遅すぎた。

「わが家へいらっしゃるのですね」

長屋はそうきめこんでいる。

「ええ……」

歯切れの悪い答え方になったが、こうなれば、長屋や吉備にもうちあけてしまったほうがいいかもしれないと、とっさに判断した。

氷高の心の中を知る由もない長屋は微笑を浮かべている。

「それはよかった。吉備が喜びます。何しろこのところ忙しくて話し相手もしてやれないので退屈していますから」

彼は平城遷都の直後、式部卿に転じた。文官の人事、考課、及び、官人養成の機関である大学寮を統轄する役所の長官である。人事の中枢に関与する要職であり、かつ学識も深くなければつとまらない。すでに詩才の聞えも高く、遷都にあたって宮内卿として活躍し、その手腕を買われている長屋にはうってつけの地位ではあったが、それだけに、その忙しさは想像がつく。

そういえば、内廷に姿を見せることもしだいに少なくなっていた長屋であった。

「今日も、また夕方出かけねばなりません。ゆっくりなさってください」

「いいえ、そうはできませんの」

すみれ色の翳を瞳の底によぎらせて、氷高は軽く長屋を見やった。

「どうしてです?」

「私、藤原の故京へ行くのです」

「何ですって?」

長屋は、一瞬、馬の歩みを止めた。

長屋王の佐保の邸には広い池がある。汀に枝を垂れた白萩がひそやかに揺れるのに応えるように、池の面を小波が渡る。盛りを過ぎかけた白い花が、もし一つでも水の上に落ちでもしたらその音が聞えそうなほど静寂なのは、池に面した小亭に鼎座する三人の間に、思いがけない重苦しい沈黙があるからだ。

氷高が計画を口にしたとき、長屋は驚きを隠さなかった。

「今から、藤原の京へ？」

まじまじと氷高をみつめて言った。

「日が暮れてしまいますよ、途中で」

「ええ、かまいません。泊まります、長屋原あたりで」

去年の春、藤原京から遷ってきたときもそうしたではないか。

「でも、一人では危ない」

「大丈夫。あの鹿毛は脚が速いのですもの」

それなり長屋は黙りこんでしまった。氷高は、長屋たちに計画をうちあけてしまったことを少し後悔しはじめていた。

——そんなに危険なことだろうか？

いいや、そんなことはないはずだ。飛鳥の地へ通じる上つ道、中つ道、下つ道は古来の官道だし、道沿いに民家も多いのだ。

なのに長屋は眼を逸らせて黙っている。より不思議なのは吉備だ。勝気で思ったことはぱっとやってしまう彼女の沈黙にはむしろ不自然ささえ感じられた。もしも吉備が自分の立場にいたら、一も二もなく、藤原の故京へ走るだろうに……。

何度か白萩が揺れ、何度か小波が池の面を渡ってから、やっと長屋は口を開いた。

「おやめになった方がいいと思います」

「でも、このままにしておいたら、薬師寺も焼かれてしまいます」

「いや、そのようなことは……」

「でも、げんに大官大寺は焼けてしまったのですよ。天武の帝の御発願(ほつがん)になられたあの大きな御寺(みてら)が」

「………」

「それもあっという間のことだと聞きました。不始末の出火とは思えません。誰かが工作したとはお考えにならないのですか」

「………」

天武は長屋にとっても祖父ではないか。その祖父の象徴ともいうべき大官大寺の焼失を惜しまないというのか……。と、思ったそのとき、長屋の瞳が、ゆっくり氷高に向けられた。

「焼けてしまった以上仕方がないと思います。新しくこちらで建てればよろしいではありませんか」

氷高は絶句した。

思いがけない返事だった。瞬間、それまで摑みかねていた沈黙の底にあるものに、ふと触れたような気がした。

——そうだ。反対と沈黙は、私の身を気づかうためばかりではなかったのだわ。

予想もしなかった自分と長屋の間の距離に、氷高はたじろぎながらも首を振った。

「そうではありません。新しく建てたって、元へは戻りませんわ。私たちは天武の帝の御しるしそのものを、ここへ遷すべきだったのです」

同意を求めるように吉備の顔をみつめたとき、氷高は、思わずわが眼を疑った。

何という暗い眼をしているのだろう。日頃の彼女なら、

「そうよ、お姉さまのおっしゃるとおりよ」

たちまち弾んだ声が戻ってくるはずなのに、いったい妹は私の話を聞いているのだろうか。むしろ私の声が聞えなければいいといったようなふうにさえ見えるではないか。

「ま、とにかく、今日のところはお止まりください。薬師寺の警備については、私からも厳重に申しつけます」

長屋は物静かになだめる口調になった。一年余りの式部卿としての経験は、彼の人物をひと廻りもふた廻りも大きくしたようである。政治の中枢に近づきつつある彼は、この際どういう手を打つべきかを直ちに思い巡らすことができたらしい。

「それなら、早い方がいい」

座を起ちかけた彼に、はじめて吉備は声をかけた。

「じゃ、またお出かけになるの」

「うむ、ちょっと忘れていたこともあるので」

ゆっくりうなずいてから、

「姉君をよくおもてなしして」

さらに氷高に向って恭しく一礼した。

「どうか、ごゆっくりなさってください」

廊の端まで夫を送って戻ってきた吉備は、倒れるように倚子(いし)に身を投げだすと、顔を蔽った。

事の異常さに氷高が改めて気づいたのは、このときである。

「ま、どうしたの」

駆けよって妹の肩を抱いた。

「お姉さま、もう駄目、私……」

吉備は切れ切れに言った。

「どういうことなの。わけを話して」

氷高の問に、吉備は首を振る。

「おわかりでしょ」

「え？」

「あの方、変ってしまったの」

言いながら、吉備は指を顔から離した。その眼は、池の面に向けられていたが、暗くうつろだった。勝気な妹の、これほどうちひしがれた姿を氷高はかつて見たことがなかった。

「変った？　あの方が」

「ええ、お姉さま、お気づきにならなかった？」

「ええ、そういえば……」

大官大寺について語ったよそよそしさは、たしかに今までの長屋には考えられないことだった。吉備は眼顔でうなずきながら問いかけてきた。

「それがなぜだか、おわかりになる？」

「……」

笑いというには無気味な、呆けたような表情が吉備の頬をよぎった。そして、一語一語を区切るようにして彼女は言った。

「あの男よ」

「あの男？」

「藤原不比等」

「不比等？」

「そう。不比等の娘が、あの方を虜にしてしまっているの」

藤原長娥子——。

それが、その女の名前だという。

その名はおろか、そんな娘のいることすら氷高は知らなかった。

「じゃあ、宮子の妹？」

母親が誰かということは吉備も知らないという。当時のしきたりとして、男が幾人かの女の許に通うことはふつうだったし、そこで生れた子供たちは、それぞれの母親の許で育てられる。長娥子もそうした一人だったが、なぜか不比等は平城京に移ったころに彼女を手許にひきとり、式部卿となって不比等の邸を訪れることの多くなった長屋にひきあわせたのだという。

氷高の眼の前をさまざまの光景が走りぬける。長屋原の一夜、不比等がみせた彼に対する手放しの称賛。そして間をおかずに行われた式部卿への栄転——。すでにあのころから不比等のおそるべき構図は胸に描かれていたのか。

宮子が正常な生活に耐えられない人間となったいま、不比等は、その代りを長娥子につとめさせるつもりなのではなかろうか。文武の死後、天武系の血をひき、かつ蘇我倉山田石川麻呂系の母を持つ長屋は、もしかしたら、皇位に最も近いところにいる存在かもしれない。それを自分の陣営にひきこむために、長娥子は格好の誘い水だった。

——不比等の邸の前を過ぎたあたりで、長屋が姿を現わしたのも、そういうことだったのか。

氷高はひそかにうなずく。

「なのにお姉さまは、あの方の前で、あんなことを言っておしまいになったのよ。大官大寺は放け火だ、薬師寺も焼かれるだろうなんて……」

気をとりなおしたらしい吉備は、激しく姉を詰った。氷高は色蒼ざめる思いでその言葉を聞く。

「だって、よもや、あの方が……」

「言い訳は遅いわ」

「……」

「今ごろあの方は、不比等の所で、みんな喋ってしまっているわ。そして、今夜も……。あの方はここへはお戻りにはならないわ」

再び吉備は顔を蔽った。誇高い彼女には耐えられない屈辱に違いなかった。

そのきれいな細い指を眺めながら、氷高は同じ光景を思い出している。

——去年の春、お母さまはこうして顔を蔽っていらっしゃった。

あからさまな敗北——。

そうだ。そうはっきり認めざるを得ない。母は政治に、そして妹は愛に敗れたのだ。いずれも不比等というしたたかな男を相手として……。

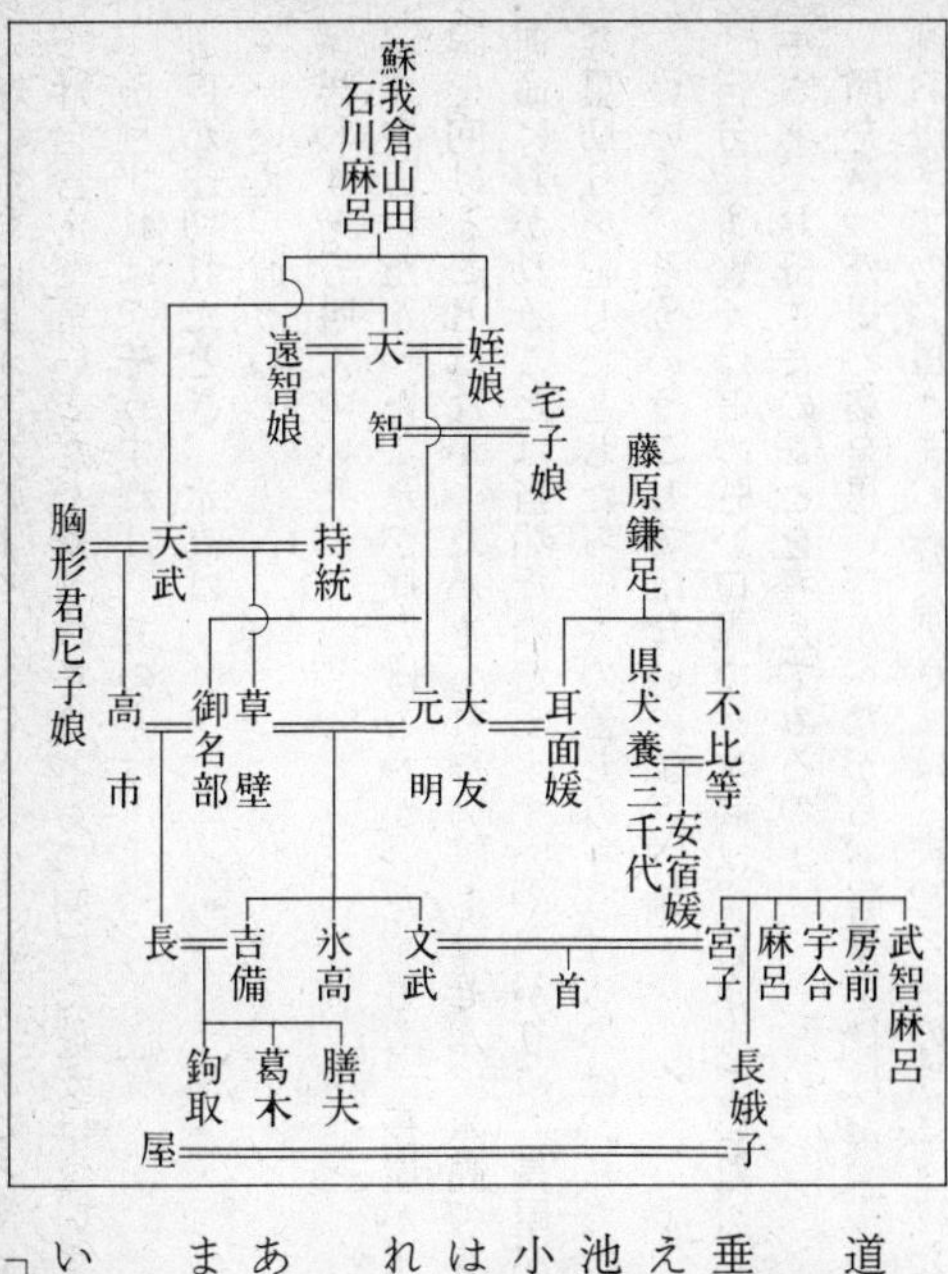

——私たちには、もう、敗北の道しか残されていないのか。

またも池の汀の白萩が揺れ、枝垂れた花房はみずからの重みに耐えかねたように、白い小さな花を池の面に散らした。陽が傾き急に小暗くなった池の面に秋霧が立ちはじめ、白い花はやがて霧に包まれた。

——もし、この邸に寄らずに、あの鹿毛を走らせていたら、どこまで行ったろう。

そう思ったとき、吉備の声が響いた。

「あの方は、やはりお姉さまと御

一緒になればよかったのよ」

針を含んだ言い方だった。顔をまともに向けた彼女は泣いてはいなかった。

「そうすれば、そうすれば、あの方は――」

声が途切れたとき、氷高は、

「いいえ、違うわ」

思わずそう叫んでいた。

妹の言いたかったことが痛いほどわかった。もし、長屋が氷高と結ばれていたら、長娥子に眼を向けることはなかったかもしれない。しょせん、氷高の身代りにすぎない私が、こうした運命におかれることは当然なのだ……。いや、かりに、長屋があなたと結ばれても、同じような裏切りを犯したとしたら、この苦しみをうけるのは、私ではなくて、あなたなのだ……。

「いいえ、そういうことではないのよ、吉備」

自分でも驚くほどの強い口調で、氷高は言いきっていた。

「さあ、お母さまのことを考えてみるのよ」

顔を蔽った母の姿を思い浮かべながら、言葉を続けた。

「お母さまのお母さま、姪娘（めいのいらつめ）さまは、天智の帝のききさきになられたわね。まだ帝が、中大兄（なかのおおえ）皇子と呼ばれておいでのころに」

「ええ」

「姪娘さまは、蘇我倉山田石川麻呂さまの御娘。その倉山田石川麻呂さまを無実の罪に陥されたのは誰？」

「倉山田石川麻呂さまの御兄弟と、藤原鎌足と、そして……」

「そう、そして、中大兄皇子さま。私たちのお祖父さままでです。そのことを私は、はっきりお母さまから伺っています」

「姪娘さまは、そうした中大兄さまと生涯を共にされたのね」

「そう。そういうすさまじい不信の中で、蘇我の血をうけた娘たちは生きてきたのよ」

考えてみれば、母の元明は、祖父を裏切った人を父として生きてきているではないか。

「では、お姉さま」

吉備は問いただす口調になっていた。

「私にも……私にもそう生きろとおっしゃるのね」

沈黙したまま、暗くなりかけている池の面を、氷高はみつめている。

「わかりません」

ぽつりと言葉が洩れたのは、ややあってからだった。

——そう生きなさいと言えるほど、私は強くはない。

はしなくも吉備が口にしたように、自分自身の生を妹のそれに重ねてみたとき、それに耐えられるかどうか。

またしても耳の底によみがえるのは夕占問(ゆうけどい)の女の言葉であった。

「もしその子が世の常の女のように恋をし、子供をもうけるなら栄光は消えよう。それどころか、そこにはおそるべき運命が待ちうけているだろう……」

夕占問の女の言ったのは、このことだったのか。

――いいや、そんなことはない。私は夕占問なんか信じはしない。

声にならない声で、氷高は激しく抗う。

――長屋王が不比等の娘に心惹かれたとしても、それは一時のことかもしれない。

このころの常として、長屋には妻とはいえないが、交渉を持っている女は他にもいる。かつて彼に近侍していた石川虫丸女は桑田王と呼ばれる男の子さえもうけているが、吉備はそのことを気にしているふうはない。

しかし、長娥子は、不比等の娘だ。虫丸女とひとしなみに考えられないのも無理はない。そう思いながらも、氷高は心のどこかで、長屋を信じたいような気がしている。

女の媚態に目が眩んで、いや、栄達への誘いに乗せられて、吉備を棄て去る長屋だろうか。それほど自分たち姉妹は権力の片隅に追いやられてしまったのか。げんに女帝として君臨している元明の娘である自分たちは、それほど頼りない存在なのか。そしてそれを見棄てようという長屋なのか？

そうは思いたくなかった。吉備のためというより、それは自分の青春の思い出のためであるかもしれなかった。

が、それからまもなく――。

氷高は長娥子がみごもったことを知らされる。生れたのは男児で安宿王と名づけられたという（すこし後のことになるが、長屋と彼女の間には、次々と黄文王、弟貞、そして女児も一人生れている）。

長屋はもちろん長娥子の許にだけいたわけではない。あくまでも佐保の邸を本邸として、吉備との仲も絶えてはいない。しかし長娥子の出現によって、彼の立場は微妙に変ったようにもみえる。

彼は大官大寺の再建にはあまり熱心でないようだ。薬師寺の移建にも消極的である。より優先して行わなければならない建物の工事も遅れていたし、財政的なゆとりもなかったことはたしかである。が、一方では飛鳥にあった藤原氏の氏寺、廐坂寺（一名山階寺）が、平城京の東隣の台地に、早くも建立されかけている。その名も興福寺と改められ、規模も拡大された伽藍が偉容を現わしはじめたとき、人々は、新都の真の実力者が誰であるかを、否応なく知らされたはずである。

そして、そのころ、ほとんど何の理由も示されず、先帝文武の嬪とされていた石川刀子娘と紀竈門娘はその称号を削られた。それに従って、刀子娘の産んだ広成と広世は母と同じ石川姓とされ、ともに文武の皇子でありながら、皇族の身分を失った（この三人は後に高円姓を名乗るようになった）。

まさに抜打的な、氷高たちに異議を挟ませない決定だった。これに対しても、長屋が何の異論も唱えなかったらしいことを氷高は後で知った。

文武の皇子として残ったのは、いまや宮子所生の首ひとり。平城宮とそれに隣りあわせた、宮殿とも称すべき不比等の邸を往き来しつつ、すでに少年期を迎えた彼は、三千代や多くの侍女にかしずかれた日々を送っている。そしてその周囲には、時折、長屋と長娥子の顔も見えることを、氷高は知っている。

阮咸

不比等の邸は、このところいよいよ豪奢な趣を加えてきた。広大な敷地の中に、木の香の匂う殿舎が次々に建てられているのに、それでもまだ足りないというのか、毎日のように、二抱えもありそうな巨木が運びこまれている。

かと思うと、修羅に載せられた大きな黒ずんだ石塊が、数十人の男たちに曳かれて門をくぐる。粒の揃った玉石を溢れんばかりに積んだ手押し車を、足を踏んばり、埃まみれで押してゆく男もいる。都の庶民たちには珍しくもなくなっている光景だが、もし行きずりに、

「その石は何にするのだね？」

人々が声をかけたら、車を押していた男は、一瞬手を休め、汚れた袖で鼻先をこすりあげながら、無愛想に言ったに違いない。

「池だ」

「池？　池をどうするんだい」

「掘ってるのよ、どでかい奴をな」

大きな黒い石は、その岸辺に、半ばを土の中に埋めこんで敷き並べるのだそうだ。堅固に岸

を固め、深々と水を湛える。そこに橋を架け、池の中に建てられた小亭に渡れるようにする。玉石は汀や邸宅の軒下に敷きつめるのだそうだ。

「軒端の石はな、雨受けよ。雨に濡れりゃ黒光りするってえわけよ」

「ふうむ」

「まず、みごとな大池だ。ひょっとすると、内裏にもあんなみごとな池はなかろうて」

そうかもしれぬ、と人々はうなずきあう。

「じゃあ、宮居も同じってことか」

期せずして、人の輪の中から嘆声が発せられた。

「ああ、東宮さまも、ここがお気に入りでな、こちらにおいでの方が多いくらいだそうだよ」

平城京の東の宮、そして、そこに住む首こそ東宮……。人々はいつかそのことを怪しまないようになっていった。

巧妙な重ねあわせである。文武の二人の嬪、石川刀子娘と紀竈門娘が廃せられて刀子娘の産んだ広成、広世が皇族の身分を失ったいま、文武の血を享けた皇子は、たしかにこの首しかいない。

が、彼はまだ正式に皇太子として認証されたわけではないし、まして皇太子の付属機関である春宮（〃とうぐう〃とも読む）坊の設置、職員の任命などは行われていない。ただ律令の規定では皇太子に付属する機関の職務規定の条項を、「東宮職員令」と呼んでいる。この東宮と春宮の混用は、軌範とした中国の諸令の中に、この双方の名称が登場することに由来するのだが、首を擁した不比等は、この混用を利用したともいえる。さらに、尊貴な人について語る場合、その名を口にすることを避け、住む所が名前の代りに使われることを思えば、首と東宮は、しぜん、分ち難く結びついてゆく。

氷高は、

——罠だったのだわ。

改めて不比等の遷都計画の狡猾さに胸を凍りつかせる。

藤原の京を呪いの地だと言いたてて人々を動揺させ、その過程で巧みに主導権を握り、平城京への移転を強行してしまったのだ。そして、その「功績」をふりかざして、宮域に最も近い所を邸宅の地として選びとった。それも偶然のように宮の東側を選んだのは、深い魂胆があってのことだったのである。

「東宮が」

「東宮が」

不比等も平然として、そう口にするし、周囲もそれを当然のことと思いはじめている。

——いいえ、そうではないわ。

氷高がいくら声高く叫んでも、その声に気づく者はいないだろう。いや、気づいたとしても……。それが当の不比等であったとしても……。彼は、むしろ慇懃にこう言うだろう。

「と申しましても、ほかに東宮とお呼びできる方がおありでしょうか」

——いない、誰もいない……

そのとき、彼の頰に湛えられる薄い嗤いまで、氷高には想像できるのだ。不比等は近来いよいよ眉が薄くなり、背中が丸くなってきた。柔和にさえ見えるその顔には、確実に勝利を手にしつつある者の傲岸さはどこにもない。

——そこがあの男の恐ろしいところなのだわ。

氷高はやさしげな仮面の蔭の不比等の呟きが聞えるような気がする。

「壬申のあの戦、よもやお忘れではありますまいな。私たちは負けました。が、今の有様をごらんください。私はここにこうしております。そして皇位を継ぐのは、まさしく私の孫です」

かつて近江朝で、天智の皇子大友に、藤原鎌足は娘の耳面媛を入れた。大友の即位と、耳面系の皇子の誕生を願っての工作である。が、鎌足は死に、その後に起った壬申の戦で、その夢は崩れ去った。そしていま、不比等は父鎌足の野望を実現させようとしている。

「いや、長い道のりでございました。が、政治というものは、常にそのようなものかもしれませぬな」

勝利を誇る風でもなく、多分彼はそう言うに違いない。じっくりと既成事実を積みあげてゆく手堅さ。新都建設のムードに便乗しての邸造りと見せかけて、彼は首の背後に坐る自分の地位を不動のものにしようとしている。そこには遊びや気まぐれは何一つない。無駄弾丸は射ったためしのない不比等なのだ。

それにしても、石川刀子娘の産んだ広成と広世が皇族の身分を奪われたことは痛手だった。

そう思ったとき、頭に浮かぶのは長屋王のことだった。

あのとき何か防ぎようがなかったのか。

——あの方が、私たちの立場に立って反対していたら？

とにかく結論を持ちこすくらいのことはできたのではないか。が、長屋は不比等の娘の長娥子に心奪われ、一言の反論も挟まず、この案に賛成してしまった。

氷高には長屋の思い描く未来図がわかるような気がする。首が皇位についたとしても、精神に異常を来している生母宮子は表面に出ることはできないだろう。とすれば母代りをつとめるのは長娥子だし、そのとき、長屋は政治の中枢に坐ることになる。不比等としても、天武の孫にあたる彼を抱えこむことによって、首の正統性を強く主張することができる。そして、年少の首に皇子が生れるのがずっと先だとすると、長屋と長娥子の間に生れた子に即位の機会が巡ってこないでもないのである。

そのせいだろうか、長屋は吉備の住む佐保の邸へ帰ることが稀になっているらしい。その子供たち、膳夫、葛木、鉤取たちの面影を思い浮かべると、氷高の胸は痛んだ。

今は自分たちを守ってくれる壁はすべて取り払われてしまったような気がする。母の元明も、平城遷都以来、めっきり髪の白さが増した。不比等を相手の戦いに度々敗れてからは目に見えて気力も失われてしまったようだ。

——昔のお母さまだったら、広成と広世のことは、何としてでも庇いぬかれたはずなのに……

不比等らに押しきられる形で、みすみす広成、広世たちを皇位の圏外に逐いやってしまったのは、母の衰えをしめすものかもしれなかった。

和銅七（七一四）年六月、遂に皇子首は元服した。それに伴う大げさな儀式と祝宴は、否応なく周囲に彼が皇位継承者であることを印象づけた。

「皇太子」

今は誰もそう呼んで憚らない。

その翌年の正月、彼は正式の礼服を着けて、大極殿での儀式に参列した。服装を調え、冠を被った彼は、驚くほど父の文武に似ていた。病弱で線の細かった父の血を享けてか、彼もまたきゃしゃな体つきで、女のような色白の肌と潤みを帯びた瞳の持主であった。外祖父不比等の眉の薄い、下り眼の面差はどこにもうけつがれていない。

老臣たちの中には、あまりに文武に似た首の出現に心をゆさぶられた者も多かったらしい。

「おお、亡き帝の再来かと思うほどの……」

「このお姿を、亡き帝がごらんになれたら……」

氷高にはすなおに成長を喜ぶ声を押し止める術はなかった。いや、それどころか、初々しくすがやかな十四の少年の面差に、

――まあ、あのころの弟そっくり。

心をうたれずにはいられなかった。

――弟が安騎野の狩に行ったのは、このくらいの年頃のことではなかったかしら……

その弟そっくりの少年の成長が、自分たちの存在を圧迫している。少年自身には何の悪意も感じられないだけに、戦いにくい戦をしなければならないのかもしれない。このよき日にちなんでの位階の昇叙によって、二品から一品に進んだ氷高の心の中は複雑だった。

彼女が内廷にくつろぐ母の元明に呼ばれたのは、それから一月余り後のことである。二月の半ば過ぎの昼下り、前庭では遅れて咲いた紅梅が今盛りだった。

「よい匂いですこと」

元明の応え方は鈍かった。

「え？　何のこと？」

「梅の花です。紅梅は咲ききってしまっても匂うのですね」

「あ、そう、紅梅が咲いていて？」

ものうげにそれだけ言った。

——お母さまはお疲れなのだわ。外の景色も眼に入らないくらいに……

たしかに豊かだった頬にはやつれが見える。

「お母さま」

氷高はひざまずき、その手を執らずにはいられなかった。

「お疲れではありませんの」

「……」

否定の言葉は、遂に母の口からは洩れなかった。

「少しお休みにならなくてはいけませんわ。御無理が過ぎるのでは？　お急ぎでない政務は少し先にお延ばしになるとか……」

「ありがとう」

僅かにうなずいて母は言った。

「でも、代りの者でつとまるという仕事ではありませんから。それに政務は決して重荷ではないのです。ずっと続けてきたことですもの」

文中で語られる蘇我氏と天皇家の系図
（ただし年齢順序不同、文中に登場するものを主とし、他は省略している。太文字は「蘇我の女たち」）

蘇我稲目
堅塩媛　欽明　馬子
桜井　用明　敏達　**推古**　倉麻呂　蝦夷
吉備姫王　日向　赤兄　倉山田石川麻呂　入鹿
孝徳　**宝**（皇極）　田村（舒明）　**田眼**
藤原鎌足
遠智娘　天智（中大兄）　宅子娘　**姪娘**
天武　**持統**　大友　耳面媛　不比等（史）　県犬養三千代
高市　**御名部**　草壁　**阿閇**（元明）
長屋　**吉備**　文武（軽）　**氷高**（元正）　房前　武智麻呂　安宿媛
宮子
首

疲れさせるのは山積した政務ではない。度々の敗北に打ちのめされながらも、顔色ひとつ変えずにいなければならないそのことが母の命をすりへらしているのだ。

「たしかに私も疲れてきていますからね」

呟くように言った元明は、氷高にゆっくりと眼を向けた。

「今のうちにしておきたいことがあるのです」

「それは……」

「膳夫たちのことです」

「まあ……」

吉備の産んだ息子たち。父の長屋からはあまり顧みられなくなっている彼らの行末のことを案じる元明の顔は、女帝のそれではなく、幼い孫の身を気づかう祖母の不安をあらわにしているように、氷高には思われた。

今のままにしておくと、彼らは諸王の子でしかない。系譜を辿れば、祖父は高市、曾祖父は天武だが、天皇の血をひいているといっても待遇にはおのずから限界がある。

「だから――」

と元明は言う。

「今のうちに、あの子たちを、私の孫として、つまり皇孫の資格をはっきりさせておきたいのです。父方を辿れば天皇の三世の子孫ですが、母方から見れば、吉備は私の娘、あの子たちが皇孫であることはまちがいないのですもの」

「そうですとも、お母さま」

氷高の答にはおのずから力が入った。

「それを、そなたにも含んでおいてもらおうと思って……」

「わかりました」

「そなたも自分の子だと思ってかわいがってやってください。よろしく頼みます」

「それはもう……」

元明の勅によって、吉備内親王の子供たちが正式に皇孫の待遇をうけるようになったのは、それからまもなくのことだった。

「これで少し肩の荷が軽くなりました」

元明の頬には安堵の微笑があった。これによって、彼らは成人の後、有利な条件のもとに官界入りできるはずである。

「もう、そのころは、私は生きていないかもしれませんけれど……」

母の呟きを氷高は急いで遮った。

「そんなこと、おっしゃってはいけませんわ、お母さま」

「いいえ、時は移ってゆくのです。大伴安麻呂も亡くなりましたしね」

安麻呂が世を去ったのはその前の年、その死を深く嘆き悲しんだ母の姿は、氷高の胸にあざやかに刻みつけられている。壬申の戦をともに戦った大伴一族の子孫として、母は彼をとりわけ信任していた。大宰帥の兼任を解き、都に戻らせたのも、廟堂における不比等の独断専行に対抗させるためだった。じじつ、安麻呂は右大臣不比等に次ぐ唯一人の大納言として、元明の意思を代弁し、廟議の場では力いっぱいの活躍をみせた。

その安麻呂が世を去ったとき、元明が、正三位の彼に従二位を追贈したのも、単に儀礼的な意味でなかったことを氷高は知っている。安麻呂の後は息子の旅人が継いでいるが、従四位上の武官である彼は台閣に列すべくもない。

その旅人が中務卿に任じられたのが五月、六月には天武の第四子長親王が、七月には同じく第五子の知太政官事穂積親王が続いて世を去った。

あきらかに時代は動きつつあった。

氷高は母がひとり思いにふける時間が長くなっていることを感じている。あるときは半刻、あるときは一刻、そしてあるときは夜もすがら……。寝所の灯が洩れ続けていることによって僅かにそれが知られるだけで、元明は、氷高をさえ、その中に招じ入れようとはしなかった。

やがて秋になった。

夕映えが薄気味悪いほど赤く燃えた後は急激な冷えこみがやってくる。氷高の殿舎を、元明が微行で訪れるという予告のあったのは、そんな夜であった。

「久しぶりで、そなたの弾く阮咸を聴きたい」

という口上が伝えられたとき、

「まあ、聴いてくださるのですか」

重苦しい気分から解き放たれてゆくのを氷高は感じた。母にもやっと気持のゆとりができたのだろうか。自ら気軽に出向いてこようという気になってくれたことが嬉しかった。

「帝はおくつろぎになりたいのだから」

侍女たちにはそう言い、あたりから遠ざけた。阮咸は琵琶に似ているが、胴が円形で、月琴の一種である。玳瑁、螺鈿を嵌めこんだ中国渡りの紫檀のそれを献上する者があって、手すさびに習いはじめたのは近頃のことだ。

「少しは上手になりましたか」

従えてきた女官たちを退らせると、元明は、母らしいやさしい微笑を浮かべ、倚子に身を埋

めるようにして、しばらく、氷高の弾く阮咸の音に耳を傾けた。ややあってから、

「いい音ですね」

小さく呟き、

「弾きながら、聞いてください」

それから静かに言った。

「やっといい時期がきたようです」

「何のことですの」

「位を降りる時期がきたのです」

「え、何ですって」

「阮咸を。弾くのをやめないで」

深い眼差が氷高をみつめている。

「私は疲れています。これ以上続けていれば気も弱くなるでしょう」

――いつかこんな日がくるのでは……

ひそかに恐れていたことではあったが、こういう形で告げられるとは思いもしなかった。疲れはてた母に翻心を促すことはできない、と氷高は思った。それに、すでに首は元服をすませている。

「では、やはり、首に……」

言いかけて、氷高は眼を疑った。母はゆっくりと首を横に振っている。これはいったいどういうことなのか。問い返すより先に、母の唇がゆっくり動いた。

「位を継ぐのは、そなたです」

「え？　この私が……」

危うく撥を取り落しそうになったとき、母は声を強くした。

「弾くのです。弾き続けるのです。人に声を聞かれてはなりませぬ」

阮咸の音はおぼつかなげに続く。

「この私が？　この私が？」

「そうです。機を狙っていました」

「……」

「考えぬいた末のことです」

母の顔から疲労の翳は消えていた。強い決意を秘めた眼差を向けて静かに続けた。

「早急に事を運ぶつもりです。打ちあわせに、まもなく長屋もここへ来るでしょう」

「あ、お母さま、それは……」

「それはいけません、あの方は」

もう氷高は阮咸を弾いてはいなかった。

言い終らないうち、沓音は戸の外に響いていた。

長屋の手には、牙の横笛が携えられていた。

「ひめみこの琴とあわせていただきたくて」

にこやかな微笑の前で、氷高の頬はこわばる。

――ああ、お母さま、何ということを……。この重大な機密を、この人の前で打ちあけてしまったら、すぐさま不比等に筒抜けになってしまいます。

が、元明はあくまでもにこやかである。

「待っていました。いろいろ話がしたくて」

――万事休す。なぜお母さまはお気づきにならないのか。長屋は不比等の味方なのに。

阮咸を弾くどころではなかった。

と、そのときである。氷高をみつめ、吹口を湿していた長屋が、笛を卓に置くと、つかつかと氷高の傍に歩みより、その前にひざまずいたのは……。

「ひめみこ、御位をお継ぎになる御決意はおつきになりましたか」

「え?……」

思わず母の方をふりむいた氷高を、

「阮咸を、さあ弾くのですよ」

豊かな微笑がうけとめた。

「お母さま……」

元明はゆっくりうなずく。

「そうです。すべては長屋とはかってしたことなのです」

「まあ、では……」

それなり、しばらくは言葉が続かなかった。

いかにも不比等の誘いに乗ぜられた形で、長屋は長娥子に近づいた。不比等の懐深く飛びこんで、首擁立に尽力する姿勢をしめした。石川刀子娘が産んだ広成、広世の排除に与したことで、いよいよ不比等は長屋に心を許した。

吉備の子供たちを皇孫の待遇にするという元明の意向を、不比等があっさり受けいれたのも、長屋が元明の譲位をほのめかせたからである。

――となれば、いくらかの妥協はしなくてはなるまい。

と、不比等も思ったのだ。それに吉備の子供はすなわち長屋の子供でもある。これで長屋にも恩を売ることもできる、と踏んだのかもしれない。

いまや元明譲位の条件はととのった。あとはその発表と首の即位を待つばかり……。

と、さすがの不比等も気を許しているに違いない。

「でも……」

氷高には危惧の念が拭いきれない。

「皇太子である首の即位を拒むことを、諸臣は納得するでしょうか？」

「御案じなさいますな」

長屋はきっぱりした口調で言った。

「首皇子はたしかに元服しました。元日の朝儀にも参列しております。が、まだ東宮の官司が正式に発足したわけでもなく、春宮坊の職員もきまってはおりません。それに――」

ふっと語調を変えた。

「ひめみこ、阮咸を……。阮咸をお弾きください」

四弦の音がゆるく流れる中で、長屋は低く、しかし、力をこめて言いきった。

「お後継をおきめになるのは、帝御自身のみ。誰も口をさしはさむことはできません」

一礼すると、笛を取って、ふたたび吹口を湿すと、眼をつむった……。

秋の夜の静寂に、琴と笛の音が流れてゆく。元明も静かに眼を閉じている。一曲奏し終えたとき、長屋は呟くように言った。

「長い道のりでございました。政治というものは、しかし、常にそのようなものかもしれませぬ」

おや――。

というふうに氷高は眼をあげた。すみれ色の翳がちらりと瞳の底をかすめた。

「どうかなさいましたか」

長屋の問にかぶりを振る。

「いいえ何でもありませんの」

どこかで聞いたような言葉だ。いや、そうではない、私の胸の中で思い描いた不比等の言葉だった。

そうだ、政治というものはそういうものなのだ。進むだけではいけない。退くことも、退くとみせて押すことも必要なのだ。いま、そのきびしい世界に、氷高は旅立とうとしている。ややあって、彼女は長屋にたずねた。

「妹は……吉備はこのことを知っておりましたの？」

「いいえ、ひめみこ。いま邸を出ます前に、すべてを打ちあけ、許しを乞いました」

長屋は微笑した。

「今日からは、私も妻も、ひめみこに身命を捧げるつもりでございます」

――長い道のりだった……

氷高にはいまひとつの、長屋との歳月をふりかえる思いがあった。

その数日後、電撃的な速さで元明の譲位が行われた。さすがの不比等も足を掬われたのだ。長、穂積という天武系の皇子の死によって、周囲からの干渉が少なくなった機を捉え、元明はみごとに藤原系の皇子の即位を阻んだのである。九月二日の詔は言う。

「……朕、天下ニ君臨シテ黎元ヲ撫育スルニ上天ノ保休ヲ蒙リ、祖宗ノ遺慶ニ頼リテ海内晏静、区夏安寧ナリ。……庶政ヲ憂労スルコト、ココニ九載、今精華漸ク衰へ、耄期斯ニ倦ミテ……叵テ此ノ神器ヲ皇太子ニ譲ラント欲スレドモ、年歯幼稚ニシテ未ダ深宮ヲ離レズ。庶務多端ニシテ一日万機アリ。一品氷高内親王ハ早ク祥符ニ叶ヒ、夙ニ徳音ヲ彰ス。天ノ縦セル寛仁、沈静婉嫕……今皇帝ノ位ヲ内親王ニ伝フ」

登極（とうきょく）

晩秋九月——。

ひめみこ氷高の即位の日、空はその季節に似ず、やさしく霞んでいた。紗（しゃ）をかけたような淡い蒼色のひろがりの中に、白雲が三つ四つ——。見れば、ほのかなすみれ色の翳（かげ）を含んで……。人々は、ふと、氷高の瞳の色を思いうかべたことだろう。そして、氷高——いや、すでに帝と呼ぶべき美しい女性の、新しい門出にふさわしいおだやかさに、うなずきかわしたことだろう。

即位の儀式を終えて、いま、彼女は大極殿（だいごくでん）の高御座（たかみくら）を静かに降りてゆく。新帝元正（げんしょう）の誕生である。天皇としてはじめて戴（いただ）いた礼冠（らいかん）の金銀の花飾（はなかざり）、真珠や碧玉（へきぎょく）が、歩みにつれてかすかに揺れる。

翳（さしば）をかざす女官たちも思わず息を呑む。

——何というお美しさか。

——今までで一番お若い女帝でいらっしゃるもの。

——やさしさの中に神々しさまでそなえられて……

ときに三十六歳、これまでに例のない未婚の女帝の即位である。最初の女帝、推古が三十九歳だったのを除けば、歴代の女帝はすべて四十代、それも妻であり、母であった。元正の即位は異例中の異例といわねばならない。

おだやかなその日の陽ざしとはうらはらに、前途が自分にとってきびしいものであることは、元正自身知りぬいている。それはすでに即位の内定したときに見せた不比等の微笑からも感じられたことだ。

「心からおよろこび申しあげます。この日のくることをお待ち申し上げておりました」

薄い眉の下の下り眼に、やわらかな笑みを湛えて、彼はそう言ったのだ。

——何というそらぞらしさ。

元明の退位と、首（おびと）の即位を誰よりも待ちのぞんでいたのは彼ではなかったか。首の周囲をこれみよがしにきらきらしく飾りたて、文武の血をひく広成（ひろなり）、広世（ひろよ）から皇族の資格を奪い、元明が譲位の意向を表明するのを待ちかまえていたはずの彼は、そのことをすっかり忘れでもしたかのように、むしろ元正即位に伴う諸行事を率先指揮してみせたのであった。

それが心からの服従、野望の撤回でないことはあきらかだ。さすがに妻の三千代の方は不比等ほど巧妙におのが心をかくすことができなかったのか、元正の即位が内定してからしばらくは、病と称して出仕もしていない。

が、元正のだしぬけの即位に対して、それ以上に、官人たちの動揺がなかったのは、不比等の強引ともいえる画策に人々は必ずしも好意的ではなかったかららしい。してみれば、元明の情勢判断は誤ってなかったということになる。

ともあれ、元正の初政は、おだやかなすべりだしを見せた。折しも瑞兆(ずいちょう)を持つ亀が献上され、年号も霊亀(れいき)と改められた。即位に伴うしきたりではあったが大規模の恩赦も行われた。元正はさらに農業の振興と、諸国から貢納物を都に運ぶ脚夫(きゃくふ)たちへの救恤(きゅうじゅつ)を指示した。

彼女の身辺に侍して何くれとなく助言し、献策するのは、もちろん長屋である。彼はそのころ、従三位から正三位に進んでいる。式部卿にとどまっている彼を、元正は、閣僚級の地位にひきあげたかったが、

「今は時期ではないようです」

長屋は微笑しながら固辞した。

「不比等は屈辱にまみれながらも、帝の前にひざまずいています」

人事について、これ以上こちら側が攻勢に出ることは避けるべきだ、という意見だった。そのときも彼は、不比等についてつけ加えるのを忘れなかった。

「あの恭順ぶり、敵ながらあっぱれとはお思いになりませんか」

元正も微笑を返す。

「政治とは、おのれの心を隠すことでもあるのですね」

「早くもそこにお気づきになられたとは、帝もおみごとです」

「先帝のお姿をずっと見続けてきましたから」

敗北に追いこまれながらも、にこやかに人々に対し、弱味を見せなかった母。不比等と母の相剋のきびしさが、いま改めて思い返される。

「私には先帝のようにはできないかもしれません。でも——」

元正は眼をあげて、まともに長屋を見た。

「言うべきことは、はっきり言うことも必要ではないかと思います」

「そのとおりです」

「式部卿の昇進は時機を見ることにしましょう。が、そのほかにも、やっておきたいことがあるのです」

もの静かな美しい皇女から、早くも意志力を持った女帝へと変ろうとしている眼の前の女性に、長屋はふともの問いたげな眼差を向けた。

——ひめみこ氷高よ。ああ、こう呼ぶのを許してください。あなたはいま変ろうとしている。そこまであなたを突き動かしているものは何なのか……

もし、言葉に出して長屋にそうたずねられたら、多分、彼女は答にとまどったことだろう。自分でもわからない。が、何かわからないものが、ぐんぐん胸の中に育まれていることはたしかなのだ。

もとより優雅な物腰、おだやかな声音は何ひとつ変ってはいない。が、一年も経たないうちに、いつか彼女が明確な自分自身の路線を打ちだしていることに、人々は気づかされたはずである。

一つは壬申の戦に参加した人々の息子たちへの優遇策だ。すでに戦乱の経験者はほとんど世を去っていたが、元正はその息子たちに、改めて田地を下賜している。

なにげない即位直後の善政の一つと見せて、彼女は、あの戦の意義を確認し、今後の路線を天下に印象づけたのである。

続いて懸案になっている藤原故京からの寺院の移転にも着手した。

「それはもう前々より心がけているのでございますが、何しろ……」

財政上の理由や人手の不足を言いたてて、なおも渋る不比等に、

「官衙の整備もたしかに必要です。でも私たちは、魂のよりどころもなおざりにしてはいけないと思うのです」

粘り強く、おだやかに、しかし、一歩も退かぬ気構えだけは覗かせて、元正は不比等に迫った。

「ではこの際、貢を増額して費用を捻出してもよろしいというお考えでございますな」

皮肉をこめた反撃には、ものやわらかに応酬する。

「そのようなことを望む私ではないことは知っているはず。百姓たちが豊かになることをまず願っているのですから」

たしかに即位の直後の詔で、元正はそのことに触れている。水田耕作に不向きなところは畑作の粟の栽培を奨励する、という具体的方策までしめし、基本的貢租である稲を粟に切りかえることをも許しているのだ。脚夫への救恤策を提示しているのもその一つである。

女帝らしい思いやり以上の周到な布石がそこにはあったのだ。その上で、増税よりも財政の運営によって懸案の解決を要求したのである。

「卿の手腕に期待します」

静かな微笑の中に、しなやかな細身の剣に似た勁さの隠されていることを不比等は感じたに違いない。

――それほど力量のないそなたではないはずでしょう、不比等よ。

元正の瞳はあきらかにそう言っていた。

廟議の末、寺院の移転が開始された。が、そこでも元正は、ひた押しに押すだけでない柔軟な対応ぶりを見せた。焼失した大官大寺は新しく左京六条四坊へ。その名も大安寺と改めることを許した。同じく飛鳥の法興寺、つまり飛鳥寺も寺籍のみを移し、名称も元興寺に――。飛鳥の記憶、藤原京の記憶を少しでも薄めようとする不比等の意向はさりげなく受けいれ、

「そのかわり、薬師寺だけは、御仏も、御堂も……」

かつての言明どおり藤原京からの移建を望んで譲らなかった。

「しかし、帝」

不比等もうやうやしげに答える。

「この都で、すべての寺院は新しく建立されるわけでございます。その中でただひとつ、薬師寺のみ、古材をもって造り、古き御仏を安置し奉るのはいかがでございましょう」

見劣りするばかりだ、と言いたげな口吻を、元正はさらりとかわした。

「いえ、それでよろしいのです。あの御寺には、天武の帝、持統の帝以来の思い出が秘められているのですから。私はあの御仏の前にぬかずきたいのです。それに――」

元正の口調はいよいよ静かになる。

「都遷りが議せられたとき、卿は、あの御仏を、どこまでもお運びする、と先の帝に言上したそうですね」

さすがに不比等は顔色も変えなかったが、廟議に列した諸臣は、あの日の光景を思い出した

のではなかったか。

——あの日、不比等はいやにもの静かにそのことを言ったものだ。が、いま、女帝は彼よりももっと静かに、それを仰せられた。

こうして薬師寺の移転は遂に実現の運びとなった。寺地は右京六条二坊。藤原京における位置とほぼ似かよう場所に、伽藍の規模を厳格に踏襲して造られることになった。

まず慎重な解体作業が行われ、瓦や木材が徐々に平城京に運びこまれたが、こうした大規模な寺の移建には、長い歳月が費されるのが常だった。ただ礎石だけは都の近くのものに替えて運搬の労を省いたが、その形式は厳重に藤原京のものに倣うこととした。

不比等は時折、例の微笑を湛えて元正に言う。

「御仏の御動座には、ひときわ心を用いることにいたします」

「ほんとうに御尊像に傷もつけずにお運びすることができますか」

元正の問に、うやうやしく答える。

「できます。私がやってごらんに入れます」

安定期に入った平城京の、優雅な伽藍造り——都人の眼にはそう見えたかもしれないが、そこには元正と不比等の、静かな、しかしすさまじい相剋のくりかえしがあった。

藤原京での薬師寺の解体がはかどってみると、思いがけないことも発見された。金堂の巨像を支えていた仏壇が、その重みに耐えかねて、かなりの傷みや歪みを生じていたのである。

「仏壇はやはり新たにした方がよろしいかと存じます。大理石を敷きつめ、御尊像を安置し奉りましょう」

と言う不比等の提案には元正も異存がなかった。黄金色に輝く巨像は、白く冷たい大理石の仏壇の上に据えられたとき、より豪奢に威厳にみちたものとなるであろう。

三尊の移転は七日かかった。元明女帝たちが長屋原(ながやのはら)で一泊した行程を、絹や綿につつまれた巨像は、七日もかかって慎重に運ばれ、無事平城京入りしたのであった。

一応三尊が安置された段階で、元正は、不比等の案内をうけて、妹の吉備とともに伽藍を訪れた。

「いかがでございますか。藤原の都と、寸分違わないつもりでございますが」

念を押すように不比等は言った。

「大理石の御仏壇は、御仏にふさわしゅうございますな……」

功を誇るというふうではないが、やはり不比等はそれを強調したかったようだ。

まさに薬師三尊は、藤原故京にあると同じ輝きを見せ、あたかも百年も前からここに在ったかのような静かな眼差で、元正たちを見下している。いくら眼を凝らしても、その肌にはかすり傷ひとつ見出せなかった。

が、しばらく三尊をみつめていた吉備が、おや、というふうな小さな呟きを洩らした。

「どうかなさいましたか」

慇懃(いんぎん)にたずねる不比等を顧みながら、吉備は、しなやかな白い指を台座に向けた。

「台座を切ったのですか。上の方の模様が少し短くなっています」

たしかに上下の框(かまち)に挟まれた鏡板の部分、例の醜い鬼神を鋳出したところの上部が少し切りつめられた感じなのだ。

「ほほう、よくお気づきになられましたな」

不比等は瞬きをしながら吉備に向って微笑した。

「それはすぐわかりますわ。四方の角の模様が、上の一つだけ、ちょっと切れていますもの。私、あの模様がちゃんと五つあることを覚えているんです」

微笑をはねかえすように、ぴしりと吉備は言った。

「これはこれは恐れ入りました」

言葉だけはうやうやしげに不比等は言う。

「大理石の仏壇が多少高うございまして、そのままでございますと、御尊像の光背が天井につかえるような感じになりますので、台座で工作いたしました。金堂を建てかえるならともかく、そのまま使えという思召しを生かすためにはそうするよりほかございませんでした」

元正は何も口を挟まず、吉備も強い視線を不比等に投げたまま、しばらくは無言だった。その日内廷までついてきた吉備は、吐きすてるように言ったものである。

「そういう男なのよ、不比等は。眼を離したら何をするかわからない」

元正はむしろなだめる口調になっていた。

「でも薬師寺はとにかく遷したわ。不比等に遷させただけでも、私たちは一つの事実を作りだしたことにはなるわ。そうは思わない？」

が、本尊の移動で薬師寺の建立が終ったわけではない。むしろ工事はこれからである。壁を塗り、木部に彩色を加える。付属の僧坊を造る。それらのために新たに造薬師寺司の史生二人が任命された。西塔の移建が行われるのはもっと先のことであり、東塔にいたっては、解体作業も始まっていない。

元正はしかし事を急ぎはしなかった。十年、いや十数年かかってもいい。ともかく三尊の移転によって、藤原故京は平城京に重ねあわされたのだ。黄金に輝く薬師三尊を仰ぐとき、ふと、彼女は、祖母持統の体の不調が目立ちはじめたころに、母とともにこの像の前にぬかずいたことを思いだしていた。

薬師寺の造営が、ゆるやかな足取りで進められている間にも、時代は大きく動いていた。大安寺建立がはじめられた翌年、老いたる左大臣石上麻呂（いそのかみのまろ）が世を去った。すでにその直前、中納言巨勢麻呂（こせのまろ）も死んでいる。廟堂に残るのは、右大臣不比等と中納言粟田真人（あわたのまひと）と阿倍宿奈麻呂（あべのすくなまろ）のみ。大納言の座は久しく空席になっている。

不比等はすぐさま左大臣に任じられることを期待したようだが、元正はそのことに全く触れようとはしなかった。

「われら三名のみにては、国務が多すぎて手が廻りかねます」

粟田真人も阿倍宿奈麻呂も口を揃えてこう言ったが、しかし、元正は、

「もう少し時機を見て……太上帝（おおきみかど）（元明）の御意向も承ってみましょう」

用心深くこの問題を避けた。長屋の名を口にしようともしなかったのは、それとひきかえに不比等に左大臣の座を許すことになるのを警戒したからである。

長屋を一日も早く廟議の座に——と考えた即位直後とは何という違いであろう。いまも彼女は、長屋はもちろん、母である太上天皇元明にもさまざまの助言を得てはいる。いわば太上天

皇との両者の共同統治という形が自然だったそのころとして、これは当然のことであったが、その母すらも、

「もうそなたのすることに口を挟む必要はないようですね」

と言うまでになっている。元正の王者としての感覚は、みるみる研ぎ澄まされていったのだ。長屋のような頼もしい協力者は欲しかったが、しかし、彼女は治政の初期段階を、独りで切りぬけてきた。その自信が、事を性急に運ぶよりも、目的を達するために最もよい時機を選びとろうとする沈着さを生んだともいえるだろう。

大安寺の建立が開始されてまもなく、不比等は、元正に美濃への巡行を要請した。

「多度山の麓にふしぎな霊泉がございます。御世はじめの御巡行に、ぜひとも……」

そこで浴すれば、たちまち肌がなめらかになり、傷も癒えるのだという。

「それは珍しいこと。ぜひ行くことにしましょう」

にこやかに元正は応じたが、しかし実際に最初の巡視の地として選んだのは難波であった。孝徳朝の皇居の地であると同時に、そこは皇極女帝ゆかりの地である。乙巳の変で蘇我入鹿が斃れたとき、皇位にあった女帝は同母弟の孝徳に位を譲った。が、その後も、難波宮にともに在って、皇祖母尊と敬われ、隠然たる勢力を保ち続け、孝徳病死の後をうけて再祚する。これが斉明女帝である。

斉明時代の皇居は飛鳥だったが、晩年、半島出兵のために筑紫に向けて旅立つときも、軍備編成の基地として難波が利用され、彼女自身もしばらくここにとどまっている。が、筑紫で斉明を待ちうけていたのは死であった。そしてその後に訪れるのは、半島に出兵

した日本軍の大敗である。以後の国内の大変動が壬申の戦に連なることを思えば、まさしく、難波は以後の日本の歴史の起点ともいえる。そして斉明女帝こそは、推古女帝の血をひき、それを後の持統・元明に伝えた存在なのだ。

難波訪問は、それらの歴史への回顧である。そこで元正はいまのこの国のあり方をもう一度問い直したかったのだ。

白村江（はくすきのえ）の敗戦以来、日本の外交路線はときに唐寄り、ときに新羅寄りにと揺れ動きながら、それが国内の政治にも大きな影響を及ぼしてきた。文武初年唐との国交が回復し、遣唐使の派遣とともに律令はじめ唐風の諸制度・文化が、潮のように押しよせて現在に到っている。すでに唐と新羅の間にあった対立が解消されている以上、日本の外交路線が変更されるのは自然のなりゆきである。その点、元正は持統よりも事態の変化をうけとめる柔軟性を持ちあわせていた。

が、この路線変更が、国内での権力争いに結びついている以上、警戒をゆるめることはできない。唐寄りの路線の先頭に立つのはもちろん不比等だ。げんにこの時期、すでに遣唐使の派遣が決定され、使者たちは船出の時期を待っている。

この親唐路線は彼にとっては父鎌足と天智との時代の復活であり、天武・持統朝への批判の意味を含んでいる。そのことは元正には痛いほどよくわかる。とすれば力の均衡上、新羅との外交にも力を入れざるを得ない。じじつ、彼女の手によって、遣新羅使の人選もひそかに進められていた。まさに難波への旅は、それらの事態をふまえてのものにほかならなかったのだ。

元正の難波行に、不比等はあえて異を唱えはしなかった。

「それでは、難波の死などがあって、美濃行きの実現はその年の秋まで延期された。

が、石上麻呂の死などがあって美濃へ――」

九月、平城京を出た元正たちの車駕は北上してまず近江に入った。琵琶湖畔に到ったとき、一行は思いがけないほどの大勢の出迎えをうけることになった。山陰道、山陽道、南海道の国司たちが、それぞれ百姓をひきつれて待ちうけていたのである。

湖畔にしつらえられた行宮の前に列立した彼らは、口々に女帝の安着を賀し、それぞれの国に伝わる歌や舞を披露した。不比等は下り眉の下の眼をいよいよ細くして、それらの人々を眺めていたが、

「お寒くはございませんか」

低い声で元正にたずねた。

「秋も終りに近づいておりますから、湖の風は冷とうございます」

「いいえ、いっこうに。それにしても広い湖ですこと」

晩秋の空の蒼さを映してか、眼に痛いほどの藍青色に輝く湖面に、元正はじっと見入っている。

「ごゆっくりお疲れをお休めくださいますよう」

不比等は静かに平伏した。

随行者の中にあった長屋王が挨拶かたがた元正の許を訪れたとき、幸い周辺は人少なだった。

「なかなかやりますな、不比等も」

ささやくように彼は言う。

「近江の旧都を思い出していただくための美濃行きだったのですね」

元正はただ微笑するだけだった。

「わざと大津の旧都を避けたのも、不比等らしい配慮ですね。そこまであざとくはしない、ということでしょう。それにしても国々の国司や百姓を集めて、近江にはこれだけの人が集まることができる、と言いたかったのでしょうか」

答えずに、元正はかすかに何かを口ずさんだ。

「え？　何とおっしゃいましたか？」

そのとき、やっと呟きは言葉のかたちをとりはじめた。

歌だった。

「玉だすき　畝傍の山の　橿原の……」

「ああ、人麻呂の歌ですね」

長屋は声をあわせた。

「ひじりの御世ゆ　生れましし　神のことごと……」

柿本人麻呂が、かつてこの地を過ぎたとき、荒れた旧都を眺めて詠んだ歌である。

「大宮は　ここと聞けども　大殿は　ここと言へども……」

誦し終ってから、さらに長屋は反歌の一つを低く口ずさんだ。

「ささなみの志賀の大わだ淀むとも昔の人にまたも逢はめやも……。不比等はその昔の人に逢わせたかったのでしょうか」

元正は瞳の底に、すみれ色の翳をよぎらせて、長屋をみつめた。

「そうです」

「天智の帝と鎌足に？」

「ええ。でも、私は別の方にお逢いしているような気がしています」

「それは？」

「持統の帝」

父に従ってこの地にありながら、遂に夫とともに吉野に去った持統……。帝位についてみて、はじめて元正は祖母を理解し得たような気がする。あの強く偉大だった女帝持統——。そこへ元正はみずからの姿を重ねてみる。

「時にはからだいっぱいの批難も浴びました」

と死の床で女帝は言った。

「悪評を恐れてはなりませぬ」

とも言った。それらの言葉が、いま元正の耳許にあざやかによみがえってくる。

美濃に入った元正は不比等の言う霊泉に臨んだ。ここでも東海道、東山道、北陸道の国司が百姓をひきいてやってきて歌や舞を披露した。薬効いちじるしく、白髪をも黒髪に変えるというのに因(ちな)んで年号を養老と改めたのは帰京した直後である。

翌年、元正はふたたび霊泉を訪れ、ついで尾張、伊賀、伊勢を巡り、各地の国司以下を昇叙させ、慰労の絹や布を下賜した。そのときも、元正の耳には、死の床にあった持統の声が響いていたかもしれない。

「いざというとき、伊勢、伊賀、尾張など五か国の者どもが力になってくれるでしょう」

不比等は無表情に元正の巡行に従っている。微妙な対立を含みながら、養老二（七一八）年は春を迎えようとしていた。

白虹

美濃巡行を終えて都に戻った直後、元正は大規模な人事異動を発表した。

空席だった大納言に、長屋王と阿倍宿奈麻呂を。中納言に多治比池守、巨勢祖父、大伴旅人を。

阿倍宿奈麻呂は中納言からの昇進だから、まず当然としても、今まで廟議に参加できなかった式部卿長屋王の異例の抜擢は人の眼を驚かせた。いや、大納言に任じられた長屋自身、叙任の式にあたって、

——ひめみこ、いや帝……

一抹の逡巡を含んだ眼差で元正をみつめざるを得なかったくらいである。

——よろしいのでございますな。

長屋の眼は、二人の間だけに通じる、言葉にならない問いかけをしていた。

——なにが、ですの？

元正もじっと長屋をみつめる。

——大納言にしていただいたことでございます。

——私は卿の力量を信じています。ためらうことはありません。

——いえ、そのことではございません。

——では？

——右大臣でございます。右大臣不比等がどのように思うか。そのことが帝の御政治をやりにくくはしないか……

——ほ、ほ、そのようなこと。

静かな笑い声を聞いたと思ったのは長屋の空耳だったかもしれない。が、瞬間、やさしいすみれ色の翳をよぎらせながら、彼女が形のよい唇を、きゅっとひきしめたのはたしかである。そしてその瞳は明らかに言っていた。

——私の決心はすでにきまっています。

蜻蛉の翅より薄い領布さえもすべり落ちそうななよやかな肩、結いあげた黒髪さえも重たげな項……。この繊細な肉体の持主のどこにそんな勁さがひそんでいたのか。

とまどいに似た驚きの中で、やがて長屋は気づいたはずである。

——そうだ、今度の美濃への旅だ。

美濃から尾張、伊賀、伊勢と、壬申の戦にゆかりの地を巡視して、女帝は、あの戦いの折に献身的な働きをみせた人々の子孫に接し、力強い手ごたえを感じたのだ。そして、かつての鸕野讃良皇女（のちの持統）の面影に重ねあわせて自分をみつめようとしている人々の視線をうけとめたとき、彼女の心はきまったのではないだろうか。

——そういえば、前の年、女帝は近江で持統の帝を思いだしておられた……

長屋にとまどいに似たものを感じさせたように、この異動は、かなり思いきったものだった。大納言に手の届きそうなところにいた上席の中納言粟田真人は、結局昇進の機を逸した。彼は遣唐使が再開された折、不比等の意をうけて唐に使した人物で、いわば不比等の片腕である。巨勢祖父は、前年死去した巨勢麻呂の代りだが、もう一人の新任中納言、大伴旅人は、元明太上天皇以来、最も女帝側に信頼の厚い人物である。

つまり、廟堂はにわかに元正側の色彩が強まったのだ。もちろん相手側への配慮もあって、もう一人の中納言には多治比池守が加わった。彼は巨勢氏と並ぶ名門の出で、その弟の県守は、さきに遣唐押使として唐に旅立っている。粟田真人と似たような立場の人物で藤原氏に近いが、彼を登用したのはわけがあった。これによって、彼より先に中納言の座に足をかけようとしていた不比等の次男房前――すでに前年「朝政に参議する」というかたちで廟議に列するようになっていた彼の昇進は見送られてしまったのである。

もちろん不比等自身も右大臣のままで、左大臣にはなっていない。元正側の長屋や旅人は躍進したのに、不比等側は三人そろって足踏を余儀なくされている。

この新人事を追いかけるようにして、元正は、かねてから考えていた新羅への使の発遣を決定した。不比等は、

「唐のような大国と違い、新羅からはあまり得るところはないと存じますが」

と消極的だったが、元正はこれににこやかに応じた。

「とにかく私はどちらとも親しくしてゆきたいのです。唐との交わりも大切ですが、新羅はよりわが国に近く、昔から往き来していたことですし」

反駁の隙のない、しなやかな言葉に、不比等もそれ以上のごり押しはできなかった。このとき遣新羅大使に任じられたのは小野馬養。以後、新羅との往来はしばしば行われた。

一方、さきに唐に渡った多治比県守たちはその年の暮に帰京した。帰国の挨拶にやってきた一行の中には不比等の三男宇合の顔もあった。彼は遣唐副使として県守とともに渡唐していたのである。元正は彼らの前でも微笑をたやさなかった。

「長い旅、まことに御苦労でした。今後の帰国の旅は一船も損傷せず、みな無事だったとか。これ以上の喜びはありません」

県守らとともに渡唐した吉備真備や阿倍仲麻呂らは、留学生としてかの地に留まっている。帰国した使たちは、口々に大唐の繁栄ぶりを語った。元正はその一つ一つに興味をしめしたが、今後の遣唐使の派遣計画には一言も触れなかった。じじつ、これ以後、彼女の治世下には一度も遣唐使派遣は行われていない。

さりげない外交路線の変更である。表立って声を荒らげ、これまでの方針を批難するのではないが、彼女は内政に外交に、自分の定めた道を着実に歩みだしていた。

老練な不比等は、さすがにこのことに気づいたらしい。

——む、む。帝は持統の帝のなされように倣おうとしておられるのだな。

このたおやかな美女がか……首を摑んでひとひねりすれば、息の根をとめるのもわけないような存在が、自身の腋の下をすりぬけ、したたかにみずからの道を歩もうとしていることに、彼はひそかに唸った。

いや、彼よりも一足先にそのことに気づき、

「父上、油断はなりませぬぞ」

乾いた声でささやいたのは、長男の武智麻呂だった。長屋王の後任として式部卿に任じられている彼は、兄弟中最も学識ゆたかで思慮も深い。いまや弟の房前と並んで権力の座をめざす一人である。

「わかっておる。わかっておるが……」

よく撓う細竹を折りかねているような困惑が不比等の顔にあることに武智麻呂は気づき、

――老いられたな、父上も。

ふと、そんな思いを抱いたかもしれない。それだけに、武智麻呂はいよいよ精悍に、その頰をひきしめたのではなかったか……。

人々が、武智麻呂の姿に息を呑んだのは、翌年正月二日、大極殿においてであった。元正が、この宮中の正殿で諸臣の拝賀をうけたとき、武智麻呂は、新帰朝の多治比県守とともに、皇太子首を左右から支えでもするかのように傍らに近侍し続けたのである。

――まるで抜身の白刃のような……

武智麻呂の気迫を感じながら、元正はその視線をあえて無視した。

――見るがいい、この俺を、この眼を。

あきらかに彼はそう言っていた。

――見るがいい、俺の護っているこの皇太子を……

すでに首は十九歳。青年に達した彼の背丈は、武智麻呂や県守を超えている。武智麻呂たち

は、首について、
「年歯幼稚ニシテ未ダ深宮ヲ離レズ」
と語った元明の詔勅が意義を失ったことをしめしたかったのだ。
――皇太子はもう立派な一人前の男だ。皇位をうけつぐ資格は十分だ。

いや、彼らがいうまでもなく、元正はこの甥が一人前の男になっていることを知っている。彼はその二年前、県犬養広刀自という娘をみごもらせ、女の子を産ませているのだ。広刀自は、首にかしずく県犬養三千代と同族で、あどけない顔立ちの美少女であった。三千代はすでに橘の姓を得て、県犬養橘三千代と名乗ってはいるが、同族であることには変りはない。

そして、つい数か月前、彼は二人めの女児の父になった。

その女児の母は、安宿媛――。

まさしく不比等と三千代の間に生れた、首と同年の女性なのであった。不比等が首を狂疾のある生母宮子と引きはなし、三千代とともにその身を護り続けた目的はほぼ達せられたと言ってもいい。安宿媛は生母三千代の膝にまつわりつき、首とともに育てられた。そして年頃のきた二人が、しぜん結ばれることになったとしてもふしぎはないのである。

むしろ、不比等は、県犬養広刀自が、安宿媛より先にみごもったことに驚き、苛立ったともいう。思えば、元正が女帝としての道を確立させようとしていたとき、不比等と三千代、首と広刀自、そして安宿媛の間に、時間は、もう一つの流れ方をしていたのであった。

そして、養老三年の正月、二つの流れは、大極殿の中で交錯した。

いま、静かに元正は首に視線を向けている。

が、抜身の白刃に護られながら、十九歳のその青年はひどく弱々しい。むしろ元正の瞳におびえるかのように顔を伏せている。抜身をひきつけてあたりを睥睨(へいげい)する若き王者の風格には程遠く、抜身にひきずられ、辛うじてそれに支えられて立っている、といった様子なのである。

元正は微笑を含んだ視線を逸らせた。

そのまま無視してしまうことも可能だった。

——この弱々しい若者に何ができるのか。

こんな者にかかわる必要はない、と思った。しかし、そう思いながら、かすかに元正の胸の中に波立つ何かがあった。

(太字は蘇我系の女性)

天武＝**持統**
　草壁＝**元明**
　　文武・**元正**・**吉備**
高市＝**御名部**
　長屋＝**吉備**
　　膳夫・葛木・鉤取
橘三千代＝不比等
　武智麻呂・房前・宮子
文武＝宮子
　首
首＝安宿媛
　阿部
首＝県犬養広刀自
　井上

彼女と眼をあわせ、慌てて顔を伏せた首の表情が、驚くばかり彼の父、文武に似ていたからだ。

——まあ、何と、おそろしいまでに……似ているというより、弟そのままだ。急に自分の年齢がひき戻されて、ひよわな青年だった弟の傍にひきよせられてゆくようだった。

弟は藤原宮子をみごもらせ、後嗣問題で悩み、命をすりへらして死んでいった。そしてその宿業を負った子が、いままた同じ瞳の色をしてうなだれている。あたかも弟の悩みだけが生き続け、そのまま次の生命にひきつがれたかのように……。

——この子はわが生いたちと、父の宿命とのからみあいを知っている。

いつどこで、彼はそれを知ったのか。母からひき離され、不比等と三千代だけに護られ、世の中から隔離されて育った彼は、王者の子として、傲岸な、そして不遜な魂の持主となることも可能だったのに、何が、彼に父の苦悩を覚らせたのか？　もし誰が教えるともなくそれを知ったとしたら、彼もまた父譲りの敏感な魂の持主といわねばならない。元正は、自分と眼をあわせて、おびえたようにうつむいた瞬間、青年のかすかな問いかけを感じたような気がした。

——私は……私はいったい、皇太子たるべき人間なのでしょうか。

——伯母上。私はさらに、藤原氏の娘をみごもらせてしまったのです……

魂の屈折は彼の中でいよいよ深くなっている。

元正はそれに対して、こう言いきることもできるはずだった。

——そう。そなたには、皇位につく資格などありはしない。なぜなら、そなたの母は、蘇我倉山田石川麻呂の血を一滴もうけついでいないのだもの。

——お悩み。永久に悩んでおいで。宿命の子よ。

が、どこかで彼女の胸は波立つ。それは彼があまりに父親と生き写しだからか……。彼女のかすかな混乱とためらいにも気づかぬように、朝賀の儀式は静かに進行していった。

唐に使した人々が、改めて元正に拝謁したのは、その後まもなくのことである。かの地で皇帝から与えられた唐制による朝服を着けて整列した彼らの顔は、先進文化をこの肌で感じとってきた、という優越感に輝いていた。誇らしげに語る彼らの報告に耳を傾け、時折は微笑をうかべて頷きはしたものの、そのとき、元正の考えていたのは、およそ別なことであった。

——持統の帝の御志に沿って、新羅との交渉を深めたいま、次にすることは、ただ一つ。

持統の意思を無視して、文武と不比等によって作りあげられた大宝令の改正である。さしあたって、彼らのもたらした新知識は何らかの役に立つであろう。かの地では律令の改正はしばしば行われている。これに倣うとみせて、大宝令をねじまげてゆくことはできないものか……。

その年の六月、皇太子首は、いよいよ政治の座に連なることになった。

——もう子供扱いなどはさせぬぞ。

不比等や息子たちの声に護られての廟堂への登場であった。が、その足取りは依然おぼつかなげで、いかにも、背後からせきたてられ、腰を押されて政治の場にひきずりだされた、という感じだった。

たしかに——。

この時期、藤原一族はなぜかしきりに事を急いでいた。前のめりになって突っ走るような性急さは、慎重な不比等の日頃からは考えられないことである。

不比等が片腕とたのんでいた中納言粟田真人が世を去ったからか。小野馬養の渡海にはじまって、新羅との交渉がいよいよ頻繁になりはじめたからか。

いやそれだけではなさそうだった。何かわからないものが彼らをせきたて、走りださせた、としか言いようがない。そして、不比等自身すらも気づかなかったこの不可解なものが、その正体をあらわすのは、翌年になってからのことである。

最初にそれは奇妙な天然現象として都人の眼を奪った。

南の空から北へかけて、一本の帯のような白い虹がかかったのだ。

「あ、白い虹が……」

「いや、虹ではあるまい」

「光の帯かなあ」

人々はまぶしげに空を仰いで言った。翌年正月十一日のことである。その年の元日、大宰府から美しい白鳩が献じられて、宮廷はその瑞兆に沸き、大がかりな祝宴が催されたばかりだった。これに続く、このふしぎな光の帯の出現を、どう解釈したらいいのか。

こんなとき不比等はほとんど無表情である。

「白い虹か……」

手をかざしてそう言い、元正の傍らにある皇太子首の方をちらりと見やった。瑞兆ではじまったこの年、どういう形で首を皇位に送りこむか、彼の考えていることはそのことであったはずだ。逆の言い方をすれば、それはどういう形で元正を退位に追いこむか、ということでもある。

してみれば、この白い虹を、吉凶いずれの前兆として使うべきか。それはわが方寸にあると思っていたのではなかったか。

ところが、二十日も経たないうち、大納言阿倍宿奈麻呂が急死した。さきに粟田真人を失い、廟堂のバランスは微妙に変化しはじめたのである。

加えて大隅の隼人が反乱し、大隅守が殺害されるという事件が起った。瑞兆で幕をあけたはずの養老四年は、思いがけない方向に曲がりだした。

隼人の反乱の鎮定には、中納言大伴旅人が征隼人持節大将軍として向うことになった。武名の高い大伴氏の任命は当然ともいえたが、不比等がこれを強く推進したのは、相対的に比重を益してきている女帝側の有力者を、中央から退けるためでもあった。

元正もそれに気づいている。が、あえてその献策をうけいれたのは、代りに律令の改正に手をつけようとしたからである。

「遣唐使も帰ったことですし。その中でも、大倭小東人は、唐令にくわしく、今度もみっちり調べてきたと聞いています」

かねて目をつけていた少壮官僚の名を彼女は口にした。

並みいる法律の大家の中に新帰朝の少壮官僚を入れて改訂事業を推進させるという提案に、不比等は、真意をはかりかねたようである。

「律令を新しくなさろうという思召しで？　しかし、大宝の律令が作られましてから、まだそれほど経っておりませんが」

頷きながら、元正は言う。

「ええ、でも飛鳥浄御原令も、作られてまもなく変えられました」

不比等が、かすかに、むむ、と唸るのに気づかぬふりをして元正は続けた。

「もちろん、大宝令の根本精神はそのままです。ただ、足りないところを補うとか、字句を訂正するとか……」

「しかし、帝……」

不比等は恭しく一礼しながら彼女の言葉を遮った。

「そのような細かいことを変えましても、あまり意味はないかと存じますが」

「そうかもしれません。でも新しい知識を学んできた小東人たちの意見も聞きましょう。唐の人々が見ても恥ずかしくないものにする必要があります。いえ、その唐でも、しばしば律令の改訂は行われているということですから」

言いながら、ふと彼女は思いだしていた。

――昔、持統の帝と弟の文武の間にも、同じようなやりとりがあったはずだわ。

母から聞かされたのだったろうか、記憶もさだかではない。が、持統は自らが公布した飛鳥浄御原令の変更をがえんぜず、文武は自分と同じようなことを言って説得を続けたという。そのときの新律令の推進者こそ不比等であり、今度は自分が彼に律令の変更を迫っているのだ。

――そのことに、気づいていないそなたではないでしょうね、不比等よ。

さりげなく視線を送ろうとして、元正は一瞬わが眼を疑った。不比等の顔色がひどく悪いのだ。

「大臣(おとど)、どうかしましたか」

「いや、なに……」

律令改正の提案が、さほど衝撃を与えたとは思えなかったが、それでも、

「この話は今すぐというわけではないのですよ」

とつけ加えると、不比等は苦笑に似た頰の歪ませ方をした。

「御趣旨はよくわかりました。検討をいたしますが、いや、なに、このところちょっと食欲がすすみませんので、疲れやすくなっておりまして……」

一礼して立去る背中を丸めた後姿は、たしかに瘠せが目立っている。

隼人鎮圧に出かけた旅人からは、まもなく勝利の知らせがもたらされた。まだ全面鎮圧にはいたっていなかったが、元正は彼の勝利を嘉し、副将軍以下に残務をまかせ、一日も早く、帰京することを命じた。

筑紫にあって勅をうけた旅人は同時に知ったはずである。自分を廟堂から切りはなすべく征途に赴かしめた不比等そのひとが、すでに世にないことを。

不比等の病気は、旅人が大隅で転戦する間にぐんぐん悪化していたのだった。例によって大赦が行われ、寺々で平癒が祈られたにもかかわらず、彼がふたたび起つ日はやってこなかった。この世を去ったのは八月三日、思えばあの白虹は不比等の死の前兆だったのか？

皇太子首を是が非でも政治の場にひきだそうと焦ったのは、無意識のうちに死を予感してのことだったのか？　いや、そうではないかもしれない。体内に栖みはじめた病魔が彼を苛立たせ、例にない前のめりの姿勢をとらせることになっただけのことではないか……。

白虹が何を意味するかにかかわらず、いま厳然としてあるのは不比等の死であった。壬申の戦を危うくのがれ、しぶとく、我慢強く政界への復帰を狙い、遂に右大臣にまで登った男。なみすぐれた権謀の男はしかし、最後の宿望を遂げることはできなかった。父鎌足がひそかに思い描き、かつ、彼が着実にその実現に漕ぎつけつつあった夢——藤原氏を母とする天皇の即位を、遂に見ることなくして彼は世を去らねばならなかったのである。

もう一歩のところだった。そして、わが娘安宿媛を首のきさきとすることによって、権力の構図は完璧なものになるはずだった。

その宿望を砕き、横あいから帝位を奪いとったのは？　いうまでもなく女帝元正である。

——死の床にある間、不比等は私を呪い続けていたに違いない。

元正はそう思っている。おそるべき敵が斃れたことに安堵するよりも、不比等の、そして遺された息子たちからの呪いの矢が自分に向って集中してくることを感じている。

が、彼女はいま、顔色も変えず、それをうけとめようとしている。もちろん、不比等に対する深い弔意を表することは忘れなかった。その死を悼んで朝務を廃し、異例の手厚さで弔慰品を与え、後に太政大臣、正一位を追贈した。不比等の邸に赴いてその詔を伝えたのがほかならぬ大納言長屋王と中納言大伴旅人だったことは、何とも皮肉な構図ではあったが……。

いまや右大臣もその座になく、実質上廟堂の最上席にあるのは長屋である。すぐにも彼を昇格させることは可能だったが、ここでも元正は慎重を期した。不比等が世を去った日、穂積親王の死後廃されていた知太政官事をただちに復活させて舎人親王をこれに据えた。舎人は天武の第六皇子、母は天智の娘、新田部皇女で、元正たちとはむしろ疎遠である。その上彼は不比等の意をうけて『日本紀』の編修にたずさわり、つい先ごろそれをなしとげたばかりだった。

その内容について、元正は必ずしも満足していなかったが、

「皇族の長老として」

とひそかに彼を推挙したのは長屋であった。不比等の死を機に、「参議」房前(ふささき)を残して、藤原氏の力は大きく後退した。が、不比等の息子たちは決して黙って引込んではいないだろう。そのとき、彼らに利用される可能性の多い舎人には、この際むしろ手をさしのべておくべきだ、というのがその意見である。これは彼の前々からの持論でもあり、元正はその意見をいれて、天武の皇子である舎人と新田部にはかなり経済的優遇を与えている。

ところで、知太政官事になった舎人は一つの条件を出した。

「わが異母弟新田部にもしかるべき地位を」

天智―新田部皇女
　　　＝天武―舎人
藤原鎌足―五百重娘
　　　＝天武―新田部皇子
　　　―不比等
不比等＝五百重娘―麻呂

新田部は藤原氏との結びつきはさらに濃い。彼の母は鎌足の娘、五百重娘(いおえのいらつめ)であり、彼女は夫の天武の死後、異母兄不比等と結ばれて、麻呂(まろ)を産んでいる。つまり新田部と麻呂は異父兄弟なのだ。元正はこれに不安を感じたものの、結局彼を知五衛及授刀舎人事(ちごえおよびじゅとうとねりじ)に任じた。舎人が文官を、新田部が武官を統轄する形になったが、この地位はいずれもそのまま実質的権力には連ならない性格を持つところから、元正は今後の運営を、長屋の力量にまかせることにしたのである。

彼を大納言に任じたときよりも、いま、元正は彼と言葉にならない言葉を交わすことが多くなっている。二人は不比等の退場が、自分たちの勝利を意味しないことを知りぬいている。危機はこの先も続くだろう。が、その彼らさえ、より大きな試練がその前途に立ちふさがるであろうことに気づいてはいなかったのであった。

冬の挽歌

思えば不可思議な予兆を覗かせながら始まった養老五（七二一）年であった。元旦はぬけるような青空だったが、三日め、突然、天を裂くような雷鳴が轟いて都人を驚かせた。

——はて？

飛びだして天を仰げば、二日前と同じ蒼空を残しながら、夏雲に似た逞しさで、みるみる雲塊がふくれあがってゆく。春雷と呼ぶにはおどろおどろしいその響きに、顔色を変えた女官たちが耳を覆ってひれ伏す中で、しかし、女帝元正だけは、眉ひとつ動かしはしなかった。

すでに彼女の決意はきまっている。藤原不比等が世を去って五か月、母の元明太上天皇とひそかに練り続けてきた政治改革に着手する時はきたのである。

——いかに雷鳴が轟くとも、私の行く道はこれしかない。

五日、新しい人事が発表される。

正三位長屋王は従二位に進んで、大納言から右大臣に。左大臣は依然として欠員のままだから、彼が実質上の廟堂の統轄者になったのだ。

——藤原不比等に代るのは、そなた、長屋王です。

女帝元正は、はっきりその政治姿勢をしめしたのである。これに伴って、中納言多治比池守が大納言に。さらに、弟の房前とともに従三位に昇進した藤原武智麻呂を中納言に任じたのは、政治的配慮からである。

元正はしかし、事を荒立てようというつもりはなかった。長屋王主導のもとに協調を、そして国内の充実を、というのが基本方針だった。だから、新人事の発表に続いて、文武の官僚に自由な意見の上申を求めたし、学芸や技能に秀でた人々には、特別の褒賞を与えもした。大倭小東人とともに律令の改訂作業に従事している箭集虫麻呂、塩屋吉麻呂（古麻呂）といった法律の専門家もその中に入っている。不比等の死後、彼らの仕事は一層順調に捗りつつあった。

「今年中には無理かもしれませんが、来年には完成するでしょうね」

母の元明は、それを心待ちにしているようだった。故持統女帝が、文武と不比等に押しきられる形で撰定を許した大宝律令の改訂を行うことによって、蘇我倉山田石川麻呂の血をうけた彼女たちの無念ははらされるはずであった。

——ほかのことは妥協しても、このことだけは……

と、元明は思い定めているらしい。そんな話にふれるとき、母が、ふと遠くをみつめるような眼をするのに元正は気づいている。異母姉持統とともに歩んできた波瀾の一生を、改めて思い返しているのだろうか。

「御仏像をねえ、造ってさしあげたいと思うのですよ。天武と持統の帝の御為に……」

と呟くときもある。安置する寺はもちろん薬師寺だ。はるばる藤原京から運ばれた薬師三尊を中心に、金堂の移建は完成し、内部の荘厳もほぼ終っている。

「持統の帝がおなくなりになられてから、来年は二十年ですものねえ」

元正はそう相槌をうちながら、その二十年の風雪に耐えてきた母を改めてみつめなおす。豊かな肉付で、ものに動じない貫禄をしめした母も、年老いた今は、ひとまわりもふたまわりも小さくなってしまった。

「工事を急がせましょう。御仏像も、お母さまの御発願として早速造らせます」

東塔の移建だけは間にあわないが、この地で新しく造られた付属の堂宇も、それまでには完成するはずである。そこで厳かな法会をいとなもう……。元正は母とともに藤原京のおもかげを伝える金堂の階を上る日を想像したものだったが、しかし、その光景は遂に実現しなかった。その後まもなく元明は体の不調を来し、夏の半ばには、床を離れることさえできなくなってしまったのだ。

食事が思うようにとれなくなると、元明の体は一段と小さくなった。が、元正には、その衰えが、単なる病のためだけとは思えなくなっている。

——お母さまは、精根をかたむけて不比等と戦っていらしたのだ……

その相手が斃れたとき、母もまた力竭き、立ちあがる気力を失ってしまったのではないか。

ひそかな思いをこめて元正がその手をとるとき、病床の母は無言でうなずく。あたかも、

「お母さま……」

——そうなのよ、そなたの思っているとおりなのよ。

とでもいうふうに、静かな笑みさえ浮かべて……。

もちろん、大赦や読経など、元明の病気回復のためのあらゆる手段が講じられた。が、病状

の好転する兆はさらに現われなかった。中には右大弁笠麻呂のように、現職を抛って出家入道し、平癒祈願をしたいと申し出るものもあった。それともう一人、県犬養橘三千代も——。彼女については、

——いまさら忠義顔して……

という声も元正の身辺ではささやかれたが、元明はそれをしいて拒みはしなかった。それらの平癒祈願がどれほどの力を持つものかについて、元明自身、すでに無関心であるようにもみえた。

ただ、皇太子首が見舞にきたときだけ、その瞳の色が激しく揺れた。元正に案内されて彼が枕頭に立ったとき、一瞬、その瞳に輝きがあふれ、やがて、みずからのその興奮を押しかくすように眼を伏せたことに首は気づいたかどうか。

「お祖母さま、お加減はいかがでいらっしゃいますか」

その問はどことなくぎこちなく、態度は相変らずおどおどしている。元明は眼をあけると、首の顔をじっとみつめた。

「一日も早く、お元気になられますことを、お祈りしております」

紋切り型の見舞にも、いつになくやさしくうなずき、

「ありがとう。よく来てくれました」

ゆっくりそう言い、瘠せ細った手をさしだした。首はためらいながら、その手をそっと握る。

「早くおなおりになってください」

いくらかぎこちなさのとれたもの言いになっている。さすがに元明の瞳からは興奮の色は消

えていたが、そのかわり、どこかけだるげな、うっとりとした眼差が、じっと首に向けられ、一礼して帰るまで、遂に視線は彼を離れなかった。

首に扈従（こしょう）してきた人々が姿を消すと、ふいに濃密な静寂が訪れた。ゆっくり元明の手が元正を求め、吐息に似た呟きが洩れた。

「似ていますこと」

「お母さま！」

元正は母の視線を求めた。眼差はたしかに自分に向けられていたが、その瞳は、依然、うっとりとうつつにもあらぬものをみつめているようだった。

「似ていますこと……」

ふたたび呟きが洩れた。

聞き返すまでもなく、微笑が母の顔に浮かんだ。

「軽（かる）（文武）です。皇子（みこ）そっくりです。あの子は」

「……」

「あの子が入ってきたとき、私は、皇子が生き返って戻ってきたのかと思いました。いいえ、黄泉（よみ）の国から私を迎えにきてくれたのかと思ったのです」

「お母さま……」

元正は瘠せ細った母の冷たい手を、しなやかな両の手の中に包みこむようにした。

何度か首と顔をあわせるたびに、元正は同じ思いを味わい続けてきた。

――何と弟に似ていることか。

いま、病床の母が、彼にわが子の再来を見たのは当然だ。すでに死と隣りあわせて久しい彼女は、あのとき、首の面影に重ねあわせつつ、ひととき亡きわが子との魂の合一を味わっていたのである。あのたゆげな眼差は、生死を超えた世界をみつめるものでなくて何であろう……。

沈黙の時間が過ぎたとき、すでに元明は陶酔から醒めていた。代ってその頬に漂うのはかつての日の女帝としての威厳――。ああ、それも、何と苦悩にみちた威厳であることか。

わが子文武は、その期待に反し、不比等の娘を愛し、若くして死んでいった。そして忘れ形見の少年は、祖母に背(そむ)くがごとく、藤原氏の手に護られて育ち、成人したいま、ふたたび父と同じ道を歩みはじめている。

母はこの魂をひき裂かれるような苦しみを、これまで一度も口にしなかった。いや口にすることさえできないほどだった魂の傷の深さを、いま、元正は、感じとることができる。蘇我倉山田石川麻呂の血を享(う)けた母は、わが子文武が天武・持統の敷いた路線を逸脱することを、女帝として許すわけにはいかなかったのだ。

そして母は皇太子に擬せられていた首の即位を認めず、自分に位を譲った。そして首との距離はいよいよ離れていった……。

母がいかに悲しみと憤りに魂をひき裂かれながら、それを決定したか……。

――あのときも、お母さまは毅然としていらしったけれど。

すでに首は成人して、皇太子の地位にある。元明とてそれを認めないわけではないが、太上天皇として、最後のぎりぎりの一点だけは、なおもわが手に留保して、あたかもこの事実を無視するかのような姿勢をしめし続けてきたのだった。

それがいかに苦しいものだったか。不比等との戦いは、また自分自身との戦いでもあったのだ。蘇我倉山田石川麻呂の血を享けた女として、女帝として、人の子の母として、重荷を背負い続けてきた老いたる母が、病床にあって、ひととき幻覚にも似た陶酔に浸ったとしても、誰がそれを嗤うことができるだろう。

しかし、それ以後、病床の母は二度と亡き子のことも、首のことも口にはしなかった。そして秋が過ぎ、冬が訪れた。元明の体はいよいよ小さくなってきた。その彼女が、何かを思い決するように、

「右大臣を呼んでください」

と言ったのは十月十三日のことである。

「さ、私を起して、髪をくしけずってください」

元明の言葉に色を失ったのは、むしろ侍女たちであった。

「そ、それはおやめくださいませ」

口々に止めたが、元明は諾かなかった。

「右大臣に太上天皇として会うのです。このままの姿ではなりませぬ」

助けられて床を離れると、髪や衣服をととのえさせながら、やや考えた末に、

「右大臣とともに、房前を」

と命じた。藤原房前は、現在「朝政に参議」するという形で廟議に加わっている。地位はその年中納言になった兄の武智麻呂の方が上だが、朝政についての経験は彼の方が深い。二人が

急いで駆けつけるより前に、元明は侍女たちに抱えられ、別室の倚子に座を占めた。髪かたちをととのえ、端然と倚子に坐したその姿は一分の隙もなく、病床に横たわっているときよりもずっと大柄に見えた。

――あ、お母さま。

長屋たちに先立って母の許に駆けつけた元正は、思わず言葉を呑みこんだ。大らかに胸を張った昔ながらの母の姿がそこにはあった。

緊張した面持で長屋と房前が姿を現わすと、侍女たちを退らせ、かたちを改めて元明は言った。

「いよいよお別れのときが近づいてきました」

「な、何と仰せられます」

思わず口走る長屋を制して、彼女はゆっくりとうなずく。

「慰めや励ましは不要です。ただ、今のうちに、そなたたちに言っておきたいことがあるので来てもらいました。いえ悲しむには及びません。すべてのものに生あるかぎり、死はやってくるのですから……」

凛とした口調に乱れはなかった。

「長い間、卿たちはよく仕えてくれました。私への奉仕はそれで充分です。死後の葬儀を手厚くすることのないように。厚葬は私の望むところではありません」

さらに細かく、葬送の地を指定し、火葬を命じ、諡号も簡略に、と希望を述べた後、

「帝よ」

元明の瞳が、じっと元正に注がれた。

「そなたも平日と同様万機を統べるように。以下の卿相、文武百官もその職務を放擲して、わが柩に従うことがあってはなりませぬ。ただ五衛府及び近侍の官は警戒を怠りなく」

どこにこれだけの気力を残していたのか。

長屋や房前はもちろん、病床に近侍し続けた元正にも信じられないことが起っているのだ。元明はいま、ひどく冷静に自分の死をみつめている。そして、天皇家にしきたりとして伝わった重々しい葬送の手続のすべて斥け、ただ一個の生命のなにげない帰結として扱うことを、淡々たる口調で命じている。

その後で、さらに彼女は言った。

「それにもう一つ、ぜひそなたたちに言っておきたいことがあるのです」

静かに頷き、眼で彼らをさしまねいた。

「もっと近く」

それから三人の顔をゆっくり見渡して口を開いた。

「私はこれまで、太上天皇として、帝と並んで天下の政を摂行してきました。それは卿等の輔翼の賜です。いま世を去るにあたって、私は、天下の政を、帝とわが子の忘れ形見である皇太子の手に委ねたいと思います」

元正の耳は多分聞き逃さなかったはずである。

「わが子の……」

と言いかけたとき、母の言葉が、かすかに揺れたのを……。

――お母さまは、遂に、はっきりお許しになった、首の即位を。

首は、わが子文武の再来であり、元明にとっては、わが子そのものであった。

――あの日から、お母さまは、そのことを考え続けていらしったのだわ……

しかし、今度も、遂に母は悩みを打ちあけることはしなかった、と元正は思った。いや、打ちあけられないほど悩みは深かったのだ。しかし、首と向きあったとき、あまりにも父親に似た彼を、母は遂に拒むことができなかった。

――首ではない。わが子の軽に――わが血を伝えるわが子軽にふたたび位を授けるのだ。

そう思いながらも、首の中に藤原宮子の血が流れている厳然たる事実から目を逸らせることはできない。母は死の淵に臨みながらも、なお、魂をひき裂かれ続けている。わが死を突き放すようにみつめ、歴代天皇の葬送の伝統をあえて破ろうとしたのは、そのことと無縁ではないかもしれない。

気がつくと、房前は、床に身を投げだしている。

「畏(おそ)れ多いことでございます」

ひれ伏したまま、房前は切れ切れに言う。

「直ちに、東宮(とうぐう)に参りまして、太上帝(おおきみかど)の思召しをお伝え申しあげます」

藤原一族は、遂に待ちのぞんでいた元明からの首即位の全面的認証を取りつけたのだ。

「皇太子の即位の時期については、帝の御意向をよく承るよう」

声の乱れもみせず、元明は続ける。

「私と帝がそうであったように、皇太子即位の後は、太上天皇となられるいまの帝が、ともに天下の政を行うように。これは右大臣ともども、よく心得ておくように」

「は、それはもう、仰せを承るまでもなく」

長屋がひきとって答える。太上天皇と天皇、天皇と皇后、あるいは母后と皇太子――こうした共同統治は、古代日本では伝統的に行われている。その形に沿って、首が即位後も、太上天皇となる元正との共同統治が行われるべきことを、はっきりした形で念を押したのである。

「重ねて申します」

首を上げ、凛然として言った。

「私は、私の子に位を授けるのです」

私の子に――と言ったとき、元明の瞳は元正に注がれていた。そして元正は、その言葉の中にたゆたうものを感じざるを得なかった。

――お母さまは、あの日のことを思い出していらっしゃるのだわ。軽と首を重ねあわせていらっしゃるのだわ。

魂をひき裂かれ、苦しみ続けてきた母が、生涯の終りに経験した魂の幻覚に、身をゆだねたとしても、咎めることはできない。

母の声はまだ続いている。

「これは、私の命を賭けた願です」

さすがに息の乱れが感じられる。生命をふり絞って、なおも、母は言う。

「私はわが子に位を授けるのです。そして、後々も……たしかに。まちがいなく……天皇の位は、わが子に伝えられるものでなければなりませぬ。卿たちよ、そのことを、私が今日、ここで申したことを、帝とともに、長く胸に留めておくように」

「ははっ」

深く一礼し、やがて眼をあげた長屋を、元明はみつめて、なおもくりかえす。

「私の子に……位を」

すでに一語一語をほとばしらせるとき、その胸は苦しげに波打ちはじめている。

——お母さま、いえ太上帝……

言いかけて、元正は思わず声を呑んだ。

あっ！

衝撃をこらえるのがやっとだった。

わが母の言葉のしかけのみごとさよ……。

幻覚に酔ったかのように、母は首をわが子と言った。

が、その裏をかえせば、そこには容易ならぬ意思表示がひそんでいる。母は、はっきり言っているのだ。

「皇位はわが一族に伝えられるべきものだ」

と。いま、母は首をその一族として認めた。が、現実には、彼は依然として母にとっては皇孫にすぎない。そして、同じ皇孫を求めるならば、元正の妹、吉備が長屋との間にもうけた男児もまた皇孫にほかならないのだ。

しかも周到な母は、すでに彼らに皇孫の待遇を与えている。だから母はこう言っているのだ。

「いま、私は首を私の子として、皇位につくことを認めました。しかし、ほかに、私の子には吉備がいます。そして、吉備の子供たちは、首がわが子という意味で、まさしく私の子なのです」

蘇我倉山田石川麻呂の血を享けた女として、女帝として、彼女は最後までみごとな政治力を発揮したのである。そう言いながら、長屋に向けた眼差を、当の長屋は理解したろうか。傍らにひれ伏す房前は、そのことに勘づいたであろうか。

二人を退出させると同時に、元明は倚子に崩れるように身をもたせかけた。床に運ばれたときは、ほとんど意識不明だったが、それでも、数日後元気を取り戻し、なお、喪事について、幾つかの遺言を残した。

その後に房前には特別に「内臣」という地位を与えられた。政府と内廷の間に立って、その両者にまたがる重要事項を調整する役で、さきに祖父藤原鎌足もこれに任じられている。彼の廟堂内での重みは一段と増したといえるだろう。

すべてのことをなしとげたという安心感から、以後、元明は意識不明に陥ることが多く、十二月七日、遂に六十一歳の生涯を終えた。遺言に従って、従来のものものしい葬礼は行われず、十三日大和の添上郡の椎山の陵に葬られた。

母を失って、はじめて元正は、その存在がいかに大きな支えとなっていたかをしみじみと感じざるを得ない。

「もう大丈夫、私が何を言わなくても、そなたは一人でやってゆけます」

度々母はこう言ったし、自分の足取りに自信を持ちはじめてもいた。

が、そうした一々の問題の相談役としてではなく、そこにいてくれるというだけで、どれほど自分は心の安らぎを得ていたか。とりわけ、死に先立ってみせた、命をふり絞っての大業（おおわざ）に、

――お母さまは、お祖母さま（持統）に決してひけをとらない女帝だった。

という思いを深くしている。

――では、残された自分に、それだけのことができるだろうか。

いや、とても……。

しかし、元正は生きてゆかねばならない。たしかに母の言うとおり、政務は一日も休むことができない。悲しみにくれている余裕はなかった。その間も政治は休むひまなく息づき、回転をつづけていたから。

翌年早々、彼女を驚かせたのは、謀叛の噂だった。多治比三宅麻呂（たじひのみやけまろ）と穂積老（ほづみのおゆ）という中級官吏が何事かを企んだようだったが、これは未然に発覚し、両者は配流（はいる）となった。

「不測の事態に備えて、警備を厳重に」

という元明の遺詔に、元正は護られた、といえるかもしれない。

二月には前から進めていた律令改訂が完成した。大倭小東人はじめこれに関係した人々にはそれぞれ田地が与えられ、その労がねぎらわれたが、しかし、この新律令は直ちに実施の運びにはならなかった。廟堂の高官の中にも、さまざまな異見を挟むものが出てきたりして、

「なお、検討を重ねて」

ということになってしまったのだ。

「この際、無理押しはやめて、時機を見ましょう」

長屋もこう献策した。一応完成しておけば、施行はいつでもできる、という柔軟な判断をしめしたのである。ちなみに、養老律令とよばれるそれは、後世、律令制度の基本的なものとされているが、その実施は三十数年後の天平宝字元（七五七）年である。

——お母さまが御存命だったら、どうお思いになるだろうか。

このとき、元正の頭をかすめたのはそのことであった。

その代り、塔の移建を除いてほとんど完成した薬師寺には僧綱がおかれた。僧綱というのは、僧尼を統轄する僧官で、大僧都とか少僧都といったものがこれに当る。従来は各寺に属する高僧が選ばれ、従って住むところもばらばらだったが、これ以後は、薬師寺に常住の居処が与えられることになった。これによって、薬師寺は、いわば平城京の中心的な寺院という格付けがされたのである。

故女帝のために、華厳経や涅槃経の書写も大がかりに始められたし、かねての念願通り、天武のための弥勒像と、持統のための釈迦像も造顕されたが、それと同じころ、元正の妹、吉備の発願によって、元明の追善のための観音像が造られ、薬師寺の東院に施入された。

法会の行われた日、元正に従って、膳夫、葛木、鉤取の三王子とともに薬師寺に詣でた吉備は、新造の観音像を見上げながら呟いた。

「一年前、私、お母さまのお手をとって、ここにお詣りする日のことを考えていたんです」

「あら、私も」

元正は妹をふりかえって言った。

「こんなにみごとにできた御寺を御覧になることができなくて……」

「でも、お姉さま」

吉備はそっとささやく。

「お造りした観音さまのお顔、お母さまに似ているとお思いになりません？」

「そうかしら」

すがやかな眉はむしろ弟の軽に似ている、と言いかけて元正は口を閉じた。

母はあくまでも喪事は簡単にと言いおいて世を去った。その遺言はたしかに守られたが、しかし、その代り、母への挽歌(ばんか)は残された自分たちの胸に、今も、響き続けているような気がした。

作宝楼

梢を鳴らす風の音が高くなると、平城京の東西によこたわる山脈の姿が、ひときわあざやかになる。

——この秋風は、堂内にみちあふれる楽の音を、あの山脈の果てまで運んでゆくのだろうか。

ふと女帝元正は、蒼みを帯びた山肌の濃淡を思いうかべる。

その日朝堂院で奏でられている楽は、来日した新羅の使をもてなすためのものであった。

養老七（七二三）年の秋、金貞宿を正使とする十五人の使は、四年ぶりに入京した。じつは二年前の十二月にも新羅の使は筑紫まで来たのであったが、元明太上天皇の死の直後のことだったので、その意を伝えて大宰府で応接するにとどめ、入京しての儀式はなかった。

前回の養老三年の入京の折との著しい雰囲気の差に新羅の使たちは気づいたであろうか。にこやかな笑顔で彼らを迎えてくれた元明太上天皇の姿を見られなかったのはもちろんだが、右大臣藤原不比等もすでにその席にはいなかった。

あのとき、眉の薄い不比等の頬には、そつのない微笑が浮かべられていたものの、使たちへの応対はひと通りの儀礼の範囲を出なかった。彼は女帝元正が新羅との交渉に積極的姿勢をしめすのを、決して快く思っていなかったからだ。

が、今度は事情がまるきり変っている。不比等に代って廟堂の首班の座にあるのは右大臣長屋王だ。使たちは両手をあげての歓迎をうけた。朝堂院で盛大な宴が開かれ、楽が奏されたのはこのためである。

宮廷での儀式が終ると、帰国に先立って、彼らは長屋王の佐保の邸に招かれた。ここではさらにくだけた酒宴が催されるとともに、華やかな詩のやりとりが行われた。和歌をよくする長屋王は漢詩にもすぐれた才能をしめし、これまでもたしなみのある官人たちをしばしば招いて詩宴を開いている。こんなとき、長屋は佐保の邸を、ちょっと気取って「作宝楼」と呼ぶ。彼自身にも、

「初春、作宝楼ニ置酒ス」

といった五言の詩がある。

新羅の使を迎えて、この作宝楼では多くの詩が作られた。

秋日長王ガ宅ニシテ新羅ノ客ヲ宴ス　背奈王行文

賓ヲ嘉ミシテ小雅ヲ韻ヒ　席ヲ設ケテ大同ヲ嘉ミス
流ヲ鑒テ筆海ヲ開キ　桂ニ攀ヂテ談叢ニ登ル……

長屋王自身の作はこうだった。

宝宅（ホウタク）ニシテ新羅ノ客ヲ宴ス
高旻（カウビン）遠照（エンセウ）開キ　遥嶺（エウレイ）浮（フ）烟（エン）靄（タナビ）ク
金蘭（キンラン）ノ賞（シヤウ）ヲ愛デテコソ有レ　風月ノ筵（エン）ニ疲ルルコト無シ……

秋の空は高く、残照が照り映え、はるかな山脈（やまなみ）には、はや夕靄（ゆうもや）がたなびいている。いまここに新羅の客を招き、金蘭の如き堅い交わりを愛しこそすれ、この風雅の宴に疲れることは全くない……。宴よ永遠なれ。新羅の客はやがて別れてゆくが、たとえ波路を隔てようと、それが何であろう。その友情もまた永遠である。

それは挨拶の詩であるとともに、長屋自身の思いをこめたものでもあった。このとき同じく席に連なった藤原房前（ふささき）にも一首がある。

……山中猿吟（エンギン）絶エ　葉裏（エフリ）蟬音（センイン）寒シ
贈別ニ言語無シ　愁情（シウジヤウ）幾万端（イクバンタン）ゾ

山の中の猿の声も絶え、名残の蟬（せみ）の声は、むしろ寒々しい、と別れの悲しさを詠じたものだ。房前は性格的には一番父親に似ているが、態度はより柔軟である。新羅との交流が彼にとって好ましいものでなくとも、その気配は全く表わさない。長屋も彼に微笑を送ることを忘れはしなかった。

「みごとなものだ、内臣の腕前は」

「いや、御褒詞は身に余ります。詩才はからきしです。弟の宇合にはとうてい及びません。今日は差支えがあって参上できずにおりますが……」

ぬかりなく弟を引きあいに出した。宇合は兄弟四人の中では武勇の人という評判が高いが、一面すぐれた詩魂の持主であった。

「いやいや、卿の力量も弟に劣らぬ」

言いながら長屋は、新羅の使に房前の詩をさししめした。

「ごらんあれ、ここを」

最後に近い「贈別ニ言語無シ」はあきらかに唐代初期の有名な詩人駱賓王の「贈別ノ意言無シ」を踏まえている。

「さすがとは思われぬか」

「いや、まことに」

新羅の使も大きくうなずきかえす。房前はむしろどぎまぎしたようだ。

「あ、それは、その、ちょっとした思いつきでありまして」

遣唐使発遣のもたらしたものの一つに、わが国の詩風の変化がある。六朝風から唐風へ――なかでも王勃、駱賓王の作品が大きな影響を与えた。これら唐の詩人の作品を踏まえた詩を作るのは何も房前にかぎらなかったが、折が折だけに、彼は気を廻したらしい。

――いや、私は何も唐風を振りまわそうというわけではありませぬ。

その眼はそう言いたがっていた。

元明の遺言に従って、皇太子首の即位はいよいよ実現に近づきつつある。この際長屋との間に事を荒立てたくない房前なのである。そして長屋も、この日、単に房前の詩才を称えるにとどまり、それ以上のこだわりをみせる気配はなかった。

新羅の使は、八月の末日本を後にした。右京に住む一人の男から、小さな白い亀が献じられたのは、その後間もなくのことである。孝経や中国の古図を調べた結果、天子の徳、なかでも孝養を称賛する瑞兆とされ、文武百官への禄が下賜され、亀の出た地への免税が行われた。こうして皇太子即位のための演出はすべて完了した。瑞兆に関しての元正の詔はなかなか意味深長である。

「孝経には天子孝なるときは天から竜が下り、地から亀が出るという。また、熊氏瑞応図によれば、王者が不偏不党なれば霊亀が出るという。自分は不徳の身をもって、この瑞兆を得た。よろしく百官と慶びを頒ちあいたい」

孝とは元明の遺言の実践を意味する。不偏不党とはすなわち、首をかつぐ藤原氏との妥協の暗示である。

詔を出した後、四十四歳の女帝は、ひどく疲れきっている自分を感じた。

——これまで負い続けてきた責任のいかに大きかったことか。

が、いまの自分には、年若い協力者を得た喜びはない。心のどこかで、

——これでよろしかったのですね、お母さま。

亡き母に改めて問いかけたい思いがしきりにするのである。

死に臨んで、母はたしかに「皇位を首へ」と言った。が、同時に、生命をふり絞って、母は

長屋と房前のいる前で、こう言いのこしていった。

「私はわが子に位を授けるのです。そして、後々も……たしかに、まちがいなく……天皇の位は、わが子に伝えられるものでなければなりませぬ」

重い意味を含んだ母のあの言葉を、どうやって実現すべきなのか、負わされた荷は、いよいよ重みを増して、肩にくいこんでくるように元正には思われた。

翌年二月、元正は首に位を譲った。大極殿（だいごくでん）で即位の儀が行われると同時に、先の瑞兆に因んで、年号も神亀（じんき）と改められた。譲位にあたって元正の出した詔はかなり複雑なものだった。大げさな美辞麗句がちりばめられることは、こうした場合のしきたりではあったが、よく読めば、その裏に房前たちの思惑と元正の意思がせめぎあっている。

藤原氏側は、首、すなわちのちに聖武（しょうむ）と呼ばれる二十四歳の天皇の正統性を主張するべく、文武の死去の折、首がすでに後継者としてきまっていたことを強調しようとした。それが実現できなかったのは彼が幼少だったからだという言い方を、結局元正は受けいれたが、それを彼女は藤原氏への譲歩とは思っていなかった。

——そんな言い方をすれば、誰でも気づくはずです。十五歳になったとき、皇子がなぜ即位できなかったか、ということに……

詔はだから元明から元正への譲位については頬かぶりをする奇妙なものとなった。そしてその代りとして、元正は、母の元明の死の床での一言を、はっきり詔の中に明記させた。

「後遂ニハ我子ニ佐太加ニ（サダカニ）牟倶佐加ニ（ムクサカニ）無過事（アヤマツコトナク）授賜（サヅケタマヘ）ト負賜詔賜（オホセタマヒノリタマヒ）シニヨリテ今授賜（サヅケタマハ）ムト所（オモ）

念坐間ニ……」

藤原氏側も異存はなかった。これこそ、元明太上天皇の首即位の承認と受けとっているからである。こうして首即位に関する詔は、二重の思惑を秘めて発表されたのであった。

この日長屋は正二位に進み左大臣に任じられた。同時に大伴旅人、藤原武智麻呂、房前らが正三位に。妥協の中で、元正・聖武ラインによる新時代が始まった。

それを追いかけて、聖武は三品吉備皇女に二品の位を贈った。元正の妹であり、長屋の妻である吉備に最大の敬意を払ったのである。同じく二品に叙せられたのは天武の皇女で、すでに老齢に達している田形皇女ひとりである。ほかに数人の皇族の女性が昇叙されると同時に長屋のもう一人の妻、藤原長娥子（不比等の娘）も従四位下から従三位へと昇進した。彼女はすでに長屋との間に数人の子女を儲けている。

こうして、まんべんなく恩恵をふりまいておいて、聖武はなにげない形で勅をすべりこませる。

「正一位藤原夫人ヲ尊ンデ大夫人ト称ス」

ことわり書きも理由もついていない。が、この藤原夫人は、いうまでもなく、彼の生母宮子のことだ。文武天皇の皇子をみごもった彼女が、藤原夫人と呼ばれているのは当然のことだが、大夫人という称号は前例がない。

事は全く抜き打ちに決定された。さきに内臣に任じられていた房前が聖武の意向を事務当局に伝え、文書を作製してしまったのだ。

その奇怪さにたちまち気づいたのは左大臣の長屋である。

「それはおかしい。我々はそのようなことを耳にしていない」

が、太政官に諮らなかったからといって、これは違法とはいえなかった。内臣という地位はきわめて含みのあるものだったからである。房前が内臣の地位を与えられたのは、政府と内廷の間に立って両者の間を調整するためであった。具体的にいえば元正と藤原氏側との間に立って、摩擦を避けるよう潤滑油の役を果たすことが重要な任務だったが、聖武の即位によって、事情は微妙に変化した。拡大解釈すれば、内臣は周囲を無視して天皇と組んで大きな権限を握ることもできる。

新羅の使を接待したあの日、長屋の意向に違うまいと、あれほどの気づかいをみせていた房前は、聖武の即位二日目に、早くも豹変したのである。

それにしても、この奇怪きわまる決定は何を意味するのか。元正は早速房前を呼びつけて、その意図をたずねた。

「帝はなぜそのような御決定をなされたのです？」

房前の答はすこぶる曖昧だった。

「さあ、何とも……。私はただ帝の御命令を承って、役所に伝えただけでございますので」

心にもないことを言っていることはわかりきっている。不比等よりさらにうやうやしげに、しらを切る房前を元正は問いつめた。

「藤原宮子媛は文武の帝の夫人でした。この称号は帝が亡くなられても終生変らず与えられることになっています」

「左様でございます。それは存じております」

房前はようやうやしげにうなずく。

後宮職員令には天皇のきさきについての規定がある。四品以上の皇女がきさきになったときは妃（その中の一人が立后して后または皇后と呼ばれる）、諸王、諸臣の家の女性は、三位以上を夫人、五位以上を嬪と呼ぶ。

ただし、これらのきさきの産んだ皇子が即位したときは、天皇の母として、それぞれ皇太后、皇太妃、皇太夫人と呼ばれる。かつて文武が即位したとき、母である阿閇（のちの元明）が皇太妃と呼ばれたのはその例である。

「ならば、藤原夫人は今後皇太夫人と呼ばれるべきなのに、なぜ大夫人とするのですか」

「………」

「宮子夫人自身の希望ですか」

そのときだけ、房前は、はっきり否定した。

「いや、そのようなことは……」

そうであろう。宮子は聖武を産んで以来、精神に異常を来しているという噂が専らである。人と会うのを避け、どこかにかくれ住んでいるという話で、その居処さえもはっきりしない。実子の聖武も生れてこのかたその顔を見ていないというこの女性に、称号について云々する力のないことは明白である。結局、房前はその点を明らかにしただけで、

「帝としても深い御意図があってのことではないと存じますが……」

とたくみに言葉を濁してしまうのだった。

元正は嫌な予感がした。新帝聖武に問いただす前に、長屋と会って、話しあいたかった。が、

気がついてみると、身辺には、何か眼に見えない柵が設けられてしまった感じなのである。

聖武の即位に伴って、平城宮は俄かに賑やかになった。どこにも人が満ちあふれている。その中で、人眼を避けて長屋と会うことは不可能に近い。もどかしい思いで日を重ねるうち、三月、聖武が吉野に旅することになった。長屋はもちろんそれに従ったが、元正は出発の直前、めまいに襲われ、床についてしまった。

吉野は壬申の戦の記憶に連なるところである。祖父母、天武、持統の歴史が息づいている。聖武とともにその地を訪れることは、父の文武に流れる祖父母の血への自覚を促すことでもある。半ば藤原氏の血を享けつぐ聖武ではあるが、その風景を眼にし、祖父母の歴史を語れば、自分の立場を深く思い知るだろう、とは思ったのだが、心に体がついてゆけなかった。

三月一日、元正は床の中で、

「帝は無事御出発になられました」

という侍女の報告を聞くよりほかはなかった。そして平城宮がいつになく静寂になったその日の昼下り、

「吉備さまが、お見舞にお見えでございます」

元正は、久々の妹の訪れをうけたのである。

「どうなさって？」

侍女の声に重なりあうようにして、明るい声音とともに、椿の枝を抱えた吉備が姿を現わした。

「邸の庭に咲きましたのよ」

侍女に瓶を持ってこさせて器用に活けると、姉の床に顔を近づけ、そっと手を握った。

「ま、なんて冷たい手」

言いながら、眼顔で侍女を退らせた。

「しばらく私にお世話させてくださいね」

それでもひとしきり子供の噂など他愛のない話を続けていたが、周辺に人影のなくなったことをたしかめると、その表情が俄かにひきしまった。

「わかりましたわ、お姉さま」

声にならないほど低くささやいたとき、吉備の瞳には鋭い光があった。

「帝の勅の、大夫人の意味が」

さらにその声が低くなる。

「ま、それは？」

思わず起きあがろうとするのを吉備はやさしく制して続けた。

「おみごとな仕掛けがおありでしたの」

「………」

「文字は大夫人。でもそれには、もう一つ口づての御意向が添えてあったのです」

「それは？」

「その大夫人の文字をオオミオヤとお呼びするようにって」

「オオミオヤですって？」

くりかえしたとき、元正はすべてを理解した。宮子を皇太夫人、または藤原夫人と呼びたくなかった藤原氏の意向が、その短い読み方の中にあざやかに浮かびあがってきたのである。

当時の日本語には文字に対して、二通りの読み方が行われている。たとえば、皇后はコウゴウであるとともにオオキサキである。同様に妃はキサキ、夫人はオオトジ、嬪はミメと呼ばれる。その意味で宮子はこれまでオオトジであった。

ところでオオミオヤには、これまで皇祖母をあてている。げんにさきごろ元正の出した詔でも、元明を皇祖母と呼んでいるのだ。藤原一族は、皇太夫人を避け、大夫人と呼ばせることで、宮子を一歩皇族に近づけた。いずれ皇祖母へのすりかえを行う魂胆を秘めてのことかもしれない。

「だからお姉さま、お元気にならなくてはだめ」

吉備の眼はじっと元正をみつめている。元正こそは天皇家のオオミオヤたるべき存在なのだ。その身に万一のことがあったら、藤原氏は直ちに宮子をその座に据えようとするだろう。

「わかったわ」

元正は大きな息をした。体の中を血が脈打ちはじめるのを感じている。

——負けられない。

と思ったとき、早くもその対策が頭に浮かびはじめた。吉備は、大丈夫よ、とでも言うようにその手を握って微笑している。

「御心配なく」

長屋がすでに作戦を練っている、ということはすぐ察しがついた。

「大夫人」をめぐって、長屋と藤原一族との大論争が行われたのは三月二十二日のことである。

長屋は、その日敢然として言ったのだ。

「さきの勅についてでありますが、公式令の定めるところでは、藤原夫人の今後の称号は皇太夫人と申しあげるべきであります。それを勅のとおり大夫人と申しあげることになりますと、これは明らかに令に違反いたします。かと申して、令の規定に従って皇太夫人とお呼びすれば、これは違勅の罪に問われることになりかねません。いかにすべきか、改めて御決定をお願いしたい」

藤原氏側も反撃に出た。

「たしかに令の規定はそうでありますが、今度帝が即位されるに従って、安宿媛は自然藤原夫人と申しあげることになりました。それではこのお二人の夫人をどう区別すべきか、当然区別があって然るべきではないか」

たちまち長屋は切りかえす。

「その故にこそ、皇太夫人の称号がきまっている。それをわざわざ破る必要はない」

「それはあまりにも杓子定規だ」

「いや違う、現在の律令を尊重したいと言いはっておられるのは卿たちのはず。すでに新しい律令の撰定も終っているのに、まだ施行に踏みきろうとはしない」

「それとこれとは別だ」

論争は数刻続いた。その結果、遂に長屋の意見が勝利を得たのは、藤原氏以外の高官が理路整然たる彼の法理論に賛意を表したからである。ただ藤原氏は粘りに粘って、口に出して言うときに限ってオオミヤと言うという了解事項をとりつけた。

「これは帝の御孝心によるものだ。やはり母君のことはふつうのオオトジと区別してお呼び申しあげたいというお気持を踏みにじることはできない」

「ただし、あくまでも文字の上では皇太夫人と書くことですな」

長屋は念を押した。

「はっきりさせるために、勅を出し直していただきたい」

「何と」

「先の勅は回収し、改めてその旨を公布していただくのです」

文書に書けば、これが公式のものとして残るから、宮子はあくまで皇太夫人である。長屋はこれを強く要求した。藤原氏は遂にこれを受けいれざるを得なかった。藤原氏の敗北は聖武の敗北である。即位早々の新帝は、一月余りで勅を回収するという前代未聞の屈辱を味わう羽目に陥ったのであった。

にもかかわらず、当時の廟堂で長屋をそしる声が起きなかったのは、人々がその背後に元正の存在を感じていたからだ。何といっても当時の太上天皇の重みは、ときに天皇を超えるものがある。このときも元正は全く表立った動きは見せなかったが、人々は長屋の言葉の一語一語に、元正の意思を読みとっていた。そして藤原氏側もまた、長屋の法理論に屈したというより、姿を現わさない元正の無言の威圧の前に退却を余儀なくされたのかもしれないのだ。

もっとも元正自身は、これ以上の深刻な対立を望んでいたわけではなかった。事件が落着したとき、むしろ聖武と長屋の和解のために積極的な動きをみせたのは彼女である。

——帝を一度作宝楼にお招きするように。

長屋と吉備にそっと意を告げ、聖武にもその旨を伝えた。そのころちょうど手入れをはじめていた長屋の邸の完成を待って聖武を迎えることにしたので、実現はやや遅れてその年の初冬になったが、元正、聖武を迎えた作宝楼での宴は、たしかにその後しばらく政界の和平をもたらした。そのとき元正は一首の歌を残している。

波太須珠寸　尾花逆葺　黒木用　造有室者　迄万代

聖武も続いて一首を長屋にしめした。

青丹吉　奈良乃山有　黒木用　造有室者　雖居座不飽可聞

三月の屈辱へのこだわりを全く持たぬかのように、その顔はあくまでおだやかだ。遠慮がちな微笑をにじませたその顔を見るとき、元正の心はやさしくなる。それと同時にいいしれぬ混乱に襲われる。

——あの争いは、いったい何だったのだろうか……

弟によく似たこの甥が何とも摑みどころのない存在に思えてくる。彼はただ藤原一族に操られているだけなのだろうか、それとも？

気がつくと、吉備も聖武に微笑を送っている。が、張りのある瞳はそのじつ、ひとつも笑ってはいない。鋭すぎるその眼の輝きに元正は何か胸騒ぎに似たものを感じるのだった。

赤い流星

小さな命の灯がともった。

そして一年経たないうちに、その灯はゆらめき、喘ぎ、そして消えた……。

それからしばらくして、赤い流星が月のない夜空を飛んだという。黒漆の闇に長く曳かれた光の尾は、やがて四つに割けて宮中に墜ちたそうな、とこわごわ語る侍女に、

「そう」

うなずいただけで、太上帝元正は、遂にその顔を見ようとはしなかった。

――自分はひどく疲れている。

太上天皇という誇がなかったなら、その場に倒れ伏してしまいたい、とそのとき彼女は思っていたのだった。

――流星が墜ちた？　それが何だというのか。

一年近く、闘いの渦の中であがき、傷つき、うちのめされてきた元正であった。

何のために？　誰のために？

その小さな命のために。

乳を呑み、泣き、眠ることのほかは、ほとんど何をすることもなく消えていったその命をめぐって、一年近く、宮廷には嵐が吹き荒れた。

——もしあの幼児が生きていて、私が死んでいたら？

ふとそう思うことは、単なる仮定ではなかった。じじつ、数年来、元正の不調は続いていたのだ。甥の聖武に位を譲った直後に寝こんだのをきっかけに、二年後の神亀三（七二六）年には、一度は重態に陥りもした。幼児の生れる前の年のことである。

「お加減はいかがでいらっしゃいますか」

病床を見舞う聖武は気づかわしげに言った。

「大赦も行いました。僧尼数十人を得度させ、御本復を祈らせております」

それから小さな声でつけ加えた。

「政治向きのことは御放念くださって療養におつとめください。ふつつかながら、私、どうにかやりとげております」

が、元正の気力をふるい起させたのは、聖武の慰めよりも、妹の吉備の言葉である。

「お元気にならなくてはだめ」

その言葉の裏には、

——もし万一のことがおありだと、藤原氏はまたもや宮子をかつぎだします。

という意味がこめられている。長屋王の反対によって、「大夫人」という称号をひっこめざるを得なかった屈辱を、藤原氏は忘れていない。宮子は従来通り皇太夫人に止まり、口で言うときだけオオミオヤとすることになったが、もし元正がいなくなれば、彼らは必ずこの問題をむし返し、天皇の生母である宮子を、はれて皇祖母（おおみおや）にしようと工作するだろう。

——そうさせてはならない。

その気力だけで、元正は辛うじて生き続けた。が、その年の秋、彼女は、もうその気力さえ半ば失いかけている自分を感じた。

——そうだ、あのとき、私は死ぬと思っていたのだ。

二年後のいま、改めてそのことを思いだす。死ぬ前に、やらねばならないことがあったのだ。それは死の床にあった母、元明太上天皇と同じく、皇嗣（こうし）を指示してゆくことである。あのとき、母は、最後の気力をふるい起して、元正と長屋と藤原房前（ふささき）を呼び、聖武の即位を認め、さらに、意味深長な言葉を残した。

「皇位は、たしかに、まちがいなくわが子に」

元正が近づきつつある死の跫音（あしおと）を聞いたように思ったとき、頭に浮んだのはその母の言葉だった。

——お母さまのお言葉を実現せねば……

重病の床に彼女は聖武と長屋と房前を呼んで言ったのである。

「帝の後には、わが妹、吉備の子供を」

元正からみれば聖武は弟の子、吉備の子供たちは聖武と同格なのだ。すでに元明時代、彼ら膳夫（かしわで）、葛木（かずらき）、鉤取（かぎとり）の三人は、元明の皇孫として格上げされている。父方の長屋王の系譜を辿（たど）れば、天武天皇の曾孫（そうそん）でしかないが、母方を辿ればまぎれもなく元明天皇の孫であり、血筋の尊貴は聖武に劣らない。いや、それどころか、聖武の母は藤原氏出身の夫人宮子だが、彼らの母は二品吉備皇女。宮子などの及びもつかない輝かしい存在であり、歴代天皇と血のつながりの深かった蘇我倉山田石川麻呂の系統をもひいている。

そのことを口にした日の光景を元正は忘れていない。聖武は頰をかすかに翳らせて、

「は……」

と答えて睫を伏せた。長屋はこと自らの家に関する問題だから発言はさし控えている。そして房前が一見恭しげに一礼しつつ、瞬間鋭く眼を光らせたのは、胸中の無念をかくしきれなかったのであろう。

このとき、聖武には二人の娘しかいなかった。一人は安宿媛の産んだ九歳の阿倍、一人はわずか年上の県犬養広刀自所生の井上。すでに成年に達している膳夫やそれに続く葛木、鉤取、二王子には比すべくもない。

――そして、私がこの世を去り、遺言が実現されていたとしたら……

今にして元正はその思いを深くするのである。

運命は皮肉というよりほかはない。

結局、元正はその重病を切りぬけた。しかし回復して政務に戻れたのは、神亀四年も半ばをすぎてからだった。そしてその間に、事態は一変していた。

まず官界での藤原氏の勢力は一段と強化されていた。これは武智麻呂や房前の弟にあたる宇合が、式部卿として腕を振っていたからである。式部卿というのは文官の人事を掌握する要職

で、すでに従三位になっていた彼は、房前のように「朝政に参議」してはいなかったが、兄たちと密接な連絡をとりつつ、人脈をひろげていった。

　これには、もちろん聖武の力が働いている。

「ふつつかながら、私が……」

　という言葉は控えめだったが、すでに成人に達している聖武は元正の眼が届かなくなると、公然と藤原氏と手を組み、独自の路線を歩みはじめたのである。さらに彼らは知太政官事の舎人親王を抱きこみ、陰に陽に左大臣長屋王に圧力をかけた。長屋としても皇族の長老である舎人には、さすがに表立って反対はできない。こうして神亀四（七二七）年という年、廟堂のバランスは俄かに崩れた。聖武を戴く藤原側はみるみる強力になり、相対的に長屋の力は弱められた。彼の味方になるのは大伴旅人ひとり。大納言多治比池守はもともと藤原氏寄りだし、「参議」に名を連ねる阿倍広庭は、藤原武智麻呂の姻戚だった。

　かつて廟堂を圧した長屋の明快な法理論も、なぜか通用しにくくなった。宮子の大夫人号を拒否したときのあざやかさをよみがえらせることは不可能に近かった。元正の存在が、それまでいかに大きなものだったかを、多分、このとき長屋は知ったはずである。

　それにしても、何と慌しく、強引な挑戦であろう。彼らがやみくもに急ぎ、強硬な姿勢をとりはじめた理由があらわになるのは、それからまもなくのことである。

　安宿媛が懐妊したのだ。

　そして閏九月二十九日、彼女は亡き父藤原不比等の邸で出産する。生れたのはひよわげな男の児であった。

やっと病の癒えたばかりの元正の耳に、たちまち聞えてきた潮鳴りに似たざわめき——。

「皇子御誕生！」

「藤原夫人御安産」

——ああ、またしても……

よろめきつつ元正は唇を噛む。平城宮の東側にある不比等の邸は、宮廷にも比すべき豪華さだ。そして人々は競って不比等邸に皇子誕生の祝いにかけつける。

病みあがりの元正はその姿を眼にしたわけではない。が、そのとき、彼女は、この広い平城宮の中で孤立してしまっている自分を感じないわけにはいかなかった。自分の身近にいるのは、長屋と吉備とその子たち、そして大伴旅人だけ——。すさまじい奔流をせきとめるには、あまりにも力足りなかった。

皇子誕生の直後、聖武の名によって大赦が行われている。さらに文武百官にも祝の品が下賜されることになった。事はしだいに大げさになってゆく。

「それには及びませぬ」

難色をしめす元正に、聖武はむしろけげんな顔をした。

「皆が揃って豪勢な祝の品を献上してくれているのです。こちらも彼らの気持に応えてやらなければならないと存じますが」

そしていつのまにか、皇子と同じ日に生れた子供には、貴賤を問わず、布や綿、稲等が与えられることになってしまった。

巧妙に演出され、拡大されていく慶祝ムード。世をあげての祝賀気分は、元正の力をもってしても止めることのできないところまでいってしまった。

——御覧ください、太上帝(おおきみかど)。

あの日鋭い視線を投げてきた房前が、そう言っているのが聞えるような気がした。

——あの日、私どもは負けました。しかし今度、負け札を摑まれるのは、太上帝、あなたさまでございますぞ。

「いいえ」

気力をふるい起こして、元正は呟く。

「何で負けるものですか。そなたたちに」

が、奔流はもう止まらなかった。せきとめようとする元正側の工作はすべて失敗に帰した。勝に乗じた聖武と藤原側は、息もつかせず新たな提案をぶつけてくる。基(もとい)と名づけられた生後一月あまりの嬰児(えいじ)を、はっきり皇太子として立てたい、というのである。

——そ、そんなことは……

会議の席に病軀(びょうく)を運んだ元正は思わず口走りそうになった。生れたての嬰児を皇太子に立てるなどという例はない。

——私は許しませぬ。

そう叫びかけて、元正は、ふと長屋の顔に眼をとめた。

——御心静かに……

複雑な眼の色が、じっと語りかけている。

——でも……

急いで元正は反論しようとした。

――ここで反対しなくては、私たちは完全に負けてしまうのですよ。

――そうです。

――それでもいいというのですか。

長屋の瞳はかすかにうなずいたようだった。

――そうです。残念ながら、私たちはすでに負けております。そして負けた以上、これは堪えねばなりませぬ。

橘三千代
藤原不比等
安宿（光明）
宮子
天智
元明
御名部
文武
元正
吉備
聖武
阿倍
基
県犬養広刀自
井上
天武
高市
長屋
膳夫
葛木
鉤取

――では、むざむざ基が皇太子になることを認めよというのですね。

長屋は眼を伏せた。やがて、思い決したように元正をまともに見た。

――いまはそれより他に道はないと存じます。

その瞳は明らかにそう言っていた。

他から見れば、たった一瞬のことだった。席に連なる人々は、元正が言葉を選ぶためにちょっとした沈黙の時を持った、と思ったかもしれない。それほどの短い間に、すばやく意思を通じあえる元正と長屋であったのである。

かたちを改めて、元正はやがて言った。

「では卿等の意見を聞きたい」

形通りに会議は進められた。大納言多治比池守、中納言藤原武智麻呂は大賛成だった。房前と広庭は、それに異議はないと言った。大伴旅人は、太上帝の御意向にまかせる、と言った。長屋は発言をさし控えた。ひととおり意見の開陳が終った後で、元正は静かにうなずいてから口を開いた。

「卿等の意向がそのようならば、私もこれを認めるにやぶさかではありません」

緊張しきった聖武の頬がゆるみ、泣き笑いのような表情になった。

「ありがたいことでございます、太上帝」

が、房前はまだ疑いを拭いきれない、というふうに固い唇許をしている。

——二言はございませんでしょうな。

できれば念を押したそうな面持である。

そして、房前に重なるようにして、虚空から自分を射すくめてくる視線を、元正は感じないではいられない。

皇子の生母、安宿媛のそれだ。幼いころから、気の強い、視線の鋭い少女だった。「藤原夫人」と呼ばれるいま、つとめて元正と顔をあわせないようにしている気配がある。公式の場では、太上帝である元正に礼を欠くところはなかったが、それがもうひとりのきさきである県犬養広刀自のような心からの敬意でないことは見てとれた。

その気の強そうな瞳には常に苛立ちがあった。藤原一族の期待を背負いながら、男の子を生めぬ不運は勝気なだけに堪えがたいものがあったろう。それゆえにこそ、四人の兄を楯に、殺の中に固くとじこもっていた彼女が、いま、堂々と挑戦的な視線を投げてきている。元正が基を皇太子と認めようとも、夫のように泣き笑いを浮かべて感謝する彼女ではないはずだ。不比等とも宮子とも違う、いまひとりの敵は、明らかに姿を現わしつつある。双の腕に勝利の象徴である幼い男児を抱きながら……。

——私は勝ちました。いま、太上帝よ。

鋭い視線の前に、いま、敗北宣言をせざるを得ない元正だった。

——それ故に、堂々としていなければいけない。王者の敗北とはそうしたものなのだ。

元正はしいて胸を反らせ、かすかな笑みさえも浮かべた。

ふと、平城京への遷都をうけいれざるを得なかった母、元明の面影が眼に浮かぶ。母もまた不比等に敗れながら、ひるんだ様子を見せなかったではないか。顔を被ってうちひしがれた姿を見せたのは、藤原京を発って長屋原に泊まったあの夜だけだった。

——お母さま……

心の中で呼びかけながら、いまやっと自分は母の苦悩のすべてを理解し得た、と思った。

結果からみれば、病臥中の元正が、皇嗣についての意向を洩らしたのが、藤原側の結束を固め、基の立太子を急がせたことになるかもしれない。そして元正の病臥そのものが藤原氏の勢力の拡大を許し、基皇太子擁立の基礎を固めさせたともいえるだろう。

しかし、それらの原因のどれひとつをとってみても、「もしもそうでなかったら」という仮定の許されるものではなかった。元正の病臥もやむを得ないことだったし、重態に陥りかけたあのとき、皇嗣について言いおくのは太上天皇としての義務でもあった。それにまだ聖武には男児はいなかったのだから……。

会議の間じゅう、長屋は二度と元正と瞳をあわせようとはしなかった。が、それからまもなく、偶然人少なの廊で顔をあわせたとき、長屋は元正に従う侍女に気づかれないようにささやいた。

「おみごとでございました」

あの日の会議について言っていることはすぐわかった。

「ひとつも取り乱したところがおありになりませんでした」

「卿の見るとおりの負けいくさですもの」

元正もほほえんで小さく言った。

「いや、私は……」

一歩近づいた長屋の声はさらに低くなった。

「太上帝の御身辺を案じて、あのときはそうすべきだ、と思ったのです」

「え？　私の身を案じて？」

「は、油断はなりません」

それから、一瞬長屋は元正をひたとみつめた。

「もちろん、私は、命にかえても太上帝をお護り申し上げるつもりですが」

「ま、何ということを」

そんな危険が実際にあるというのか、と問いかけて元正は口を噤んだ。瞳の底にすみれ色の翳が走ったのはこのときである。長屋はあるいは、その翳を求めて、彼女の瞳をみつめたのかもしれなかった……。

――が、あのとき、私も長屋も、今日の事態を予想もしてはいなかった。

いま彼女はそう思う。あれほど大騒ぎしてこの世に迎えいれられた嬰児は、誕生日を待たずに発病し、やがて、あっけなく命を終えてしまったのだ。死ぬかもしれなかった自分はこうして生きているのに、あの若い命の灯が、すでに消えてしまったとは……。

あの大騒ぎは何だったのか。幼児は自分をめぐってどのような事が起ったかも知らずにこの世を去った。その意外な結末の中で、しかし元正の思いは霽れない。安宿媛は絶望のあまり床につき、悲しみもだえているという。形においては彼女の勝利はつかの間のものでしかなかった。しかし、元正には、幼児の死が自分たちの勝利を意味しないことがわかっている。

――自分はひどく疲れている。

重く、じわじわと体のすみずみまで沁みこんでいるこの疲れは、幼児の死によっても癒されることはないだろう。

敗北につぐ敗北の一年間を、元正は苦い思いで嚙みしめる。幼児はすでにこの世にないとはいえ、後に残されたものは大きかった。幼児の病状がただならぬ様相を呈しはじめたとき行われた、中衛府の設置もその一つである。それまで新田部親王の統轄下にあった授刀舎人寮の改組、拡大で、以後五衛府（衛門府、左右衛士府、左右兵衛府）と切り離して天皇直属の軍隊となった。

「いまその必要があるとは思いませぬ」

という彼女の反対は、五衛府の兵士たちの逃亡が多く、警備能力がひどく弱体化しているから、という理由で押しきられた。廟堂に同調者を失った長屋の左大臣としての権能はしだいに弱まっていたのである。

中衛府は天皇はじめ宮中の中枢部の警固にあたるものとして精鋭三百が集められ、統率者も五衛府の督と違って、大将と呼ばれ、従四位以上の高官があたると定められた。実際に任じられたのは内臣房前、彼よりもその任にふさわしい大伴旅人は、これより前、大宰帥として九州に赴いていた。元正側との巧みな分離策である。中衛府の軍事力を背景に、房前はこれから先、元正や長屋に無言の圧力をかけてくるに違いない。

まさに孤立無援。病臥以来、廟堂操作の力を失っていることを元正は痛いほど感じている。その中で叫び声ひとつあげずにここまでくることができたのは、ひとえに王者としての誇に支えられてのことであった。

いま幼児の死を前に、精根つきはて、倒れ伏したいという思いをわずかに支えているのも、その王者としての誇であった。幼き命の死によって状況がすべて変ったわけではないが、何か突破口を考えねばならない。

——吉備の子供たちを、一歩でも皇位に近づけること。それにはどうすべきなのか。

傷ついた体で、元正は無理にも起ちあがろうとしていた。ともかく、自分の意思を実現するのは、今を措いてほかにはない、と思われたのであったが……。

異変の報を聞いたのは翌神亀六（七二九）年二月十一日の早朝のことである。数日前から発

熱して病床に戻らざるを得なかった元正の枕許に慌しく走りこんで来た侍女は、倒れるようにひざまずき、

「太上帝さま……」

病床にとりすがって喘いだ。

「どうしたのですか」

身を起こそうとしたとたん、ひどい眩暈を感じて、思わず俯した元正の耳を打ったのは、

「長屋王さまの……」

聞くべからざる言葉であった。

「お邸が兵士どもにとり囲まれております」

「え、何ですって」

宙をあがきながら、自分の身が底知れない闇の中に落ちこんでゆくのを感じた。

悪夢ではないか。熱にうなされ、悪夢にうなされているのではないか。が、眼の前には、まぎれもなく侍女がひれ伏し、肩を震わせている。

「さ、よく話して。いったい何が起こったのです」

「左大臣長屋さまが、国を傾けようとなさっておられたことが明らかになった、ということで」

「そんなことがあるはずはない。かりにも、左大臣は国家の柱です。何でそのようなことをすることがあるでしょう」

「でも、たしかに呪詛を行い、国家顚覆をはかっているのを見た者がいるのだそうです」

「それは誰？」

「漆部君足と中臣宮処東人」

「それはいったい何者です」

「わかりませぬ、君足は従七位下、東人は無位の庶人でございますそうな」

「そのようなものの訴えを、軽々しくとりあげたのは誰です。そのようないかがわしい者の訴えを帝がお聞き入れになるはずはない。いますぐ帝の許へ参りましょう」

起きあがりかけて、ふたたび激しい眩暈に襲われて元正は床に倒れ伏した。

「帝に……帝にお出を願っている、と伝えてください」

切れ切れに言ったとき、侍女の声がかすかに耳許に聞えた。

「いいえ、太上帝。すべては帝の御命令なのでございます」

「えっ、何と」

「いま内臣が御報告に参上する、という知らせがまいりまして……」

「会いませぬ。会いたくはない。房前に戻れと伝えなさい」

「……いえ、もうそこまで内臣は参っております」

扉近く、恭しく一礼する人影が、元正の視界に入った。

「退りなさい。房前。退って帝に伝えなさい。直ちに長屋王の邸の囲みを解くように、と」

「は」

扉の所に止まったまま房前は再度頭を下げた。

「私も何度かお止め申しあげたのです。が、帝には全くお許しもなく……」

偽りであることはわかりきっていた。

「やむを得ず、こうして御報告に上りましたわけでございまして」

「帝が……その名もない下人の訴えをまともにとりあげられるはずはない」

「仰せのとおりでございます。ただし」

房前は声を低めた。

「じつは不吉な前兆があり、陰陽博士にも密かに占わせていたことでございまして」

「それは、どういうこと？」

「皇太子がおかくれになって間もなく、赤い流星が空を渡り、その尾が四つに割けて宮中に墜ちたのでございます」

——あっ！

半ば意識を失いつつ、元正は胸を押えた。藤原兄弟のしたたかさよ。彼らは幼児の死をも利用したのだ。生きていればよし、死ねば流言を流し、幼児の死を呪詛の結果として長屋を陥れることに手筈を決めていたのである。

「天皇の御命令をうけ、まず中衛府が出動いたしました。指揮は私に代って弟の宇合がとっております」

宇合は蝦夷との戦いにも活躍した四兄弟中の武人である。この日に備えて、特設の中衛府は訓練を重ねてきたのか……。

そうだったのか。そして彼らは私が病の床につく機会を狙っていたのだ……。

最後の気力を振り絞って元正は叫んだ。

「帝を、ぜひともここに」

房前の黒い影は無言のまま動かなかった。

塚響動（とよ）むとき

手足が震えながら冷たくなってゆく。ともすれば薄れがちの意識の中で、元正は必死に喘いだ。

「帝のおいでを」

言わねばならぬ、母代りの伯母として。いや、共同統治者太上天皇として……。

「房前（ふささき）……。いますぐ帝を」

眼前の房前は恭しげに頭は下げたものの、無言である。

「左太臣の家に兵をさしむける。そのような大事を、事前に私にひと言の相談もなしに」

「いや、太上帝（おおきみかど）、それは……」

房前は、やっと頭を上げた。

「帝は、太上帝のお体を御案じ申しあげておられまして。お驚きのあまり、御病気を悪くなされては、と仰せられ……」

——言い逃れだ。

そんな言い訳は聞きたくもない、と思った。

「それとこれとは別です」

気力を奮いおこして元正は言葉を迸らせた。

「いやしくも太上帝として私がいるかぎり、帝は何事も相談の上で事を運ばれるべきです。それが昔からの習わしではありませぬか」

「は、たしかに……」

房前はうなずきながら、病床の元正をじっとみつめた。

「そうした前例はないわけではございません。しかし、必ずそうせねばならぬ、というきまりもないかと存じます」

「きまり？」

「はい、令の規定にはどこにも……」

息もとまりそうな怒りを、元正は辛うじて抑えた。まさしく房前の言うとおり、律令には天皇についての規定は全くないのである。

——だから何事も太上天皇に御相談申しあげねばならぬというわけではないのでありまして……

房前の眼はそう言いたがっている。律令の世界で育ってきた冷徹で腕ききの彼らしい挑戦である。仕掛けられた罠から危うく元正は身を逸らす。天皇の権限、太上天皇の権限についての議論などに引きこまれる場合ではないのだ。

「いま、卿から、しきたりの、きまりの、という話を聞こうとは思いませぬ。とにかく帝をこへ。ぜひともお渡りを、と伝えなさい」

「は、しかし私は帝の御使として、遣わされましたもので、帝には、わが身に代って太上帝に申しあげよ、と」

「それが内臣のつとめだ、と言いたいのですか」

元正は房前を見据えた。

「それなら太上天皇である私の言葉も、内臣として、帝に伝えなさい。長屋王の邸を囲む中衛府の兵士たちを直ちに退かせること。そして帝みずからここにお渡りになること」

「……」

「さ、一刻も早く」

元正の凝視の前に、一瞬、房前もたじろぎを見せる。その機を元正は逃さなかった。

「行きなさい、房前。そして、帝をここに」

「は……」

帝王としての彼女の威厳が、遂に房前に頭を垂れさせた。

が、元正の枕頭を離れた房前は、なかなか姿を現わさなかった。その間にも、刻一刻と時は過ぎてゆく。

元正は苛立ちを抑えることができなかった。侍女たちを再三房前の許に走らせた。

「御返事を」

「帝はいつお渡りになられますか」

その度に房前の答は、

「しばらくお待ちを」

であった。

日はすでに闌けている。そのうち、やっと房前が姿を現わした。

「帝には、お渡りになれぬということで」

一応困惑の表情を浮かべている。

「それはなぜに」

元正は鋭く問いつめる。

「いや、私も度々伺ったのでございますが、ただ、行けぬ、と仰せられるのみで」

「内臣ともあろう者が、そのようなことでつとめを果せたと思っているのですか」

「申しわけもございませぬ」

頭を垂れて沈黙し、ややしばらくしてから、房前は眼をあげ、ものやわらかに言った。

「もう一度、行ってまいります」

好意に似たその視線を元正は撥ねのけた。

「けっこうです」

「それでは、私のつとめが——」

「いえ、卿の労を多とします。では、帝にこう伝えなさい」

「は」

「それでは、私の方からまいります、と」

「あっ、何と……」

房前が絶句したのと、

「そ、それは」

悲鳴に似た叫び声をあげて侍女たちがとりすがるのと同時だった。元正は、彼女たちの方を見なかったし、もう一言も発しなかった。双の眼が蒼い光芒を放ち、房前と声なき戦いを交わしたのは、むしろそれから先であった。

――房前よ、引きのばし策にのる私と思っているのですか。

――ほう、そのお体で、帝の許へゆかれる、と仰せられるので。

――行きますとも。行かずにはおくものですか。

――失礼ながら、お命が保ちますかな。

――さりとは親切な。どうせ私は死を覚悟しています……

不意を衝かれた元正側の頽勢は明らかだ。この瞬間に命を賭けねば活路は見出せない。表面は恭しげに、しかし底意地悪く元正をみつめる房前の眼にも、かすかな動揺はある。よもや元正が聖武の許を訪れることはあるまい、という計算が狂ったのだ。

侍女たちに手をとられて床に起きあがった元正は眼を閉じている。侍女たちが手早く髪を撫でつけ、衣裳を調えるのが、あたかも死出の装いをされているように感じられた。床に横づけされた輿に、抱えられて移った。

――もうここも見納めになるかもしれぬ。

扉を排する音がする。内廷の樹々の下を輿は過ぎてゆくのだろうか。遥か遠くへ運ばれるような感じがしたのは、このとき、彼女は半ば気を失っていたのかもしれない。

気がつくと、眼の前に聖武の顔があった。

「太上帝……」

輿の張は撥ねあげられている。聖武は驚愕をかくしきれない面持であった。

「ここまでおいでになったのですか」

どうかそのまま、と言うのを制して、助けられて倚子に移り、聖武と対座した。

「お渡りにならないというので、こうしてまいりました」

聖武の顔が不安に歪んでいる。いや恐怖の翳さえあるのは、多分自分が幽鬼のように見えるからだろうと元正は思った。

「左大臣のことを、どうなさろうというのですか」

「……………」

「私に何の相談もなく……」

名状しがたい混乱の表情を覚られまいとしてか、聖武は額に手をあてた。

「それも取るに足らぬ卑しい者どもの密告を真にうけられるとは、帝のなさりようとも思えませぬ」

「……………」

「軽挙はおつつしみなさい。左大臣に二心があるなど、心卑しき讒言にすぎません」

「……………」

「国を傾けようと呪詛するなど、考えられないことです」

このとき、聖武は額にあてていた手を下ろした。今まで一度も見たことのない彼の顔がそこにはあった。

「太上帝」

声も今まで聞いたことのない冷たい響きを帯びていた。聖武は続ける。

「私もそのようなことを信じたくはございません」

「では、なぜに」

「しかし、太上帝」

いよいよ冷たく、聖武は言う。

「げんに、わが子は死んだのです」

「そ、それは……」

「たった一年足らずで。わが子は死にました」

「……」

「かわいい子でした。あんないたいけな命が散るとは、信じられません。死ぬはずのない子が死ぬとは、これはどういうことなのか」

「でも、病とあれば……」

聖武はゆっくり首を振った。

「呪詛です。呪詛以外には考えられません」

「そ、そんな」

病んでいる自分以上に、甥は異常を来している。日頃から繊細な彼は、皇子の死の衝撃で平静な考え方ができなくなっているのだ。

「帝……」

うつろになりかけている聖武の瞳を、自分にむけさせようと喘いだ。

「しっかりなさらねばいけません。今心が弱くおなりなのです。あらぬことを耳に入れる輩を信じてはなりませぬ。呪詛などと、そんな……」

聖武の頬が歪んだ。口の辺だけ笑いに似たものがよぎったが、眼は笑っていない。

「呪詛でないとおっしゃるのですか」

「そんなこと、あるはずがありません」

「おかしなことですね」

聖武の口許がさらにすさまじく歪んだ。

「太上帝はそう信じておられる。そして私は全く反対のことを信じている」

「もし、帝の信じておられることが真実でなかったら？　とりかえしがつかないことになりますよ」

「そのとき、私が後悔するとお思いですか」

「………」

はっと息をつめたとき、聖武の顔から、奇怪な笑いに似た表情が消えた。

「太上帝、いや、伯母上」

「………」

「あなたは御存じない。子を奪われたものの心を……」

「………」

「子を持ったことのないあなたに、この苦しみと悲しみがおわかりですか」

ずかずかと近づき、平手打ちを食わせるようなその言葉……。味わわされているのは屈辱ではなかった。全生涯を否定されるような衝撃の中で、元正はもがいた。意識の薄れてゆく耳許で、聖武は冷たく言う。

「中衛府の兵を退けとおっしゃったそうですが、お言葉には従いかねます。それどころか、私は衛門府や衛士府の兵士にも出動を命じました」

——待って！　待って！

叫んだようにも思う。そのまま暗闇に墜ちてゆくような気がしたのは、溷濁した意識のためか、それともまさしく夕闇が訪れていたのか……。

やがて一夜は明けた。

もっとも血なまぐさい事件はまだ起きたわけではない。長屋の佐保の邸は、兵士たちが厳重に取りかこんではいるが、彼らは雄叫び一つあげたわけではない。

そのうち、知太政官事舎人親王、知五衛事新田部親王らが従者を従え、ものものしい囲みを押しわけるようにして長屋の邸に入った。やがて大納言多治比池守、中納言藤原武智麻呂、その他数人の官僚が緊張した面持でこれに続いた。

すでに、都に通じる三つの関——不破、鈴鹿、愛発を閉鎖させ、外部との交通を遮断するという非常警戒態勢に入りながらも、高官たちが、

「一応、長屋の言い分を聞く」

という形をとったのは、元正に対する聖武・藤原側の思惑からである。無名の密告者の申し

出で聖武が独断を下したとするより、高官たちの公平な判断を装った方が世間を納得させるだろう。しかし、この日長屋の事情聴取に当った主役は藤原武智麻呂である。多治比池守ははじめから藤原側に好意的だったし、一見中立または皇族側と見られる二人の親王のうち、新田部はじつは藤原麻呂と母親を同じくしている（新田部の父は天武。母は藤原鎌足の娘、五百重娘。天武の死後、五百重娘は異母兄不比等と結ばれて麻呂を産んだ）。一方の舎人も同じく天武の皇子ながら、日本紀の編纂などに関わり、不比等とは親しかった。

彼ら二人は長屋に対し、皇親としての親しみよりも、ある種の反感を懐いていたのではなかったか。同じ天武の血を享けながら、彼らの異母兄高市は、蘇我倉山田石川麻呂系の皇女御名部と結ばれて長屋を儲けた。その長屋が御名部の妹にあたる元明の娘、吉備の夫となっている。

——高市と長屋だけが、なぜ尊貴の血を享ける女性と結ばれるのか。

表面はさりげなく微笑を交わしつつも、長屋への敵意は根深いものがあったかもしれない。藤原側はその微笑を、装われた中立性を、ぬけめなく利用した、ともいえる。

とすれば、高官が顔を連ねての事情聴取がどのようなものであったか察しがつく。が、このときも、長屋は冷静で、全く乱れは見せなかった。

「私が呪詛だと？　何を言われる」

反論はつけこまれる隙もないくらい明快だった。長屋の澄んだ瞳、気品のある応対の前では、あやふやな密告をふりかざして詰めかけた連中が何と薄汚れて見えたことだろう。

が、聖武の前で意識を失い、息も絶え絶えのまま、内廷の庭を運ばれ、病の床に横たえられた元正は、詳細を知らされたわけではない。

やや小康を取り戻したとき、すべては終っていた。

その明快な論理と、毅然たる態度にも拘らず——。

長屋は死んだのである。

最後まで呪詛の事実を認めず、自殺の道を選んだ、と元正は聞かされた。

「まだ審議が終っていたわけではございませんで。左大臣に罪ありとし、死罪を行ったのでもございません」

舎人、新田部は微妙な言い廻しで報告した。国家を傾けようとする罪は、八虐の第一で死罪に相当する。しかし、死罪は絞首刑か斬刑という形で行われるのであって、長屋はその罪に服したわけではない、と言いたいのだろうか。

が、武智麻呂の言い方は少し違っていた。

「あの御気性では、死罪に服することを潔しとなさらなかったのでございましょう」

長屋の死罪は決定的で、わずかにその誇が自殺の道を選ばせた、という意味を匂わせた。

が、そのいずれもが、おそらく真実でないことを、元正は感じている。長屋に対する人々の訊問はまる一日ぶっ続けに行われているのだ。そして彼らは口々に長屋を問いつめ、それでも屈伏しないとわかると、むりやりに死に追いやったのだ。自殺という形の虐殺である。

そして、さらに——。

虐殺は行われた。

妻の吉備、そして膳夫、葛木、鉤取の三兄弟と、異腹の桑田まで……。

吉備は貞淑にも夫に殉じて、みずから首をくくった、と発表された。そして、子供たちも母の後を追い、桑田もそれに倣ったのだ、と。

それがいかに虚偽にみちたものであるかを、元正は知っている。

「私たちは殺されたのよ、お姉さま」

事件が終ってまもなく、夜更けに元正は吉備の悲痛な叫びを聞いたような気がした。

——そうでしょうとも。

勝気なあなたにかぎって、みずからの命を棄てるようなことはない。私はそれを信じている、と言ってやりたかった。

「殺されたのよ、私たちは……」

それは、樹々の梢を吹き渡る風の唸(うな)りかもしれなかった。しかし、

「そうよ、わかっているわ、私には」

元正は答えずにはいられなかった。

「そうなの、あなた方は殺されたの。はじめから彼らはあなた方を狙っていたのよ」

彼らがもくろんだのは、左大臣長屋の失脚だけではなかった。いやそれは一族鏖殺(おうさつ)の序曲にすぎなかったのだ。むしろ狙いは吉備と息子たちにあった、といってもいい。

なぜなら、吉備こそは先帝元明の正統をうけつぐ娘、その息子たちは皇孫の待遇をすでにうけているのだから。

——そして、私は、あなた方に何と詫びたらいいのか……

頭を垂れて、いま、元正はそう呟くよりほかはないのだった。

かつて重病に陥った日、病床に聖武と長屋と房前を招きよせて、聖武の皇嗣に、吉備の息子たちを指名した。まだ聖武の皇子、基が生れる前のことだ。

が、そのひと言が藤原側の警戒心を強めた。もし元正の言葉が実現したなら、吉備はかつての文武とその母（後の元明）と同じ形で統治権を握ることができるのだから。聖武に基が生れると、藤原側にとって、吉備母子はいよいよ厄介な存在になってきた……。基の死を機に、藤原側は一気に宿敵を血祭にあげたのである。

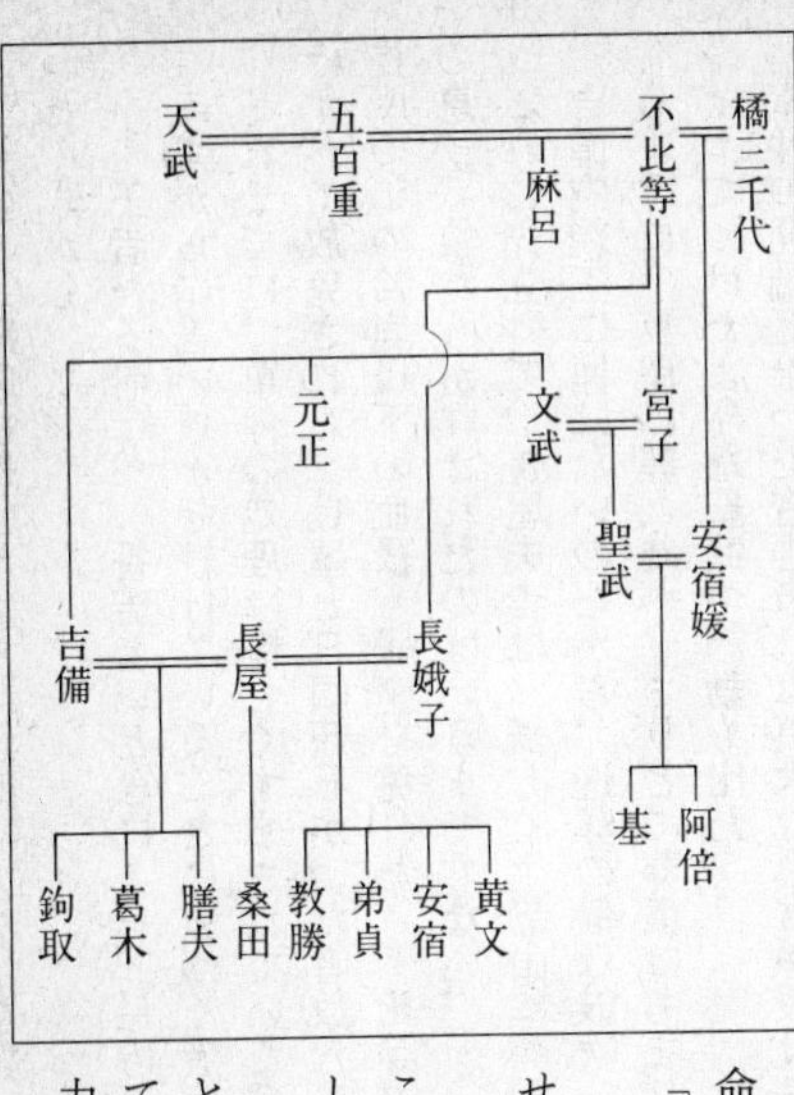

——私のひと言が、あなた方を今日の運命に追いやったのだとすれば……

「ああ」

暗闇の床に起きあがり、元正は身を震わせる。

——あのとき死ぬかもしれなかった私はこうして生き残り、あなた方はみな死んでしまった……

そうなのだ、五十歳の元正は、たったひとり、病み衰えながら残された。頼る人とてなく、この先、いかに生きるべきか。気力はすでに尽きはてている。

三月の末、病床を離れたころの元正は、ふしぎなほど威厳にみち、敗者の翳はどこにもなかった。しかし、

――王者たる者は、一番苦しいときにこそ、最も王者らしくあらねばならぬ。

みずからに言いきかせ続けていることに気づく者は一人もいなかったに違いない。

それまでに、事件の処理は慌しくすまされていた。あの日、衛士府、兵衛府に拘束された者はすべて放免された。長屋と日頃親しかった者数人が関係者として流罪に処せられただけで、長屋の弟の鈴鹿(すずか)以下の血縁も縁座(えんざ)を免れた。不比等の娘で、長屋の妻の一人だった長娥子(ながこ)とその息子、娘たちが許されたのはいうまでもない。

これに先立って、長屋夫妻は、慌しく生駒山に葬られている。

「吉備内親王に罪はないのだから、送葬の儀は鼓吹(こすい)（音楽）だけを停止し、その他は規定に準じるように。長屋は罪人だが、さりとて葬儀はあまり粗末にせぬよう」

とってつけたような聖武の詔勅も出た。

事件の発端となった密告者には莫大な恩賞が授けられた。漆部君足(ぬりべのきみたり)、中臣宮処東人(なかとみのみやこのあずまひと)は揃って外従五位下(げじゅごいのげ)に昇進したほか、食封(じきふ)や田が与えられた。中でもそれまで無位だった東人の飛躍的出世は、前代未聞といってよかった。

そうした細々とした報告を、元正はほとんど無表情で聞いた。

長屋たちの葬(はふり)がひそやかに行われた後、侍女がそっと小さな紙片をさしだした。

大皇乃(おほきみの)　命(みこと)恐(かしこみ)　大荒城乃(おほあらきの)　時尓波不有跡(ときにはあらねど)　雲隠座(くもがくります)

細い筆跡であった。

「誰の歌なの？」

「倉橋部女王さまのでございます」

長屋一族と親しかった女王のことを、元正も知らないわけではない。

天皇の命じられるままに、あなたは逝ってしまわれた。まだお亡くなりになるお年でもないのに……葬の宮を作る御年でもないのにあなたは逝ってしまわれた。「おほきみの　みことかしこみ」という短い言葉の中にさまざまの思いのこめられた歌を元正が口ずさんだとき、侍女はうつむいたまま顔をあげなかった。

——私の涙を見まいとしてなのだろう。

侍女の心遣いは痛いほどわかったが、しかし元正はこのときもほとんど無表情だった。

——いま泣き崩れるくらいなら、私はとうの昔に気を狂わせています。

顔をあげた侍女は、思いがけない元正のやさしい瞳にぶつかって、かえって、ぎょっとしたようだった。

高官たちの官位の昇進についても、格別意見をさしはさまなかった。中納言だった藤原武智麻呂を大納言に任じたという聖武の言葉にも、黙ってうなずいただけだった。

むしろその静かさに、聖武も近づきがたい畏れを感じたらしい。小心そうな瞳の色に戻って、

——よろしゅうございましょうか？

おそるおそる元正の顔色を窺うようにした。

六月の半ばすぎ、左京職（さきょうしき）から、五寸余りの奇妙な亀が献じられた。甲羅に、文字のように見える文様があり、辿れば、

「天王貴平知百年」

と読めた。

このときも、聖武は息をはずませるようにして言った。

「太上帝の御健康の回復を喜んで出現したものと思われます」

意を迎えるようなその言葉に、

「そうでしょうか」

元正の答は素気なかった。左京大夫が藤原麻呂である以上、小細工の種は見えすいている。

この亀の出現にちなんで年号が「天平」と改められたのが八月五日。聖武はこのときの詔勅でも、

「このような奇瑞（きずい）が現われたのは、決して自分の力によるものではない。太上天皇の厚く、広い帝徳によるものだ」

と、卑屈なほど気を遣っている。改元にあたって、多くの下賜品がばらまかれ、広範囲の授位、昇叙が行われた。長屋の死の暗いイメージを、聖武も藤原氏も躍起になって拭きとろうとしているかのようだった。

そして慶祝気分のさめやらぬ八月十日、

「藤原夫人ヲ皇后トナス」

という詔勅が出される。藤原夫人、すなわち安宿（あすか）媛である。

二十四日改めて宣命（せんみょう）が出された。

「……皇朕（スメラワガ）御身（ミミ）モ年月積（トシツキツモリ）ヌ。天下（アメノシタノ）君（キミト）坐而（イマシテ）年緒長（トシノヲナガ）ク皇后（オホキサキ）不坐事（イマサザルコト）モ一ツノ善有（ヨカ）ラヌ行（ワザ）ニ在（アリ）……」

天皇として在位してからの歳月も長くなったが、その間、長期にわたって皇后がいないということはよろしくない、というのである。

そして詔勅は続ける。

「藤原夫人（ぶにん）を皇后とするのは、祖母元明の意思に従うものだ。在世の日、祖母は、夫人の父、不比等が夜となく昼となく政務に精勤したことを高く評価しておられて、この夫人を賜わった。そこで六年手許において、その人柄をたしかめ、ここに夫人を皇后とするのである」

――よくも、しらじらしく……

元正は、舎人親王の読みあげる宣命を無表情に聞く。

――お母さまは、安宿媛を皇后になどとおっしゃりはしなかった。藤原氏を皇后にせよなどとは、ひとことも……

さすがに先例のないことに気がひけたのだろう。宣命は言い訳がましく言う。

「が、これは朕（われ）の時に始まったことではない。かつて仁徳天皇が、臣下である葛城（かずらき）氏の娘の磐之媛（いわのひめ）を皇后としている」

仁徳時代などは伝説の時代といってもいい。苦しいこじつけである。

――それにしても、壬申の戦に先立って大友皇子の後宮に、鎌足の娘、耳面媛（みみものひめ）が入って以来五十余年、藤原氏よ、そなたたちは、遂に宿願を達しましたね。

列立する武智麻呂以下の顔を元正は静かに眺める。いまや敗北は決定的である。蘇我倉山田石川麻呂系の元正側には、皇嗣も、後宮に入れるべき娘もいないのだから。

——が、私は退こうとは思いませぬ。

毅然として元正は心の中で言い放つ。

——長屋一家の鏖殺からこの日まで、卿等の虚偽はつみ重ねられてきています。この虚偽と詐謀を、私の眼がみつめ続けていることを忘れないように。

吉備の叫びをふたたび耳にした、と思ったのはこのときである。いや、梢を渡る風の声か。それとも、怨みを懐いて葬られた妹たちの、生駒山の塚の響動が、元正だけに聞えてきたのか……。

——お姉さま……

あきらかに妹の声は元正の耳に語りかけていた。

——見えますか、今日の儀式の裏側が……

——ええ、ええ。

思わず元正は答えていた。

——さあ、よくごらんになって。

——ええ、ええ……

無表情に儀式を眺めながら元正が聞いていたのは妹のささやきだったのか、それとも自分の心の声だったのか。

死の乱舞

西の京の薬師寺では塔の建立が進んでいる。故元明女帝を中心をする一族の魂のよりどころであるこの寺が、長屋王たちの滅亡によって、ほぼ完成に近づいたとは、何と皮肉なことか。国を傾けようとした、という理由で死に追いやられた長屋王の邸宅、資産が没収され、これが建立の費用にあてられたのだ。

「それが王に殉じられた吉備内親王さまの霊をお慰めするためにも一番よい、と帝は仰せられまして……」

聖武の意向を伝える房前の瞳をじっとみつめながら、太上帝元正はうなずきさえもしなかった。

気の弱い聖武は叔母まで死に追いやってしまったことに、悔いを感じはじめているのだ。

——罪ほろぼしをしようというのですね。

元正の視線は房前に迫っている。

——いや、どういたしまして。長屋王の叛意は明らかでしたから。

恭しげに、しかし、房前の眼は反論する。

——いいえ、房前。帝は悔いておいでなのですよ。

——おやさしい方でございますからな。とことん追いつめるのはお好みでないのです。

房前の眼はあくまでも勝者の寛容を主張しようとしている。

「塔は藤原京のたたずまいそのままにとの帝の仰せでございました」

房前がそう言って一礼したとき、

「いうまでもないことです」

元正は一言そう言ったきりだった。すでに故京の規模そのままに金堂や西塔は完成している。ただ一つ残っていた東塔が、それに準じて造られることは当然のことだった。

が、寸分違わない塔が再現されたとしても、それをともに眺める人は元正の傍にはないのである。

悲しみの塔というべきか。

しかし、元正は思う。

——いまの私は、悲しみから眼をそむけることは許されないのだ。

悲しみの塔はまた、藤原一族の所業のこの上ない証言者でもある。彼らが長屋王や吉備を抹殺しようとして、いかなる非常手段に訴えたかを、塔はその姿のあるかぎり、声なき声で語り続けるだろう。

——塔よ。永遠にそれを語り伝えておくれ。

翌年の冬、完成間近の東塔を見るために薬師寺を訪れたとき、元正がひそかに口の中で呟いたのもそのことだった。

三層の塔は、優雅な裳階をつけて西塔と対している。裳階をめぐらせる意匠はもちろん金堂とも共通するものだ。藤原の故京にそれが出現したとき、人々はその華麗さに眼を奪われたものだった。法隆寺の塔に見るような重々しさは薄められ、塔はより軽やかに、むしろリズミカルな美の世界を現出していた。

が、同じ形で建てられた塔は、なぜか元正に、不安定なおののきを感じさせる。よく晴れたその日、水煙の彼方をちぎれ雲が飛んでゆくとき、流れてゆくのは雲ではなくて、むしろ塔そのものが、蒼空の中にゆらめいているような思いにさえ誘われる。そして、また自分自身も、虚空の中に漂いはじめた……と思ったとき、俄かによみがえってきたのは、若き日の母が語った夕占問の女の言葉だった。

その女は母に言ったという。

「多分あなたの産む女の子には、世の常の幸福は恵まれないだろう。それに数倍する栄光が待ちかまえているからだ。もしその子が世の常の女のように恋をし、子供をもうけるなら……おそるべき運命が待ちうけているだろう」

予言は、おそろしいほど的中したといってもいい。

元正は皇后でもなければ母后でもないのに、皇位についた。稀有の栄光というべきだろう。そして妹の吉備は、長屋を愛し、子をもうけたが、まさしく夫や子供たちとともに非業の死を遂げてしまった……。

が、いま思いうかべるのは、その予言を信じるかと問いただしたとき、

「いいえ、私は余り信じないたちなの」

苦しげな微笑とともにそう言った母の言葉だった。

――もしかすると、あれはお母さまが思いつきでおっしゃったことではなかったか。

あれは元正が氷高皇女とよばれていたころ、誰とも知らぬ男から恋文が送られてきたときのことだった。その恋を成就させるよりも、蘇我倉山田石川麻呂の血を守ることを、このとき母は望んでいたのかもしれない。

当時はまだ政情が不安定だった。弟の軽（文武）は十代の少年にすぎなかったから、万一に備えて、当時の女帝、持統と母の間には自分の地位について何らかの暗黙の合意があったのかもしれない。その後長屋との恋に難色をしめしたのも、持統の重病という慌しい状勢を前にして、なお母は自分の未来に留保したいものを感じていたのではなかったか。

やがて即位した弟は、母の意に反して不比等の娘と結ばれてしまった。

――そのあたりから、私はお母さまのお気持が少しずつわかりかけてきたのだったわ。

文武が宮子に男児を産ませたとき、母は自分に皇位を継承させる一方、妹と長屋の恋を認めるよりほかはない、と覚悟をきめたのだ。

未来を予見していたのは夕占問の女ではなくて、母だった。いや、母と異母姉の持統だった、というべきかもしれない。

「後へは退けないのよ、私たちは」

「私たち蘇我の娘たちには、どのみち平坦な生涯は許されていないのだから」

そういう形で、母はわが家の女たちの歴史を語った。そして母はその重みに堪えながら生き続けたのだ。

——けれども、お母さまは、やはり……

いまにして、元正は思う。母は遂に宮子に皇子を産ませたわが子を憎みきることはできなかったのだ、と。藤原氏との間に板ばさみになって苦しんだ文武が若くして命を終えたとき、母の悔いと悩みはさらに深まった。そして臨終の際に、遂に首の即位を許してしまったのだ。が、それでも母は、必死で、吉備の産んだ男児への皇位継承を言いおいていった。そしてそのことが、長屋王一家の悲劇を招いたとは……。

元正は祖母持統の最後の言葉を思いだしている。死の床で、祖母は大津を死に追いやった真の事情をはじめて口にした。

大津の妃、山辺は、蘇我赤兄の血を享けている。その赤兄こそは、持統の祖父倉山田石川麻呂を見殺しにした憎い男なのだ。

その赤兄の血をひく女が皇后になることは許せない、と祖母は言った。瀕死の床の中で、世の悪評を恐れてはならぬ、となおも言いきった祖母だった。

——でも、その勁さがなかったといって、お母さまを責められるだろうか。

むしろ母なればこその心弱さではなかったか。いや、自分だって成人した首を眼にしたとき、危うく弟の再来かと思ってしまったくらいなのだもの……。

「私たち蘇我の娘たちは」

と呟くときの母はいずれ辿るべき自分たちの運命を、すでに見越していたのかもしれない。行く手の敗北をみつめながら、なおも誇高く生きようとした母だった。その母が、栄光の継承者として自分を、血の継承者として吉備を選んだ——と考える方が、いまの元正には、夕占問の女の言葉を信じるよりも、ずっと納得できるのだ。

「お母さま」

風の速いその日、蒼穹にゆらめくかに見える塔の水煙を見あげながら、元正は呟く。

「誇高く敗れよ、との仰せなら、私はそういたします。いいえ、私はそうしております」

妹一家を失った悲しみにうちひしがれているわけではありません――と言いかけたとき、

「太上帝」

そっと女官が声をかけた。

「九州から帰ってまいりました大伴旅人が、御門前まで参っております」

中納言大伴旅人は、大宰帥として、ついこの間まで筑紫にあった。寺内に招じいれられた旅人が、都を離れていた数年の間に、面変りするほど老けこんでしまったのに、元正は気づいた。六十六歳の彼は現地で妻を失っているのである。

「気の毒なことをしましたね」

さし招いて悔みを言う元正の前で旅人は頭を垂れた。

「有難いお言葉でございます」

早くも目頭を押えている。

「いや、年をとりますと、涙もろくなりまして、見苦しいことでございますが……」

酒を愛し、豪放そのものだった彼も、いまや心弱さをかくしきれない様子である。

「都に戻ってまいりましても、荒れたわが家に妻の手植えの樹ばかり伸び育っておりますのを見るにつけ、心が傷みまして……」

　と言いかけて語調を変えた。

「あ、それよりも……」

　この度は、と言いかけて絶句したのは、長屋王一族の滅亡という事件の重大さを口に出しかねてのことだろう。旅人は、廟堂における、数少ない長屋の協力者の一人だったのだ。

「太上帝の御胸の内を拝察いたしますと……」

　老臣の声はとだえがちだった。

「この私が都におりましたら、このような事態は防げたかもしれませぬのに……」

「そうかもしれません、でも――」

　元正の声音は落着いていた。

「帝が卿を筑紫に遠ざけたことは、そのためだったともいえます」

　はっとして、旅人は元正を見あげた。硬骨の武人、旅人は、たしかに藤原氏にとって眼ざわりな存在だった。

「私もそれを感じていましたが、しかし、卿よりほかに、大宰府を統率する人がいなかったこともたしかです。やむを得ず、赴任を認めたのでしたが……」

　元正はむしろ淡々とした口調で言った。

「いまとなっては、それを悔いても仕方のないことです。いえ、むしろ、そのことを梃子に、新しい道を開くべきだ、と考えるようになりました。卿を都に呼び戻したのはそのためです」

　旅人は深く一礼した。

「太上帝の御配慮だったとは洩れ承っております。それで、御挨拶に参上いたしましたのでございますが、こちらの御寺にお出ましと伺い、あえて後を追わせていただきました」

「それはかえって好都合でした。こちらの方が、ゆっくり話ができるかもしれません」

促すようにして、元正は境内を歩みはじめた。

この年の九月、大納言の多治比池守がこの世を去り、長屋王の事件の直後大納言に昇進した藤原武智麻呂ひとりが、その座にあるという状態になった。長屋王の死後、大臣は空席のままだし、知太政官事の舎人親王は、もともと飾りもの的な存在にすぎない。この政治空白を埋めるために、

——旅人の帰還を、大納言昇進を。

と強硬に主張したのは、ほかならぬ元正である。長屋一族滅亡後の巻返しの第一弾だといっていい。時の流れに巻きこまれ、いたずらに歎き悲しみ続ける元正ではなかったのである。いや、手足をもがれ、真に孤立したと知ったことによって、むしろ、覚悟はきまったのだ。女帝であったときより、誇高くありたい、とひたすら思ったとき、突破口として思い浮かんだのが、旅人だった。

「大宰府にいたことによって、卿は彼らの批難をかわすことができました。藤原の連中も、さすがに卿を左大臣の同調者だと言いくるめることはできないはずです」

一見、無色透明の旅人であってみれば、藤原氏側も、元正の希望を退けることはできなかった。

「しかし、このことは卿に重荷を負わせることになりかねませんね」

老い衰えた旅人に、元正はそう言わざるを得ない。

「何の」

旅人は、それでも勢いよく首を横に振った。

「命にかえても、太上帝のために働く所存でおりますれば……」

言いかけて、まぶしげに元正を見上げた。

「それにしても、お変りになられませぬなあ。いや、それどころか、お別れ申し上げて筑紫に旅立ちましたときより、太上帝はむしろお若く、美しくなられました」

「ま、そのようなことは」

「いえ、真実でございます。私はこのように妻の死を悲しみ、老いさらばえてしまいましたが……」

「卿が妻の死に老いたというなら、私はあの悲惨な事件のゆえに年をとることを忘れた。ともいえます」

嘘ではなかった。歎きの中で朽ちはてることが許されないのならば、無理にも心勁く生きねばならない。そのことが、彼女の瞳を輝かせ、頬をみずみずしくさせているのかもしれない。

「ならば、私も、老いの身に鞭打ちまして」

旅人が歯のない唇許に微笑を浮かべる。

「そうです、そうしてください。そしてさしあたっては……」

元正は声を低くした。

「安積を……広刀自の産んだ皇子を頼みます」

はじめて彼女が口にする。聖武の皇子の名であった。

これまで、元正はその存在から意識的に眼をそむけてきた。長屋と吉備の間に生れた膳夫以下の甥を皇位に、と考えてきた彼女にとって、それはむしろ眼ざわりな嬰児だったから……。

聖武を父として、きさきの一人、県犬養広刀自を母に、彼が生れたのはちょうど基王――安宿媛所生の皇子がこの世を去る前後のことだった。広刀自はもともと控えめな女性で、安宿媛の蔭で、その存在は霞みがちだった。したがって、皇子を出産しても、基王の誕生、立太子の騒ぎに気押されて、安積と名づけられたその子については、世の中は全く関心を払わなかった。

が、基が死に、長屋一族が滅亡した後では、この皇子の存在は別の意味を持ってくる。皇太子と称した基が世を去ったのだから、しぜん、その後釜に据えられるのは安積、と人々は思うようになっている。

事件の衝撃から立ち直れなかった元正が、そのことに気づいたのは、異例の華やかさで行われた安宿媛の立后の折である。これ見よがしに行われた立后の儀だったが、その蔭には、藤原氏の不安が顔を覗かせていた。

――もし、安積が立太子したら？　わが一族に未来はない。

その即位を防げるには、安宿媛の立后しかない。と彼らは思ったのだ。ひよわな聖武に万一のことがあった場合も、そうしておけば、皇后たる彼女が帝位につくこともできるからだ。

表面元正に対して凱歌を奏しているかに見えて、藤原氏が安宿媛の立后を急いだのは、そんな理由があったのだ。そしてその日以来、安積という幼い生命は、元正にとって別の意味を持つようになった……。

あれは、亡き妹のささやきだったのか、それとも、自分の心の声だったのか。華やかな立后の日はっきり見すえたそのことを、彼女は、旅人の前ではじめて口にした。かつて藤原氏は、文武のきさき、石川刀子娘と紀竈門娘を、きさきの座から蹴落した前歴がある。石川刀子娘が文武の皇子を二人産んでいたからである。首（聖武）の座を危うくしかねない彼らを排除するための策謀だった。二人の男の子は、殺されることはなかったが、今は母とともに臣籍に入れられ、都の片隅でひそかに生きている。

安積もまた、膳夫たちのように死に追いやられるか、臣籍に貶されるか？

危機にさらされている皇子を救ってやろうというのか？　と問われたら、多分元正は答をためらったことだろう。真実をいえば、皇子への同情からではなかったからだ。しかし、少なくとも、藤原氏が栄光に向って走り出そうとしているのを阻むためには、安積は貴重な存在だった。さしあたっては旅人を大納言に押しあげ、安積の後楯とすることで、元正は反撃の足がかりを得ることにしたいのである。

多くを語らずとも、旅人はすべてを察したようだった。深くうなずくと、

「問題は皇后の母君、橘三千代どのですな」

声を低めてそう言った。橘三千代はもともと県犬養氏。正式には今も、県犬養橘三千代と呼ばれている。つまり広刀自とは同族なのだ。が、不比等の妻となり、安宿媛を産んで以来、彼女は藤原一族の中に溶けこんでいるかに見える。不比等の二男房前が、内臣として兄を凌ぐほどの活躍を見せたのも、三千代の先夫（美努王）の子、牟漏女王を妻にしているからでもある。

現在こそ兄の武智麻呂が大納言に昇進し、藤原氏の筆頭に位置しているが、依然房前は、一族内での実力者なのだ。

「そうです。三千代の胸の内は測りかねます。しかし、不比等の亡くなったいま、必ずしも、藤原氏に密着してゆくかどうか」

「わかりました。その辺を探ってみることにいたしましょう」

元正は話題を変えた。

「そなたの息男はいくつになりましたか？」

「家持でございますか。まだ十三にしかなっておりませんので……」

「しかし先が楽しみです」

五位以上の貴族の子弟は、二十一歳になると、内舎人として出仕することができる。宮中での宿直、雑務にあたるわけだが、安積より十歳ほど年上の家持は、多分よい近習の一人となることだろう。

元正はこのとき、ひとつの未来図を描きはじめていたのだったが……。

が、計画の齟齬は、翌天平三年の七月、早くもはじまった。大納言に昇進した大伴旅人が急死してしまったのである。元正は廟堂における有力な協力者をあまりにも早く失った。旅人の死を待ちうけるような形で、機構改革が行われ、結果的には藤原一族の色彩がいよいよ強くなった。武智麻呂、房前に次いで宇合、麻呂も参議に加えられ、四兄弟はすべて廟堂に加えられることになった。長屋王の弟の鈴鹿王もその中に入ってはいるが、彼は兄と違って、これまでている。

も藤原氏に密着して生きてきた人間だ。そのお蔭で、長屋の死にあたっても、巧みに罪を免れ

この参議という地位はなかなか微妙で、律令の規定にはなく、時に応じて臨時におかれ、それだけ複雑な政情を反映するポストともいえる。こうしてしだいに「参議」は律令体制の中に定着してゆくのだが、今度の参議任命も長屋王事件以来の政治決着を意味するものであった。

遣唐使の発遣も、これ見よがしに計画された。養老元年、心ならずも渡唐を許しはしたものの、以来、元正はこの計画を拒み続けてきた。その意向を踏みにじるように、遣唐使が任命され、計画が軌道に乗ったのは天平四（七三二）年、まさに十数年ぶりの発遣である。諸国に造船が割りあてられ、渡唐の人数も五九四人と、これまでの最大の規模となった。

一方、新羅との往復も途絶えてはいなかったが、とかく摩擦をひきおこしがちな状態が続いている。誇高く生きようとしても、現実には、元正が内政・外交面から疎外されつつあることはたしかだった。依然、太上天皇として聖武と並んで統治権を保持してはいるものの、彼女にこれらの既成事実を覆す力はすでになかった。

——お祖母さま……

心の中で彼女は祖母持統に向って呼びかける。

——お祖母さまの苦しいお胸のうちが、いま、私にはわかるのです。

天武と手をとりあって進めてきた政治路線を、晩年の祖母は、不比等とわが孫文武によって次々と否定されていったのだ。が、それでも祖母の傍には自分たちがいた。しかし自分の周囲にいま誰がいるのか……。

絶望に陥りかけたそのとき――。

信ずべからざる奇蹟が起こった。

いや、地獄絵というべきか。

天平五（七三三）年正月、遣唐使の発遣を前にして、橘三千代が死んだのだ。不比等の妻にして、皇后の母、そして、最後まで後宮に勢力を保ち続けた彼女の死は一つの時代の終りをしめすものだといっていい。

その死に最も衝撃をうけたのは、いうまでもなく安宿媛――すなわち光明（こうみょう）皇后である。母が病床につく前から、強気の彼女も神経症に悩まされ続けていた。

「皇后さまは、お体が不調らしい」

「いや、ちっとも懐妊の兆しがないのにいらいらしておいでなのさ」

こんな噂は、長屋王事件の直後からささやかれ続けていた。その皇后をいたわり、励ましてきた三千代である。

「もう私はだめ、お母さまが生きておいでなければ、私も死んでしまいます」

遂に光明は、声をあげて泣き崩れたという。聖武は妻のために天下に大赦を行ったりしたが、懐妊の兆しはおろか、病状の好転は見られなかった。

その二年後、新田部、舎人の両親王が続いてこの世を去った。いずれも藤原氏に味方し、長屋王を糾弾した人々である。

そしてさらに二年後、疾風のようなすさまじさで、疫病が都を襲った。多くの人々がばたばた斃（たお）れる中で、まず、四月十七日、藤原房前がこの世を去った。そして、

七月十三日　藤原麻呂
七月二十五日　藤原武智麻呂
八月五日　藤原宇合

彼ら四兄弟は、続けざまに死の世界に陥ちていった。数年前手をとりあうようにして廟堂に押し並んだ彼らは、今度もお互いの手をふりほどく間もなかったのか。

今度こそ光明は敗れたのだ。したたかに運命の報復をうけ、いま、彼女は孤立している。勝気な彼女は、自分を襲うかも知れない死の恐怖におののくよりも、敗北のむざんさに打ちひしがれていることだろう。

もちろん死んだのは彼らだけではない。結局、廟堂に残ったのは鈴鹿王と、橘諸兄と大伴道足。諸兄は橘三千代が先夫美努王との間にもうけた子で葛城王と名乗っていたが、母の死後、その姓を継いで改名した人物である。以下の官人はほぼ三分の一が姿を消してしまっていた。思えば長屋の非業の死以後、藤原四兄弟の時代は十年とは続かなかったのである。

廟堂は恐怖に沈黙している。

そして巷の人々は叫ぶ。

「報いだ」

「長屋王御一家を殺した報いだ」

藤原不比等＝橘三千代＝美努王
藤原不比等 — 麻呂、宇合、武智麻呂、房前
房前＝牟漏
美努王・橘三千代 — 牟漏、諸兄
藤原不比等・橘三千代 — 光明
光明＝聖武＝県犬養広刀自
光明・聖武 — 阿倍
聖武・県犬養広刀自 — 井上、安積、不破

その声は、元正の耳にも届いてくる。

薬師寺の東塔を思い浮かべながら、彼女はその声を聞く。ほとんど無表情のその美貌には、陶器の肌に似た冷たさが加わり、老いてなお、この世ならぬ美しさを湛えていた。

宮都変転

——左大臣よ、吉備よ。

彼らの葬られた生駒の山を眺めながら、太上帝(だいじょうてい)元正は心の中で呟く。

——見ましたか、都のありさまを。そなたたちを死に追いやった藤原四兄弟は、一度に姿を消してしまいました。私が手を下したわけでもないのに……

秋風が激しく木の葉を鳴らすその日、彼女の呼びかけに応えるかのように、生駒の山容は、あざやかに迫って見える。そして風の音に混って、

——ほ、ほ、ほ……

華やかな吉備の笑い声が聞えた、と思ったのは空耳だったろうか。樹々のざわめきともつれあうようにして、それは虚空(こくう)をかけめぐり、元正の耳許で叫ぶ。

——ええ、ええ、お姉さまが手をお出しになることはなくてよ。まあ見ていてごらんなさいな。これから先、もっとおもしろいことが起るから……

何ですって？

はっとして、周囲を見廻す。女官たちに、秘密の会話を聞かれはしなかったか、と。気がつ

いたとき、虚空に笑いはじけた声は消え、秋風はいよいよ激しさを加えていた。

翌年の七月、兵庫寮で殺人事件が起った。左兵庫少属の大伴子虫という男が、右兵庫頭中臣宮処東人とたまたま碁を打っていて、勝負のことからいさかいになり、やにわに刀を抜いて、東人を斬りふせてしまったのだ。ところが、その後から、ふしぎな噂が流れた。

「子虫は叫んだというぜ。今日のこの日を俺は待ってたんだ、って」

「というと、遺恨ばらしか」

「讒臣め、思い知れ、と言ったともいうぞ」

声をひそめながら、人々はうなずきあう。子虫は亡き長屋王から目をかけられていた人物であり、相手の東人こそは、その長屋王のことを密告した一人である。東人はこれを賞されて無位から一躍外従五位下に出世して人々を驚かせた。さらに、食封や田地を下賜され、やがて兵器の出し入れを司る兵庫寮の責任者に抜擢されていたのだが、子虫は旧主の恨みをはらすべく、その機を狙っていたらしい。事件そのものは闇から闇へ葬られるような形でうやむやにされてしまったが、当局が子虫の追及に熱意をしめさなかったのは、東人の訴えそのものが誣告だったことを暗に認めていたことの証左になるかもしれない。

あきらかに四兄弟の死を契機に時代は変りつつあった。

——妹よ、そなたの言ったとおりです。私が手を下さなくとも、罪はあばかれつつあります。

眼をつぶったまま、元正はそっと呟いてみる。ありし日の長屋の白皙の面差と重なって、吉備の華やかな笑顔が、まざまざと眼裏に浮かんでくる。

大伴子虫という男を元正は知らない。

——十年間、悔しさを耐えしのんできたのは私も同じことです。

太上天皇という立場でなかったら、駆けつけて手を握ってやりたいところだった。が、強いてそれをしなかったのは、政治的配慮からである。もちろん、万一の場合は大手をひろげて庇(かば)ってやるつもりだったが、そうした事態も起らなかったのは、無言の世論が、子虫の背後にあったからではなかったか。

光明皇后は、事件に衝撃をうけているという。四人の兄弟の強力な支えを失い、みずからの立后(りっこう)が、血みどろなからくりの上に成りたっていたことをあばかれて、自信を失ってしまったらしい。すっかり体調を崩し、食欲もなく、眠れない夜が続いている様子である。

聖武ははじめこの事を秘していた。光明の不調を公表することは、とりもなおさず、藤原一族の敗北をあからさまにすることになるからだ。しかし、光明の不調はいつまでたっても快方に向わず、遂に聖武は「病患ヲ済(スク)フタメニ」と、大赦を行うことを公表する。子虫が東人を殺した翌年、天平十一（七三九）年二月のことである。王者にとっては屈辱的な敗北宣言といってもいい。

元正は、無言で事態を見守っている。

——吉備よ。そなたの言うとおりね。私は何ひとつ手を下さなくても、向うは敗北を認めはじめました。

しかも大赦を行っても、光明の健康は、いっこうに回復する兆しは見えなかった。

そのころからだろうか、元正が、聖武の瞳の中にある、異様なおののきに気づいたのは……。

たしかに、聖武はこのところ元正の視線を避けている。長屋王の事件の折に、その無実を主張しようとして、病を冒して出かけた元正に、

「伯母上、あなたは御存じない。子を奪われたものの心を……」

冷たく言い放った気魄は、いまの聖武にはひとかけらも残っていない。その瞳に問いかけるのは元正の番である。

――おわかりですか。無実の罪で肉親を失った者の胸の裡を……

その視線に遭うたび、聖武はおろおろとして眼を伏せる。落ちつきのない瞳の底に秘められたものが、悔恨以上のものであることを知ったのは、三月初めのことだった。

その日、聖武と元正は、平城京を北にさかのぼった山背国相楽郡の甕原離宮にあった。聖武の突然の思いつきで行われた二泊の小旅行は、ほんのかりそめのものとあって、従う者もごく僅かだった。

「是非御一緒に――」

という要請に応えるまでもなく、元正が一行に加わったのは、その離宮が、母の元明の在世当時造られたものだったからだ。藤原氏との相剋に疲れた母は、逃れるように、屢々ここを訪れたものだった。その日、聖武は珍しく晴れやかな表情を見せ、

「ほんとうにここは心安まるところですね」

元正をふりかえってそう言った。甕原は、周囲を低い丘陵にかこまれた、こぢんまりした盆地で、陽をうけた泉川がゆるやかに流れ、早春の野には鳥の声がみちていた。

「別天地だなあ、ここは。青い瓦の官衙もない。人影もまばらだ。亡き太上帝（元明）がこ

こをお疲れ休めの地としたのも無理はない」

小手をかざして、川面にくだける春の陽に眼を細めながら、聖武はひどく祖母の元明をなつかしむふうだった。しかし、

「皇后も同道されればよろしかったのに」

と、元正が一行に加わらなかった光明のことに触れると、

「あ、いや、まだ体が元に戻っておりませんので……」

聖武は、かすかなうろたえを見せた。が、そのときを除けば、彼は人が変ったように快活だった。

随行者の筆頭は橘諸兄である。藤原四兄弟の死後、参議だった彼は、一躍大納言から右大臣に昇進し、廟堂の首座についている。この地に別邸を構えている彼は、聖武の先に立って、川のほとりを歩んだり、山の形を説明していたが、さりげなく元正に近づくとささやいた。

「御覧下さいましたか、帝のお顔色を」

「ええ、今日は晴れやかに見えますが……」

「おわかりでございましょうか、そのわけを」

「……」

「帝はいま、ひそかなお計画をお持ちなのです」

「え？」

「都遷りをなさりたい御意向で――」

さりげない行楽にことよせて、今日はここを検分にきたのだ、と諸兄は声をひそめた。

「なにしろ、平城京は呪われたところでございますからな」

四兄弟の急死によって聖武はそれを実感したのだ、と諸兄は告げた。

「このままでは危ない。いつ御自分の身に死が襲いかかってくるかもわからない、とお考えなのでございます」

おびえきったその眼の色は、たしかにその恐怖を物語っていた。

「それで、この地を都にしたいと？」

元正の問に諸兄はうなずく。

「平城京より狭うございますが、水清く山は緑に、心安らぐところと申せましょう」

が、聖武がこの地に目星をつけたのは、死の恐怖から逃れるためだけではないように元正には思われる。

――不比等（ふびと）は、お母さまを蘇我氏ゆかりの地から引離すべく、無理やりに遷都を敢行した。敗北感に身を嚙まれながら、飛鳥の地を後にしたときの母の姿が、いまも元正の脳裏から離れない。

――その藤原氏の産んだ聖武が、平城京を呪いの地として逃れようとするなんて……

甕原を新しい都として選ぼうとしたのは、元明への謝罪の意味も含まれているのではないか。いつに似ず、聖武が元明の思い出をなつかしそうに語ったのは、そのせいかもしれない。いま聖武は、外祖父不比等をはじめとする藤原氏の強引さを率直に認め、彼ら一族の造りあげた平城京の三十年近い歴史をわが手で破壊しようとしている。

「もっとも、これは皇后さまには内密でございますが」

諸兄のささやきに、元正は、光明がこの日の行楽に加わっていない真の理由を理解した。

この日を境に、聖武と元正の間には、暗黙の了解めいたものが成立した。その後も二人は連れだって甕原離宮を訪れている。訪れれば必ず聖武は生き生きとした表情を見せ、

「ほんとうにここは心が安らぐ。お祖母さまがお好みになられたお気持がよくわかります」

元正をふりかえって、元明のことをなつかしげに口にした。遷都の計画は公表されはしなかったが、その準備工作は徐々に進められていた。当時の廟堂の顔ぶれは、

知太政官事（ちだいじょうかんじ）　鈴鹿王
右大臣　橘諸兄
中納言　多治比広成（たじひのひろなり）
参　議　大伴道足（みちたり）　藤原豊成（とよなり）

藤原不比等
- 武智麻呂
  - 豊成
  - 仲麻呂
- 房前
- 宇合
  - 広嗣
- 麻呂

である。長屋王の弟である鈴鹿王は、長屋王への鎮魂の意味もこめて、皇族代表として知太政官事に据えられているが、実質的権力は持ってない。この年、多治比広成の死を契機に、参議が四人増員されたが、いずれも藤原氏でない人物が選ばれている。ひとり藤原氏の参議として廟堂にある豊成は、武智麻呂の長男だが、温厚な性格で、先立って議事をリードするタイプではなかった。

まさに都遷りの機は熟したと見ていい。

元正は聖武の決断を求めたが、しかし、いざとなると弱気の聖武はなかなか言いだせない。と、そのうち、思いがけないことが起った。そのころ大宰少弐として九州に赴任していた藤原広嗣が挙兵し、都へ向って押しよせてくる、という知らせが入ったのである。

広嗣は故宇合の長男である。大宰少弐というのは、役目からいえば、帥、大弐に次ぐ役どころだが、当時帥は任命されておらず、大弐の高橋安麻呂は、右大弁を兼ねていたために任地に赴いていない。つまり広嗣は実質的には大宰府の最高責任者だった。

しかし、広嗣は九州に飛ばされたことに大きな不満を懐いていた。廟堂にいる藤原氏は、おっとり型の豊成ひとりとあって、到底、自分の中央復帰は見込みがないと思ったのだろう。激烈な上表文を送りつけてきた。

当時、聖武は閣僚外の政治顧問として、少し以前唐から帰国してきた吉備真備と僧玄昉を重く用いていた。とりわけ玄昉には、精神に異常を来していた聖武の母の宮子を治療して効果をあげたので、深い信頼を寄せてもいた。広嗣はまずこの二人を奸臣として、彼らの排除を献言し、挙兵したのである。

この広嗣の挙兵を聞いて、聖武は異常な驚愕ぶりを見せる。ひそかに遷都の計画をすすめることによって、明るさを取りもどしたかに見えた彼は、完全な自信喪失に追いこまれ、蒼惶として都を逃げだす。

「朕意フ所アルニ縁リテ、今月ノ末、暫ク関東ニ往カントス。其ノ時ニ非ズトイヘドモ事已ムコト能ハズ」

これが征討に出かけた大将軍大野東人が勝戦を報告してきたのに対する聖武の言葉なのである。

「将軍コレヲ知リテ驚佐(キヤウクワイ)スベカラズ」

自分は思うところあって関東に行く。その時期でないことは承知の上だが、しかし、やむを得ないことなのだ。将軍よ、驚いてはいけないぞ——。

支離滅裂としかいいようがない。驚いてはいけないというが、これで驚かないでいられたらむしろ不思議なくらいだ。

「太上帝もお早くお出ましを」

聖武は使を元正の許に送って、出発を促してきた。

「出発するといって、どこへ行くのです」

問いただしても、使は首をかしげるばかりである。

「さあ、よくわかりませんが、東国へお出ましのおつもりとか」

「まあ、なぜに。味方は勝利と聞いています。逃げだす必要はないと思いますが」

「はあ、それとは別なのだそうで……。とりあえず、伊勢へお出ましになるとか」

天平十二年十月二十九日。

この日から聖武の流浪がはじまった。都の留守を鈴鹿王と兵部卿兼参議の藤原豊成にまかせてまず伊賀へ。それから伊勢へ。やがて鈴鹿を越えて桑名へ。その間に東人を総帥とする派遣軍は圧勝を報告し、広嗣を捉えて斬殺したことを報告してきたが、まだ聖武の放浪はやまない。桑名から当伎(たき)を経て、不破に入ったころになって、元正は、聖武の流浪の意味を理解した。

——まあ、天武の帝の御足跡を廻っておられるのだわ。

まさに一行の経てきた道は、壬申の戦の折に、天武が辿った道筋なのだ。彼女にとっては祖父、聖武にとっては曾祖父にあたる天武の戦いの跡を追体験することは、天武・持統体制を否定する不比等たち藤原一族に支えられてきた聖武の、いわば懺悔の旅ではなかったのか。

「やれやれ、また何でこんな時期にあちこちお廻りになるのか」

従者たちは不満たらたらだったが、

「其ノ時ニ非ズトイヘドモ事已ムコト能ハズ」

という呻きに似た詔勅の中にこめられた聖武の必死の思いが、元正にはわかるような気がした。広嗣の挙兵に、聖武は白村江の敗戦を思いだしたのかもしれない。あのときは外敵を相手の戦いだったが、敗戦後、日本には新羅や唐の将兵が多数進駐してきた。彼らの影響を色濃くうけた天智朝の体制を圧倒したのが、天武と尾張、美濃の軍時力であってみれば、危機の到来にあたって、聖武はどうしてもこの地を味方につけておきたかったに違いない。

広嗣敗死の報をうけた後、聖武はさらに近江に入って、壬申の戦の折の戦跡である野洲を訪れた。

このときまでに、聖武は、ふたたび平城京に戻るまいという決意を固めたようである。途中で諸兄は一行と別れて相楽郡に急行した。いよいよその地に皇居を定めるためである。

十二月半ばに、恭仁京と名づけられたその新都に聖武が到着する。続いて元正と、蒼い顔をした光明が……。都とは名ばかりで宮殿の設備さえととのわない新京で、一行は天平十三（七四一）年の初春を迎えたのであった。

光明もすでに力竭きている。長い旅で体力は消耗しつくし、平城京帰還を口にする元気もないらしい。その隙を狙って、橘諸兄はてきぱきと事を運んでしまった。

「五位以上の者は、今後勝手に平城京に住んではいけない」

「また恭仁京から平城京に用事のために戻る場合は、官に届け出てその許可を得よ」

「平城京にある兵器はすみやかに新京へ運べ」

宮殿の多くは解体されて恭仁京へ運ばれはじめた。平城京はすべてを剝ぎとられ、急速に廃墟になりつつあるようだった。

いま光明の側近にあるのは甥の豊成ひとり。しかも、もう一人の甥の広嗣の挙兵によって、周囲には、藤原氏を指弾する声が満ちみちている。

さすがにそれに気づいたと見えて、光明は父、不比等に下賜されていた食封五千戸の返上を申し出た。悪評を封じるための起死回生の一手である。

聖武はすべてを召しあげるのは気の毒と思ったらしく、二千戸は藤原氏の手許に留め、残りの三千戸分を、かねて企画していた諸国の国分寺に施入することとした。

国ごとに寺を立てて仏教を興隆させるという発想は中国伝来のもので、聖武はすでにこの計画を樹てていたが、広嗣の乱や遷都の騒ぎで具体化されていなかったのを、この三千戸の費用で、まず丈六の仏教が造顕されることになったのである。

「さらに七重塔の建立を。金光明最勝王経と法華経の書写を——」

こうして、国分寺の建立計画は、いよいよ軌道に乗りはじめた。思いきった食封の返還が国分寺を支え、藤原氏の人気の低下を辛うじて食いとめたことになる。

孤立無援になりながらも、必死に苦境を切りぬけようとしている光明の心情は元正にはよくわかる。

――私もまた孤独な戦いを続けてきたのだから……

元正自身、女帝になることを望んだわけではなかった。それ以外の道を歩むことを許されなかっただけだ。光明もまた望んで皇后に昇ったわけではない。宿命がそれ以外の道を選ばせなかった、ということではないか。その中で喘ぎ喘ぎ生きている姿を見ると、敵対する立場にありながら、元正はふと、共感を覚えずにはいられない。

――年をとったせいだろうか?

すでに六十二歳、いつか母元明の没年を超えてしまった。

「お年には見えないお若さです」

周囲はそう言ってくれるし、たしかに母の晩年の面差は、ずっと老いた感じだったように思う。しかし、

――永遠の美貌。

という賛辞もいまはわずらわしい。

――私は生きていることに疲れはじめたのだわ。

ふっとそう思う。藤原氏への復讐もあざやかになしとげられた。もうこれ以上、光明を追いつめるのは酷ではないか。父や兄達を失い、半ば力竭き、喘ぎに喘いでいる姿を見て、そういう気持になるのは、自分が年老いたせいだろうか。

この後は恭仁宮で、平城京とは違った雰囲気の政治が生れ、祖父天武の精神が、聖武に継承されればそれでいいのではないか。

恭仁京に新しく彼女のために造られた宮殿で、静かに倚子に身をあずけながら、元正はそう思わずにはいられなかった。

しかし——。

新京での政治が始まるとまもなく、彼女の耳には、否応なしにさまざまの世評が入ってくるようになった。一つは、

「右大臣はいい気になりすぎている」

という橘諸兄への誹謗である。自分の別邸のある恭仁の地に都を招致し得たことによって、彼は途方もない野望をふくらませはじめた、というのである。その子奈良麻呂の傲岸さも不評の種だった。

それに、じつは諸兄の姪の橘古那可智は聖武の後宮に入っている。古那可智の父は橘佐為。以前は佐為王といっていたが、兄の諸兄（葛城王）が橘姓を名乗ることを願い出たとき、これに倣った。その娘古那可智はなかなかの美貌である。ひそかに娘の懐妊を願っていた佐為は、例の疫病流行の折に、未練を残しながら世を去っている。

「だから、諸兄と奈良麻呂は、古那可智が皇子を産むことを期待しているのさ」

たしかに政治的な後楯を見れば、いまや古那可智は光明を凌ぐといってもいい。ただ、光明はすでに皇后の地位にあるから、その差は決定的なように見えるが、そこを何とか覆そうと、諸兄は機を狙っているのだという。

側近の秘密めかした噂話を、

「そのようなことをみだりに口にしてはいけません」

軽く制しながらも、元正は恭仁京が次第に物騒がしくなってくるのを認めないわけにはゆかない。じじつそのころ大暴風雨があり、宮殿や民家にも大きな被害が出た。加えて泉川の氾濫もあって、新京の建設は一頓挫を来している。

「それ見たことか。ここも不吉の地よ」

そんなささやきも聞えはじめている。

もっとも古那可智の皇子誕生は橘氏一族の夢にすぎない。現実には光明所生の阿倍内親王が一応皇太子とされ、役人や学者がつききりで帝王学を学ばせられている。当人はごく屈託のない快活な皇女で、学問などは大の苦手なのであるが……。

もっとも当時の皇太子の地位はきわめて流動的なもので、天皇や太上天皇の意向で変更されたりすることもあって、阿倍が確実に次期天皇候補に位置づけられた、ということでは決してない。もし古那可智が皇子を産んだら、一波瀾は免れないところであろう。

いや、それよりも、元正の気にかけているのは県犬養広刀自所生の安積親王のことである。県犬養氏じたいが非力だし、広刀自も控えめな性格なので、阿倍が皇太子となって以来、いよいよその存在は霞みがちである。

かつて元正は大伴旅人をバックに安積を皇太子とすることを考えたこともあったのだが、旅人の急死によって、その計画は遂に日の目を見なかった。とはいうものの、彼女はまだ安積のことを忘れているわけではないのである。

その間にも、恭仁京では不穏な空気が昂まりはじめていた。それに敏感に反応したのは、聖武だった。

遊猟散策にことよせての、また放浪が始まったのだ。宇治、山科、そして難波……。一度現実逃避の味を覚えてしまった心弱き王者は、莫大な費用を投じて造りはじめた恭仁宮を見すてるつもりらしい。

とりわけ聖武が興味をしめしたのは、近江国、甲賀(こうが)郡の紫香楽(しがらき)だった。わざわざ恭仁からの道を造らせ、天平十四（七四二）年には、ここを離宮とする、と発表した。単なる離宮でないことは、大規模な建設計画でそれと察しがついた。十四年の暮には紫香楽の仮宮に留まり、遂に翌年の元日にも恭仁に帰ってこない聖武であった。

諸兄の強い要請で渋々恭仁へ帰還したのは二日。三日に改めて正月の儀式が奈良から移建された大極殿(だいごくでん)で行われた。

光明はもちろんその間恭仁におきざりにされていた。恭仁から紫香楽へ——打ち続く宮殿造りに駆りだされる民衆の不満はその極に達している。諸兄も、

「帝の御心の裡(うち)がわかりません」

元正の前で頭を垂れてそう言うことが屡々(しばしば)だった。

聖武、光明、諸兄——。

いますべての心は離れ離れになってしまっている。その上この年は三月から五月まで雨が一度も降らない、という異常気象が続いた。

——いったい前途はどうなるのだ。

——今年は稲のみのりはあるまい。

人々がおびえはじめたとき、元正は諸兄を呼びよせた。

「雨乞(あまごい)の祈りをさせたらどうですか」

「は、それはもう考えておりますのですが」

「それでは早速その手配を、ただし、舞人に注文があります」

「は? それは誰を?」

「阿倍です。阿倍内親王です」

「皇女を? あの皇太子を、でございますか」

あっけにとられる諸兄に元正はうなずいてみせた。

「そうです。内親王に舞わせるのです」

いま、元正の胸の中には一つの計画が浮かんでいるのである。

幻想の王国

をとめども　をとめさびすも……

歌の流れる中で、紅の袖がゆるやかに弧を描く。

からたまを　たもとにまきて　をとめさびすも……

かげろうの翅より薄い、くちなし色の領布が袖にまつわりつきながら、ふうわりと宙を舞う。

五月五日、群臣の居並ぶ内裏の宴で五節の舞を舞ったのは聖武の皇女、二十六歳の阿倍。大柄で肉付のいい彼女はこんなときには見ばえがするが、とりたてて美貌というわけでもない。快活な性格であっても、どこか投げやりで、今度の舞も、身を入れて稽古をしないから、お世辞にも上手とはいえなかった。帝王の娘として育てられただけあって、どこへ出ても気おくれしないのは取柄だが、人生の苦しみや悲しみをまともに味わったことがないための無関心さが、つい顔に出てしまう。

——多分そなたには父や母の苦しみがちっともわかっていないでしょうね。

高く結いあげた双鬟の髪に、銀の花鈿をきらめかせて、ほとんど無表情で舞いつづける阿倍を眺めながら、元正は心の中で呟く。

——そして、今日の舞が、そなたにとって、どんな意味を持つかということも……

旱天(かんてん)に慈雨を祈るというのは、もちろん表面上の理由にすぎない。この日の主役阿倍を除けば、居並ぶ聖武も光明も、右大臣橘諸兄(もろえ)も、みなそのことを知りぬいているはずなのだ。

やがて舞が終ると、恭しく座を起(た)った諸兄が、元正の前に進んだ。聖武の詔(しょう)を奏上(そうじょう)するためである。

「……掛ケマクモ畏(カシコ)キ飛鳥浄御原宮(アスカキヨミハラノミヤ)ニ大八洲(オホヤシマクニ)シロシメシシ聖(ヒジリ)ノ天皇命(スメラミコト)、天下(アメノシタ)ヲ治メタマヒ平(タヒラ)ゲタマヒテ思ホシマサク……」

飛鳥浄御原の天皇はすなわち天武、元正の祖父である。この五節の舞は、天武が壬申の戦に勝利をおさめて即位した後、礼と楽を振興させて上下の融和をはかろうとして始めたもの、といわれている。そのいわれをのべる聖武の言葉を諸兄はさらに続ける。

「こうしてこの舞はずっと続けられてまいりましたが、ここに皇太子阿倍に習わせ、御前に捧げるものでございます」

元正はうなずいてこれに応える。

「わが子天皇(すめらみこと)よ。天武の帝がお始めになった国の宝ともいうべき舞を、阿倍がこうしてうけついだことは、天武の帝の精神と掟(おきて)が絶えることなく存在している証拠、大変喜ばしいことです。また、今日の舞を見るに、それは単なる遊びではなく、天下の人々に、君臣父子の道理をしめすものであることがよくわかります。どうかこの精神を忘れず失わずに伝えるように」

阿倍は神妙に首を垂れているが、元正の心をうけとめている気配はない。さまざまの思いに撓(たわ)みながら続けられている言葉が、一つ一つにちぎれて、空しく阿倍の傍を滑っていくようなもどかしさを元正は感じている。

――皇女よ、そなたは何もわかっていないのですね。いやわかろうともしないのですね。あなたには見えないの？　父の苦しみも、母の悩みも。

屈託なげなその顔に問いかけるのは徒労なのか。聖武、光明、そして諸兄――。それぞれの心はばらばらになっている。それを結びなおす絆として計画されたこの日の舞なのに、主役である彼女は、全くそのことを理解してはいない。もしその気にさえなるならば、容易ならない言葉の重みが、たちまち感じとれるはずなのに……。

聖武が、この舞を天武以来のものだ、とわざわざ言っているのは、阿倍が天武系の継承者だということを匂わせているのだ。そして元正が「その舞を見るのは喜ばしい」と応えたのは、彼女もまた阿倍を天武系の継承者として認めたことを意味する。

元正は聖武の心の負い目を知っている。彼は藤原氏を母とする最初の天皇だ。しかも藤原氏出身の光明を皇后とし、蘇我氏の娘たちが代々占めていた座を奪わせた。その後間もなく光明の四兄弟を一度に失い、さらに戦争の恐怖に追いこまれた彼は、いま恐怖のとりこになっている。

――自分は天皇の座にあるべき人間ではないのだ。呪いの地、平城京では生きていられない。

そう思うからこそ平城京を逃げだしたのだ。そして広嗣が斬られたいまも、呪いの血を享けた阿倍を後継に据えることをためらっている。

自信というものをすべて失い、人間崩壊の寸前にあるいたましき王者――。元正の心を刺すのは、その聖武が、時折、ひどく亡き弟の文武に似た表情を見せることだ。

——似ている。こわいほど似ている。

わが妹、吉備を死に追いやった甥を冷酷にみつめようとしながら、思わずぎょっとすることすらある。気がついてみると、憎しみよりも、あるなつかしささえ感じはじめているのは、六十四という年のせいか、自分もまた王者の孤独を経験し続けてきたせいか……。

光明も苦しんでいる。肉親を一度に失ったすさまじい孤独の中で、じっと歯をくいしばっている。もうこれ以上彼らを追いつめることは自分にはできない——といつか元正は思いはじめていたのであった。そして、この二人に手をさしのべるべく計画された五節の舞なのである。

しかも元正が阿倍を後継者としてはっきり認めたことは大きい意味を持つ。当時、皇位継承に絶大な発言力を持つのは、天皇及び太上天皇だったからだ。逆にいえば、皇太子という存在はきわめて不安定で、即位の直前まで不確定要素を持ちつづけるということだ。阿倍にはたしかに皇太子として役人や教育係である東宮学士がつけられているが、それは絶対的なものではなかった。

が、ここで元正は公的認証を与えた。重大な問題が起らないかぎり、阿倍の位置は安定的なものになったといえよう。しかも聖武と元正の間に立って、それぞれの詔をとりついだのは他ならぬ右大臣橘諸兄である。当然の役目とはいえ、ここにも元正の配慮が働いている。

——いいですね、帝の後継は阿倍です。古那可智の皇子誕生などに期待をかけぬように。その代り、そなたには廟堂の首班としての地位を保証します。

この日彼は正二位から従一位に昇進し、左大臣に任じられた。恭仁京には以前から彼の別業があり、いわば地の利もわがものとしている。

聖武に対しては、元正の眼はこう言っていた。

——もう祟りを恐れる必要はありません。阿倍は正統の後継者です。平城京を離れたいというならそれも認めましょう。王者の自信を回復し、放浪をやめることです。

光明に対しては、父不比等の造った平城京を諦めさせる代りに、阿倍を皇太子としてはっきり承認してやったわけだ。彼女にとってこれ以上に大きい贈物はないであろう。

つまりそれぞれに対して譲歩と融和を求め、一方でそれに見あうだけの権利も保証してやったのだ。今日の五節の舞について、元正が「単なる遊びではない、君臣父子の道理を説くものだ」と言ったのはこの意味なのである。

この日、元正は、太上天皇として、なすべきことのすべてをした。病む聖武を支え、ばらばらになった人々を融和させるために、五節の舞にことよせて高度の政治的解決を計った。もちろん彼女自身の譲歩も大きい。藤原氏を母とする阿倍を聖武の後継者として認めたのだから。政治というものは妥協と融和の上に成り立つ。そしてその融和の上に、さらに彼女はもう少し先を見越している。

——阿倍の後継者には、同じく聖武の血をひく安積を。

暗黙のうちに、彼女はその指名権が自分にあることを人々に納得させたのだ。彼女と同じく未婚の女帝となるはずの阿倍の後に弟を据えることは不自然でも何でもない。昔から兄弟姉妹間の相続は多いし、げんに元正自身も、母の元明を経てはいるが、弟の文武から皇位を継承しているのだから……。五節の舞は、こうした重大な意味を持つ政治的表現だったのである。

橘諸兄は自分の昇進に気をよくしている。光明はしきりに涙を拭っている。父の死、母の死、兄弟の死を経て、彼女もやっと心の平安を見出したのだろうか。が、相変らず聖武の頬は暗い。この心弱き甥が王者の威厳を回復するのはいつの日か。阿倍は果してこの病める父をよく支えきれるだろうか。政治の接点にありながら、その意味も覚(さと)らず、けろりとしている彼女にそれを期待することに、かすかな不安を元正は感じた。

　五節の舞という政治的な妥協が行われて以来、精力的な活躍を見せはじめたのは、橘諸兄であった。左大臣という廟堂の最高位に昇りつめたことが、彼に自信を持たせたのだろう。一方の藤原氏も、五節の舞を機に、参議の豊成(とよなり)は中納言に、その弟の仲麻呂が新たに参議に加わったが、それらの存在は諸兄の眼中にないようだった。仲麻呂は三十八歳、叔母である光明の信任篤いきれものという定評はあったが、四兄弟が全盛を誇っていた時代に比べれば、その影響力は知れたもの——と彼は思っていたようだ。

　母の橘三千代の生前、諸兄は藤原氏とは即(つ)かず離れずの立場をとってきたが、母の死後、そして藤原四兄弟の死後は、むしろ独自の道を歩みはじめている。不比等べったりで自分たちには次第に冷淡になっていったかつての日の母への不満を匂わせるようなこともあり、いまの諸兄は、母を同じくする光明よりも、むしろ安積に好意を寄せている。それもそのはず、安積の母は県犬養広刀自(あがたのいぬかいのひろとじ)で、橘の姓を名乗る以前の三千代とは同族の間柄だったからだ。

　その安積は十六歳、すでに風格ある貴公子に成長しつつある。大伴旅人の子の家持(やかもち)もすでに二十六歳、内舎人(うどねり)として内裏に出仕する合間には、安積の邸に出入りしていることも多い。すぐれた歌才を持つ彼が、今造(いまつくる)　久邇乃王都者(くにのみやこは)　山河之(やまかはの)　清見者(さやけきみれば)　宇倍所知良之(うべしらすらし)

と恭仁京の風物を歌ったのもそのころだ。山も川もすがすがしいこの地が都となるのも当然なことだ、という言葉の中には、いつの日にかこのさわやかな都で安積が即位することを期待する思いがこめられているかのようだった。

諸兄はすでに政治改革にも手をつけている。

「墾田(こんでん)永年私財法」といわれるものがそれだ。それまでは「三世一身(さんぜいっしん)の法」が行われており、荒野を開拓する場合、溝や池まで作った人は三代の間、もとの溝や池を修理して開墾した人は本人一代の間、土地の占有、耕作が許されたのだが、新法では、墾田の永久私有を認めた。これには位階に応じた限度はあるが、土地公有を建前としたこれまでの政策の大転換というべきであろう。

新都における新政はたしかに緒についた感じだが、しかし、諸兄を困らせているのは、依然、聖武の心身が正常に戻っていないことだった。元正の配慮によって、政治の均衡は回復されたはずなのに、彼の怯えたような表情は変らないのだ。

「さ、もう何も心配しなくていいのです。心を強く持つことです」

元正の励ましに、

「は、はい、そういたします」

言葉ではそう答えるのだが、いじけた眼の色は元のままだ。そうして、家持がこの歌を作ったころ、すでに聖武は恭仁にいなかった。

「家持が歌いましたように、山川さやけきところでございますのに……」

元正に歌を披露しながら、諸兄は吐息を洩らす。

「わかりませぬ、帝の御心が。あれほどここは心安らぐところだと仰せになっておられましたのに」

やっと都の体裁がととのいかけたとき、何で物に憑(つ)かれでもしたように、逃げだそうとするのか。

――もう甥が正常な心を持つ日は二度とやってこないのか。

元正にもこれ以上手をさしのべる方法は見つからなかった。

聖武の行く先は例によって紫香楽(しがらき)。広くはないがおだやかな丘陵にかこまれた明るい恭仁京と違って、より翳の深い山峡(やまかい)の地だ。

「何でかの地をお好みなのか」

頭をかしげる諸兄や知太政官事(ちだいじょうかんじ)鈴鹿王、中納言巨勢奈氏麻呂(こせのなでまろ)に留守を命じて、聖武はまたもや紫香楽に引き籠(こも)ってしまったのである。

しかも、今度の滞在は長かった。八月が終り、九月になっても、彼は恭仁に戻る気配を見せなかった。

「何とぞ早く御帰京を」

諸兄はしきりにそう言い、恭仁京に留まっている元正も何度か帰京を促した。ところが十月になって、突然、聖武は思いがけないことを言ってきた。

「この紫香楽の地に大仏を安置したい」

――な、なんと……

諸兄はこの唐突な申し出に絶句する。広嗣の乱に対する出兵、聖武の放浪で国庫は疲弊しきっている。平城京から恭仁への建物の移転が遅々として捗らないのもそのためだ。さきの「墾田永年私財法」も、これによって貢納物の増大を計ろうとしたものに他ならない。

この窮状を知らないはずのない聖武の突然の申し出は、あまりにも非常識すぎる。

「いまはその時期ではないと思いますが」

という元正の意見にも、

「私はどうしても大仏を造りたいのです」

にべもない答が返ってきた。顔をあわせたときに見せる怯えたような眼付の甥からは考えられない強引さであった。

「皇后さまのお考えから出たことでしょうか」

諸兄は声をひそめて元正に言った。が、そのことを元正が聖武にたずねてやると、

「后は反対しております」

という返事が返ってきた。光明に従って、藤原豊成も仲麻呂も紫香楽に行ってはいるが、彼らも眉をひそめているらしい。常識で考えればそれがあたりまえだ。

「お考え直しください。いまの財政状態ではこれ以上の負担には耐えられません」

諸兄の懇請に対して、

「それならよろしい。国庫はあてにすまい」

思いがけない言葉がもたらされたとき、諸兄には聖武の神経が異常を来したとしか考えられなくなっていた。

そして十月十五日、紫香楽で詔勅を発する。有名な大仏建立の詔勅である。いうところはこうだ。

「私は徳の少ない身でありながら天皇の位につき、民を撫育することに努めてはきたが、まだ力の及ばないところがある。この上は仏法の加護をうけて国を安らかにしようと思う」

そのための盧舎那仏の建立なのだ、と聖武は言う。盧舎那仏というのは、大乗仏教の経典の一つである華厳経に説かれている仏で、いわば大宇宙を象徴するような存在である。さらに詔は言う。

「ソレ天下ノ富ヲ有ツ者ハ朕ナリ。天下ノ勢ヲ有ツ者モ朕ナリ」

その富と権力を以てすれば大仏建立はたやすいが、それでは精神がこもらない。それどころか徒らに人民を疲れさせ、かえって罪障を作ることになる。だから広く知識（同志）を募って事業を完遂したい、というのである。

「まあ……」

諸兄から手渡された詔勅を読みおえるなり、元正は眼を閉じた。

表面は堂々たる詔勅である。聖武がこの頃華厳経に心をひかれていることも知らないわけではない。数年前河内を旅したとき、地元の有力者たちの建てた寺で盧舎那仏を見て異様な感動をうけた、と聖武みずから話してもいた。しかし、高度な仏教精神の宣揚を説くかに見えるこの詔勅から、元正の耳に聞えてくるのは悲鳴に似た叫びであった。

形の上では天下の権力者だが、聖武のこの計画に賛成する者は一人もいない。国庫をあてにできない彼は、

――それでも自分はやる！

と、空しい叫びをあげているのだ。いったいどれだけの成算があるのか。いや、そもそも、なぜこの時期に大仏を建立しなければならないのか。

眼を開いて元正は諸兄をみつめた。

「紫香楽は山深いところと聞いていますが」

「は、恭仁のはれやかさはございません」

「なぜ帝はそこに執着されるのか」

やがて、謎が少し解けてきた。聖武はその直後に、東海、東山、北陸道の諸国の庸と調を紫香楽に運ぶように命じたのだ。山の中とはいえ紫香楽はそれらの三道に近く、貢納物の受入れには便利である。唐突なように見える造仏の計画の裏に、案外冷静な計算も含まれているようで、それが何となく薄気味悪くもあった。

追いかけて大仏のための寺域が選定され、同時に行基法師とその弟子たちが人々を勧進して造仏にあたると発表された。

それまでの行基は危険人物視されていた。国の掟を無視して、民衆に仏教を説いたからである。今考えると奇妙なことだが、当時は僧侶が直接民衆を教化することは許されていなかった。僧侶は国家に身分を保証される代り、国のためにだけ祈り、かつ経典を研究するものとされていたのである。

が、行基はその枠を無視した。当然民衆は熱狂的に彼を迎え、その教に帰依したが、その数が増大してくると、政府はこれが社会に影響力を持つ集団となることを恐れ、さまざまの方法で圧迫を加えはじめた。それでも行基はひるまず、むしろ彼らの集団の力を結集して、社会事業に着手した。橋を架ける。道を直す、諸国から庸や調を運んでくる農民が飢えや病気で行倒れになるのを救うために、布施屋という施設を造る……。これまでの僧侶のなしえない事をやってのけたのだ。

さすがに政府も弾圧で彼らを解散させるのは無理と気づいたらしく、少しずつ方針をゆるめかけてはいたが、かといって行基の行動を全面的に認めたわけではない。聖武はその行基にあえて協力を求めたのだ。政府のよしとしない人間に手をさしのべるとは、王者の孤独な反乱である。諸兄にも藤原氏にも賛成されない事業をやりとげるには、行基に頼るよりほか、たしかに道はない。

諸兄は苦りきっている。

「いったいどういうおつもりか」

聖武に強く帰京を求めた。さすがに説得に応じて聖武が戻ってきたのが十一月、諸兄は表情を固くして進言した。

「恭仁京もまだ完成しておりません。大仏建立はやはり——」

言いも終らぬうちに聖武は口を開く。

「では恭仁京の建設は打切ろう」

「何と仰せられる」

気色ばんだ諸兄の前に言葉を叩きつけた。

「以後は紫香楽の宮造りに励むがいい。いずれ、かの地を都と定める」

聖武と諸兄の仲は完全に決裂した。元正が苦心して作りあげた政治的妥協は早くも崩壊しはじめたのである。それを怒るよりも前に、いま、元正の心を暗くしているのは、聖武の異様な神経の昂ぶり方であった。

――甥はもうどうにもならないところへきてしまった……

怯えきっていた表情は、いま、彼の頬にはない。憑かれたように大仏造顕に溺(おぼ)れこみ、その他のことは考えられなくなっている。一見、人が変ったような印象を与えるが、じつはこれは怯えの裏返しなのだ。恐怖に心を蝕(むしば)まれた彼は、懺悔(ざんげ)のあかしに、これまで誰もやらなかったことをしなければ気がすまなくなってしまったのだ。前代未聞の大きな仏像、そして誰にも煩わされない新しい都――。

幻想の王国というべきであろうか。

が、恭仁京の建設を唐突に否定された諸兄がおさまるはずがない。

「紫香楽の建設は面目にかけても阻止する」

といきまいていると聞いて、元正はやむなく一つの提案をした。

「一時難波(なにわ)の離宮に移ってみてはどうですか」

難波には以前から離宮もあり、聖武も知らないところではない。それに当時は都は一つに限定しないという考え方があった。唐で行われている複都制(ふくとせい)に倣うものだが、その考えを表面に押し出して、両者に冷却期間を持たせようというのが元正の意図であった。

諸兄にはまだ恭仁に未練がある。翌年は春以来遷都の是非をめぐって、数々の議論があり、遂に閏正月には諸臣を集めて、

「都は恭仁がいいか、難波がいいか」

と、異例な諮問が行われた。彼らの意見はほぼ半数ずつに分れたが、一方同じ質問をうけた恭仁京の市人たちのほとんどは、このままでいいと答えた。

光明皇后と藤原氏は鳴りをひそめている。市人の意見を聞いたのは藤原仲麻呂で、その限りでは諸兄に好意的な工作をしたようにも見えるが、それ以上積極的な動きは見せず、音無しの構えである。

聖武は紫香楽の建設が思うようにまかせないことに焦れている。しかし恭仁京にはいたくないとなれば、やはり元正の提案に従うよりほかはなかった。

閏正月十一日、一行は難波に向って出発した。供の中には諸兄の顔もある。渋々ながらこれに従ったのは、紫香楽への遷都を食いとめるにはこれよりほかに方策がなかったからである。

――これで面目も立つ。これ以上帝に追い討ちをかけてはかえって不評を買う。

彼が意識して元正に笑顔を送っているのはそのためなのだ。こうして、知太政官事鈴鹿王と藤原仲麻呂を留守として、宮廷の大移動が始まった。

行列が河内の桜井まで来たとき、ちょっとした変事が起こった。一行の中の安積親王が、急に気持が悪くなり、少数の供人に付添われて、恭仁京に引返すことになったのだ。

「なに、すぐよくなると思いますが……」

顔色はひどく冴えなかったが、十七歳の少年は、けなげに微笑して聖武と別れていった。し

かし、一行が安積の姿を見たのはそれが最後だった。二日後、彼は恭仁京で急死してしまったのである。

信じられないような知らせであった。直接聖武の口からこのことを聞いた日のことを、元正は決して忘れないだろう。

「伯母上」

わざと太上帝とは呼ばず、部屋に入るなり、むしろ彼は気軽に言ったのである。

「安積が死にました」

倚子から立ちあがった元正に、

「何ですって」

「殺されたのです」

ひどく冷静な声音で短く言った。

「嘘でしょう、そんなこと」

「いえ、まちがいありません。使は脚病で御急逝と言ってきましたけれど」

「それを何で、そなたは――」

言いかけて、元正は体を硬直させた。

――この人は、とうとう……

正常な心を失ってしまったのか。安積の死は思いがけないことではあったが、急病死という事実をなぜ否定しようとするのか。何のために？　誰が殺したのか、手がかりになるものは何もないはずなのに……。

が、それでいて……。

正常な心を失ったとしか思えない彼の言葉が、元正の心を揺さぶる。支離滅裂で、証拠らしいものは何一つ摑んでいないのに、奇妙に真実を伝えるもののように感じられるのだ。

——そうかもしれない……。

心の隅に小さな呟きを刻みこみながら、元正はふと思った。

——この心弱い甥が必死で建設しようとしている紫香楽は、もしかすると、安積のための王国ではなかったのか……。

平城京を逃れ、さらに恭仁京を逃れようとした聖武の不可解な行動の原点に、年若い皇子を据えてみたとき、すべての謎は解けるのではないか。

今まで聖武は、安積にも、その母の広刀自にも、とりわけ深い愛情をしめす気配はなかった。周囲を光明と藤原一族にがっちり囲まれて手が伸ばせなかったといえばそれまでだが、しかし、その囲みをふりほどいてまで彼ら母子に手を伸ばそうとはしなかったようだ。

——でも、やはり……。

今にして、元正は甥の心情に思いあたる。わが子基を失って、激情にまかせて長屋一族を死に追いやりはしたものの、以来、悔恨にさいなまれ続けた聖武は、いつしか、わが子安積を別の眼で眺めるようになっていたのではないか。

愛というよりは、むしろ救いを……。救いを求めたのは子ではなくて父だった。

後宮にひっそりと生きる安積の汚れない魂に、聖武は安らぎを見出し、帝位を託する日をひそかに夢みて、清浄の地、紫香楽をその王国にしようと思っていたのではないか。藤原氏の平城京でもなく、橘氏の恭仁京でもない紫香楽こそ、思えば、聖武自身の都だったのだ。元正は、聖武がかの地に描こうとした未来図がわかるような気がした。

が、その未来を託そうとした安積はすでにこの世にはいないのである。父聖武をはじめ百官のいない恭仁京で、二、三の官僚の手によって、彼は恭仁京に近い和束山にひっそりと葬られた。大伴家持は数首の挽歌を捧げている。

足檜木之　山左倍光　咲花乃　散去如寸　吾王香問

終曲

「安積が死にました」

「殺されたのです」

あの日の聖武の言葉を思いだす度に、元正の背筋に戦慄が走る。

聞かれてはならない言葉だった。かりにもわが子の死を告げる父の言葉としては気軽すぎた。歌うように、あるいは笑うように、彼はそれを口にしたのである。

——この異常さを、臣下に覚られてはならない。

祈るような思いが通じたのか、聖武はさすがに臣下の前ではそうしたことは口走らなかった。そして安積の葬送が終ったいま、誰ひとりとして、若き皇子の死因に触れようとする者はいない。無気味な、と言ってもいいほどの沈黙の中で、

——正常でなくなっている甥の言葉の中にこそ、真実が隠されているのではないか。

あの一瞬心に刻みこんだその思いが、錐のように元正を刺す。わけ知りの常識人が避けて通ろうとしている事実を、甥の異常な神経が切り裂いてみせたとはいえないだろうか。そして人々が意識してそれに触れないのは、あまりにも事が重大すぎ、謎が深すぎるからではない

か……。

もし安積の死が尋常なものでないとしたら、まず疑われるのは、左大臣諸兄である。彼は恭仁京の造営の推進者だった。それだけに、恭仁京の造営を中止し、紫香楽宮造りに全力を注いでいる聖武に深い恨みを懐いていたはずだ。諸兄を無視し、一気に紫香楽を都にまで格上げしようとする聖武を押しとどめ、一時難波に遷都させて冷却期間を置き、両者の融和を計ろうとしたのが元正であり、諸兄も表面これに従っているものの、内心恭仁京には執着を残している。

安積が恭仁へ帰ったのは、だから彼にとっては絶好の機会だった。自分自身は聖武に扈従して難波にいるが、何しろ恭仁は彼の根拠地である。ひそかに彼の意をうけて安積を説得する人間には事欠かなかったはずだ。

「このまま、恭仁にお留まりください」

「帝にもこの地にお戻りあるよう、皇子からおっしゃってはいただけませぬか」

あるいは、そのささやきは、もっと毒を含んだものだったかもしれない。

「帝はすでに御病が重くおなりです。いっそこの地で皇子御自身が即位遊ばされては？」

「皇子さえそのおつもりでございましたら、私どもは命がけでお護り申しあげます」

難波への遷都はいわば上層部の暗黙の了解によって行われたことで、帝位の象徴である高御座も、都の権威をしめすために宮門に置かれる大楯もまだ恭仁に残っている。兵庫に納められた武器もそのままだ。それらを全部把握できるいまこそ——と、諸兄の息のかかった人々が思ったことは十分考えられる。

安積はしかし、その誘いには乗らなかったのではないか。十七歳の少年は心素直で、政治的野心のひとかけらもなかった。

「そんなことはできない」

彼は言下にそう言ったに違いない。

「父帝に背き奉ることなんか自分は考えてもいない。そなたたちは、謀叛をすすめるのか」

安積の口が黒い手で覆われたのは、事成らずと見極めがつけられたときか、それとも、「謀叛」の言葉が洩れたその瞬間か。

いずれにしても、安積は生かしておけない人物となってしまったのだ。もし安積が病癒えて難波に戻り、聖武に事のすべてを打ちあけたなら……。諸兄はじめその一党は、たちまち謀叛の罪に問われるであろう。

もちろん、諸兄はそんな気配は露ほども見せない。安積の死については誰よりも驚き、そして悲しんで見せたのは彼だったし、その葬送が終った後は、むしろ高御座や大楯を難波に運ぶことを急がせもした。見様によっては、素知らぬ顔をして証拠を消してしまおうとしているふうにも見える。心ならずも聖武に従って難波に来た諸兄なのに、いまは自分こそ難波遷都の推進者であるような顔をしている。

疑えばきりがない。黒い影はいよいよ深く諸兄にまつわりついているように思えるが、しかし、そのゆえに、元正は、さらに巨大な魔の手の存在を感じないではいられない。

その手は巧妙に、罪を諸兄になすりつけようとしている。誰が見ても諸兄の意をうけた人々の行為としか思われないような形で、ひそかに事件は仕組まれ、主謀者は、事あらば諸兄を告発しようと身構えている……。

元正にはその影が見える。

諸兄を凌ぐ奸智の持主は、恭仁京の留守を命じられた藤原仲麻呂――。

武智麻呂の子として、やや頭角を現わしはじめた彼は、最近、藤原一族中一番見所のある男として、叔母である皇后光明に信頼されているという風評もある。前の年に参議となって廟議に参加したばかりの彼の動きに、もっとも警戒しておくべきだった、といまにして元正は思うのである。

仲麻呂にとって、恭仁京の留守を命じられたのは、絶好の機会だったかもしれない。そこへ病に倒れた安積が運ばれてくる。この若者が頓死すれば、遷都を快く思わなかった諸兄側に疑いがかかるのは目に見えている。左大臣を失脚させる好機ではないか。

が、仲麻呂の狙ったのはそれだけではなさそうだ。安積の死を告げられたとき、ふっと元正の胸をかすめたことを、彼もまた感じとっていたのではなかったか……。

――聖武が異常なまでに紫香楽に執着し、ここを都としたいと思ったのは、落成の暁、ここで安積を即位させたいためでは？……

安積の死後、元正の思いは確信に近いものとなっている。一応阿倍を皇太子に据えているものの、聖武が、藤原氏の血を呪わしいものと感じていることには変りはない。が、呪いを逃れてやってきた恭仁の地でも、諸兄たち橘氏一族にまつわりつかれ、ここでも聖武は心の平安を得ることができなかった。それゆえにこそ、聖武は紫香楽へ新都を求めたのだ。そこで藤原氏ならぬきさきの産んだ安積を即位させることに、聖武は生涯の夢を賭けた。長屋王一族を死に追いやって以来のすべての罪の責任は自分にあると思い、生命をすり減らし、悩み続けた聖武の、それが唯一の願いだったのではないか。

そしてそれを仲麻呂が感づいていたとすれば、藤原氏の危機を救うためには非常の手段に訴えるほかはない。

――私はもっと早く気づくべきだった、仲麻呂という存在に。

奇妙に冷静に、歌うような調子でわが子の死を告げた聖武の声が、ふたたび元正の胸によみがえってくる。甥はすでに正常な心を失っていたのか。いや、もしかすると事のすべてを見透していたのではなかったか。

なぜか間もなく仲麻呂は恭仁京の留守を解任された。恭仁京におかれたままになっていた駅(えき)鈴(れい)や内外(ないげ)の印が取りよせられたのもこのころである。やがて高御座も大楯も運ばれてきた。もちろんその一切を指揮しているのは左大臣橘諸兄である。いよいよ、難波遷都の詔が発せられるばかりになったとき、

「折入ってお話し申し上げたいことがございます」

聖武からのひそかな使がやってきた。

「梅の夜の宴にことよせて、今宵お越しを」

二月二十日すぎの夜のことであった。

咲きみちているのは紅梅か白梅か。雲の低く垂れたその夜、樹々の姿は定かではなかった。

「むしろその方がいい。香りだけが無限にひろがる」

と言って、聖武は庭前の篝(かがり)を焚(た)かせなかった。寒さがゆるみはじめたその夜、宴では琴がか

きならされ、歌が歌われ、久しぶりに宮廷には華やかな雰囲気が漂った。

その中で元正はいつもより盃を重ねた。頬がほんのり染まったとき、

「太上帝はいつまでもお若くていらっしゃる」

感嘆の声をあげたのは左大臣橘諸兄であった。居流れる臣下たちが一様に、

「まことに、昔とお変りない」

とうなずきあったとき、

「ほほほ。冗談はやめることですね」

元正もその場の調子にあわせて華やかに笑ってみせた。

「私はもう六十五、母帝のお年さえもすでに越えてしまいました。老いはてています」

「いや、いや」

首を振ったのは諸兄である。

「私は太上帝より四つも年下でございますが、すでに髪はこの通り白く、背もかがまってしまいました。が、太上帝はお髪にこそ白い筋が混っておいでですが、お美しさは昔のままでいらっしゃいます」

諸兄の言葉がよい口実になった。元正は臣下の盃を進んで受け、

「あまりの快さに酔い過したようです。ちょっと寝ませてもらいます」

侍女に助けられて奥に入った。宴のさざめきはその後も続いたが、やがてあたりが静かになったと思うと、聖武が足音をしのばせて近づいてきた。

「御気分はいかがですか」

「ありがとう。心地よくうつらうつらとしていました」

「思いのほかに御酒もお強いのですね、伯母上は」

天皇と太上天皇という堅苦しさを離れて、伯母と甥というひとときを過したいのだ、という素振りを聖武はしめした。が、それと知った侍女たちが傍を離れると、俄かにかたちを改めて低く言った。

「数日のうちに紫香楽にまいります」

「ま、では……」

元正は思わず息を呑んだ。

「遷都の詔はどうするのです。もう案文もできあがっているでしょうに」

「伯母上におまかせします」

「でも、帝であるそなたがいなくては」

「太上帝として、伯母上がおいでになればそれで十分ではないでしょうか」

「では、一応ここを都とするのですね」

「はあ、大楯も門に立ててください。諸兄は一応面目を保つでしょう。そして、私はといえば、その諸兄の顔など見たくもないというわけです」

「えっ、では、そなたは……」

まじまじと元正は甥の顔をみつめた。それから先は言葉にはならなかった。いや二人きりでいる現在でも口に出してはならないことであった。元正は瞳で問い続ける。

――では、安積は諸兄たちの手にかかった、と思っているのですね。

――さあ、どうでしょうか。

聖武の瞳に複雑な翳がよぎった。

「そうですか」

吐息とともに、元正は呟いた。

「やはり紫香楽の都造りを進めたいというのですね」

「はい」

少年のように素直にうなずく甥に、元正は言わずにはいられなかった。

「それが徒労であったとしても？」

はっとしたように聖武は眼をあげた。

――御存じだったのですか、伯母上は。

――甥よ、気づかないでどうしましょう。紫香楽は、安積のための都だったのではありませんか？

うなずく代りに、聖武は静かに眼を伏せた。

「そうです」

小さな呟きが洩れたのはどのくらい経ってからだろうか。

「私のすることはすべて崩れてゆきます。かの地に建立（こんりゅう）しようとしている大仏は、いまとなっては何よりの鎮魂（たましずめ）かもしれません」

安積という名を一言も口にせずに、いま、二人は若くして世を去った皇子のすべてを語り続けていたのであった。

「灯を暗くしましょうか」

さりげなく元正は言った。

「梅の香がより身近になるかもしれません」

「私が、伯母上……」

聖武はみずから立って、室内の灯のいくつかを吹き消した。ほの暗くなった室内に、どこからともなく梅の香が漂ってきた。

ややあって、元正はたずねた。

「皇后は？」

「もちろん同行します。仲麻呂はひと足先に発つとか申し出ております。いまは皇后もひどく紫香楽の宮造りに熱心なのです」

言いかけて聖武は奇妙な嗤いを頬ににじませた。

「なあに、諸兄が難波遷都に熱心なのと同じことですよ」

ぎょっとして元正がみつめなおしたとき、その嗤いは、まだ頬にたゆたっていた。

——では、やはり、仲麻呂たちが安積を。

——そういうこともあり得るということです。彼らの行動が何よりもよくそれをしめしています。そうはお思いになりませんか。

人間はときとして、自分が全く望んでもいないことを熱心にやっているようなふりをしてみせることがある。それが政治というものなのだ——と聖武は言いたげだった。

元正は甥が妻である光明をも仲麻呂をも全く信じていないことを感じている。

このすさまじい孤独。人間崩壊……。

——この日を見ようとして、私は甥を眺め続けてきたのだろうか。

たちまち虚空をつんざく笑い声が元正の耳を覆った。

——そうよ。そうよ、お姉さま。私はこの日を待っていたの。

ああ、妹の声だ。死せる者はむしろ自由だ。思うままに人を呪うこともできる。が、生きている私は？

眼を閉じ、耳を塞ぎたかった。紫香楽に旅立とうとしているこの甥の前途に暗い予感がする。が、何でそれを口に出して言えるだろう。それに時は過ぎている。殿舎に戻らねばならない。

立ちかけた元正の背に軽く一礼して、聖武はささやいた。

「すべては終ったようでございますね」

訊き返すまでもなく、彼女は甥の言葉の意味を覚った。すべては終った——そうなのだ。前の年の五月、阿倍に五節の舞を舞わせるという形でなされた政治的妥協は、全く水泡に帰したのだ。が、自分の徒労を歎くよりも、元正は、いま、

——そうですとも！

甥にそう応えようとしている。

——それなら、私も阿倍を皇太子と認めることを撤回します。それでいいのですね。

ふりかえったとき、ほっとしたような表情でかすかに微笑してうなずく聖武の顔がそこにあった。

二月二十四日、聖武は光明とともに紫香楽へ向けて出発した。天皇不在のまま、左大臣諸兄

が難波遷都の勅命を宣言したのが二十六日、ついで三月十一日、例の大楯が宮門に立てられた。天皇のいない遷都宣言という奇妙さからわざと顔をそむけ、儀式の完了を人一倍喜んでいるのは諸兄である。

「いや、めでたい、めでたい」

恭仁京に執着したことなどはすっかり忘れたような顔をしている。

「御苦労でありました。卿の努力を多とします」

型どおりの元正の褒詞にも、彼は飛びあがらんばかりの喜び方をした。

「臣の忠誠を嘉し給わりましたこと、この上の感激はございませぬ。臣が今日ありますのは、すべて太上帝の御仁慈によるものであります」

その眼はどうやら嘘はついていない。が、彼は紫香楽遷都を辛うじて阻止できたことを喜んでいるのだ。面目は保たれたのである。いや、それより、安積の謎の死の責任を逃れ得たと思って、彼は心を浮きたたせているのかもしれなかった。

保里江尓波　多麻之可麻之乎　大皇乎　美敷祢許我牟登　可年弓之里勢波

難波の堀江に舟遊びしたとき、諸兄の献じた歌だ。おいでとのことをかねて知っておりましたなら、堀江に玉を敷きましたものを――という歌には彼の心情が正直すぎるほど、反映されていた。

紫香楽の大仏建立はなかなか捗らないらしい。聖武があの日元正にささやいたように、光明や仲麻呂の献身はやはり見せかけにすぎなかった。結局、聖武は行基の協力を頼りに孤軍奮闘しなければならなかったのだ。

聖武から元正に、ぜひ大仏を見にきてほしい、という要請があったのは十月末。さりげない行楽への誘いに似て、それが本格的な紫香楽への移転を望むものだということはすぐ解った。要請に応じるべきか否か、元正にはためらいがあったが、表面は行楽の形で難波を後にした。十一月半ばのことである。

紫香楽の地にみずから元正を出迎えた聖武は、早速大仏建立の進んでいる甲賀(こうが)寺に案内した。

「惜しいことでございました。もう数日早くお着きになれば、仏前の供養に御参列いただけましたのに……」

が、甲賀寺に着いたとき、輿(こし)を降りた元正は、その場に立ちすくんだ。

「あっ、これは……」

まるで半ばは完成したように聖武が語っていた仏像は、どこにもなかった。あるのは、冬枯れの色を見せはじめた山を背景に、寒々と立つ一本の柱ばかり……。

「いかがでございます。みごとな仏像ではございませんか」

聖武は笑みを含んで元正に近づく。

背筋に戦慄が走った。

――甥の口走っているのは譫言(うわごと)か。それとも、もうこのひとには幻覚しか見えなくなってしまっているのか……

「なにはともあれ、宮中にてお休みを。太上帝さまはお疲れでいらっしゃいましょうから」

とりつくろうように言う聖武付きの侍女の言葉に救われる思いで、元正はその場を離れた。

案内された宮中の諸殿舎は、急拵えの粗雑さの目立つ造りだった。その一つに案内され、くつろぎかけたところへ、早くも聖武は姿を見せた。

「形をつけただけの造りで、お気に召さないかもしれませんが……」

まともな挨拶をし、それから、悲しげな眼付になった。

「先程はお驚きになったかもしれません。が、私のできるのはあそこまでだったのです」

元正は急いで侍女を退らせた。その後でぽつりと聖武は言った。

「ひどい抵抗をうけております」

大仏を鋳上げる銅も思うようには集まらない。その上、このところ周囲の山で頻々と不審火が燃えあがるのだという。

「これでは大仏を鋳上げる前に、薪となる樹々はすべて灰になってしまうでしょう」

「まあ、それでは……」

「そうです。大仏を造らせまいとしているのです」

誰が、という言葉をぬきに喋っても、その意味はすぐ通じた。造営を妨害しているのは、ほかならぬ妻の光明と仲麻呂なのだ。彼らは顔には出さないが、自分たちの本拠である奈良帰還を狙っている。もしこの地に大仏が営まれてしまったら、聖武は生涯ここを離れまいとするだろう。それを阻止するためには、彼らはどんなことでもやりぬくだろう……。

「私のできるのはここまでです。御仏の中心に据えるべき御体骨の柱があれなのです。やっとここまで漕ぎつけ、法要もすませました」

言葉を切って、元正をみつめ、静かに聖武はその裾(すそ)にひれ伏した。

「伯母上、伯母上にだけはおわかりいただきたい。私がこの地に何としてでも、毘盧舎那(びるしゃな)の尊像を造りまいらせたかったことを。そして、誰のために、何のために造りたかったかということも……」

急に細くなった甥の項(うなじ)に眼を落しながら、しばらく元正はじっとしていた。それからみずからもひざまずいて甥の手をとった。

「お立ちなさい。さあ……何という冷たい手をしておいでなの」

やっと身を起した聖武は手をとられたまま言った。

「伯母上、伯母上は見てくださいましたね、毘盧舎那仏を」

「ええ、見ましたとも」

握った手に力を入れて元正は答えた。

「御眼(おんまなこ)も、御唇(おんくち)も、はっきり見えました、私には」

そのとき外に皇后の訪れを告げる声があった。と、紗(しゃ)をかけたように、聖武の表情は俄かに捉え難いものになっていた。

なし崩しに近い形で元正が紫香楽に移った翌年、建設途上の宮廷の門に、例の大楯が立てられた。ここではじめて名実ともに紫香楽は都となった。依然難波は複都として認められてはいたが、恭仁でもなく旧都平城でもなく、ここが聖武の都であることが明確になったのである。

が、紫香楽の運命はそこまでだった。

またもや不審火が周囲の山を焼き、五月になると、連日のように激しい地震が続いた。畿内諸国はまさに恐慌状態に陥った。その折も折、旧都の寺々の僧から建言があった。

「祈禱の結果、災害は紫香楽の都に原因があることがわかりました。平城にお戻りを」

僧の言葉をまつまでもなく、不安に怯える民衆は続々と紫香楽の都を脱けだしていた。

平城へ、平城へ——。

洪水に似た人の流れに、もう聖武は抗う術を持たなかった。あたかも首に縄をかけられたような形で、彼もまた光明と仲麻呂の手で旧都へ運ばれていった。聖武にとって呪いにみちたおぞましい旧都へ着いたとき、なおも大地は揺れやまなかった……。

人々は歓呼して病める王者を迎えたという。が、聖武はおそらく、その叫びの中に妻の誇らしげな勝鬨を聞いたことであろう。怪火で不安をかきたてながら、藤原氏は巧みに地震を利用したのだ。しかも彼らは手廻しよく、平城京の東に大仏建立の準備をはじめていた。

それでも聖武はこれに抵抗するかのように、数か月後には難波に脱出していた。が、そこで彼はまもなく病の床につく。すでに重態と聞いて、元正が駆けつけたとき、首をあげた彼は弱々しい微笑をうかべながらも、

「お見舞ありがとうございます。でも私はまだ死ぬつもりはございません」

かすれた声でそう言った。周囲の人々には、単なる答礼と聞えるその言葉の中に、元正は彼の心の中の声を聴きわける。

——伯母上、私は死ねないのです。

五節の舞にことよせた妥協が破れて以来、元正が阿倍の皇位継承をも認めまいとしていることを、彼は知っているのだ。

――そうです。伯母上。私は阿倍の即位の姿をお目にかけることはできないのです。

あきらかに彼の眼はそう言っていた。

聖武が何とか健康を回復して平城京に戻ったのが九月、翌年の正月、都は例年にない大雪に埋められた。橘諸兄、藤原仲麻呂というライバルどうしが顔を揃え、他の重臣と共に、元正の住む中宮の西院の雪掃きに奉仕したのはこのときである。

布留由吉乃　之路髪麻泥尓　大皇尓　都可倍麻都礼波　貴久母安流香

奉仕後の宴で、したり顔に詠じた諸兄の存在もいまの元正にはわずらわしい。

長屋と吉備を失ってすでに十八年。元正はひとりで生きてきた。そして彼女が手を下したわけでもないのに、聖武は罪の思いにおののき続けている。そして光明もしばしば病に沈み、夫との確執に懊悩の日を重ねている現在だ。

――そして、私は多分光明の血を享けた阿倍の即位の日を見ることはないだろう。

と元正は思う。蘇我倉山田石川麻呂の血は自分で絶えるけれども、その誇は傷つけられることはなかった。それはいつの日か女帝の栄光とともに、わが手で永遠の世界に埋められるべきものなのだ。

元正の瞳の底にすみれ色の翳がよぎった。かすかな微笑を、並みいる臣下たちは、諸兄の歌に応えたものと思ったかもしれない。

天平十九年の正月は雪が少なかった。二十年の正月にも、重臣たちが雪掃きのために元正の許を訪れるほどの降りはなかった。

そして二十一年。元正はすでにこの世にいなかった。世を去ったのは二十年四月、待ちかねたように阿倍が即位したのはその翌年、大仏開眼が騒々しく行われたのはその数年後のことであった。

史料のことなど

元正女帝は、古代の女帝のうち、最も影の薄い存在かもしれません。彼女の生涯を伝える根本史料である『続日本紀』も、「沈静婉孌」という元明の詔を載せるほか、語るところはごく僅かです。しかし、いつのころからか、彼女は私にとって無関心ではいられない存在になりました。彼女とその母、元明女帝の二人は、ある意味で隠された古代史の語り手ではないか、という気さえしてきました。

もっとも彼女たちに関する史料はごく僅かであり、多くは私の古代幻想にすぎないかもしれないのですが。幸いにして「婦人画報」に連載を始める前後から、山田寺の遺構の発見が相次ぎました。彼女たちにゆかりのこの寺の発掘が、私の幻想を助けてくれたことは事実です。雑誌連載は二十三回にわたりましたが、今回の上梓にあたって、かなりの訂正加筆をいたしました。

執筆に際して使いました史料および参考文献は次のとおりです。学者の方々の論文については、あるいは理解の行届かない点や誤解もあるかもしれませんが、それはすべて筆者である私の責任によるものです。(なお、編・著者名は五十音順、敬称は略させて頂きました)

史料

『続日本紀』　国史大系(吉川弘文館)
『日本書紀』　日本古典文学大系(岩波書店)
『懐風藻』　日本古典文学大系(岩波書店)
『万葉集』　日本古典文学全集(小学館)
(なお文中の『万葉集』の読みは右のテキストに従っております。)

単行本

青木和夫『日本の歴史・奈良の都』(中央公論社)
井上光貞『日本の歴史・飛鳥の朝廷』(小学館)
岸俊男『日本古代政治史研究』(塙書房)
岸俊男『宮都と木簡』(吉川弘文館)
北山茂夫『万葉の世紀』(東京大学出版会)
北山茂夫『万葉集とその世紀』(新潮社)
田中琢『平城京・古代日本を発掘する』(岩波書店)
坪井清足(監修)『平城京再現』(新潮社)

直木孝次郎『日本の歴史・古代国家の成立』（中央公論社）
直木孝次郎『奈良時代史の諸問題』（塙書房）
中川収『奈良朝政争史』（教育社）
早川庄八『日本の歴史・律令国家』（小学館）
福山敏男・久野健『薬師寺』（東京大学出版会）
『奈良六大寺大観・薬師寺』（岩波書店）
日本古文化研究所『薬師寺伽藍の研究』（吉川弘文館）

雑誌・その他

坪井清足編「発掘―奈良」（国文解釈と鑑賞別冊、昭和五九年四月）
直木孝次郎「元正太上天皇と橘諸兄」（日本古典文学全集月報17）
石井俊典「山田寺造営の諸問題と仏頭の制作年代について」（論集・無遮、一九八三）
松山鉄夫「薬師寺東院堂観音立像年代考」（仏教芸術一五五号、毎日新聞社）
「明日香風」（飛鳥保存財団）
「木簡研究・第三号」（木簡学会）
「藤原宮」（飛鳥資料館）
「宮殿発掘」（仏教芸術一五四号、毎日新聞社）
「山田寺展」（飛鳥資料館）

なお文中に系図を入れましたが、これはあくまでも本文のその部分を理解する手引にしていただくためのもので、作製の都合上、配列は必ずしも年齢順ではありませんし、また他の部分に登場する人物でも、そこで必要でないものは省略してあります。また歴史上では有名な人物でも、本書に関係のない人物は省いてありますことをおことわりしておきます。

解説

磯貝勝太郎

歴史小説の作家は、扱う素材の範囲から考察すると、自分の知りぬいている時代や世界だけを、飽きることなく、執拗に書き続ける作家と、作品世界を限定しないで、自分のよく知らない時代や世界にチャレンジして、作品世界をひろげてゆく作家に分けることができる。永井路子は後者のタイプの作家だ。その広大な作品世界を俯瞰してみると、古代の奈良時代の女帝、元正天皇を描いた「美貌の女帝」から、最新作の長編現代小説「茜さす」にいたるまで、その扱う素材は幅広くバラエティーに富んでいるので、作品世界に厚みと多様性を加え、作家活動の歩幅の広さを示していることがわかる。

昭和三十九年、『炎環』で直木賞を受賞して以来、中世、ことに鎌倉時代を扱った作品を多く手がけているが、直木賞受賞以前には、平安、室町、戦国などの各時代に素材を得た作品が書かれており、昭和二十七年、黒板拡子という本名で「サンデー毎日」の懸賞小説に応募し、二席に入選した処女作「三條院記」は平安時代を扱い、三十年後の長編「この世をば」の視点とは異なって、藤原道長の策謀によって譲位に追い込まれる三条天皇の側から、血族関係の上に成立する摂関政治の冷酷さを描出した佳作だ。「源氏物語」や華麗な絵巻物の世界を通して知る平安朝の時代は、平安で優雅な世界ばかりを想像しがちだが、東宮居貞親王（のちの三条天皇）とその最愛の宣耀殿の女御との関係を阻害し、娘の姸子を東宮に入内させ、立后の宣旨を要求する道長の策謀、権力とその冷酷さ、そして当時の悪疫の流行などを描いた「三條院記」を読むと、平安時代の暗黒なアスペクトがわかり、この時代を見直す気持になる。この作品が書かれたころは、天皇制にたいする反省から天皇のイメージが崩れてゆく時代風潮があったことを考えると、作者の時代感覚を感得できる。

永井路子は現代的な視点から、歴史上の権力構造のからくりを探り、歴史的な人物や事件を、あらためて見直すという感覚を絶えず働かせる作家だ。直木賞作家となる以前の作品にもその資質があらわれている。その好例は、昭和三十五年に「オール讀物」に発表した「応天門始末」である。この中編は平安時代の貞観八年（八六六）の応天門放火事件を扱った作品で、藤原氏一族内部の派閥抗争によって事件がデッチ上げされ、事件の黒幕でその後の良房流藤原氏の繁栄を築いた藤原基経の実像が描かれており、応天門事件には執筆当時の三鷹事件や松川事件が仮託されていることが推察される。この作品との関連で終戦直後の天皇の権威の凋落にたいして「三條院記」の主人公像を重ね合わせた作者の現代的な視点による歴史解釈を、あらためて認識させられる。

「応天門始末」に次いで書かれた直木賞候補作品「青苔記」は、永井路子の史観を明示する初期の作品で、織田信長の養女分として筒井順慶の養子の定次に嫁いだ明智光秀の娘、秀姫（光秀—信長—順慶を結ぶ人質として政略結婚させられた）の視点から、義父の順慶の人物像がとらえられている。天正十年（一五八二）、本能寺の変を知った羽柴（豊臣）秀吉は、信長の弔合戦として山崎の戦いで光秀と戦ったが、その際、洞ヶ峠に布陣した光秀は、順慶をたのみとして、洞ヶ峠で順慶の到来を待ちうけた。だが、光秀が敗けるにちがいないと確信し、秀吉と通じていた順慶は、そのころ、自分の城である郡山城に居て洞ヶ峠に出陣しなかった。義父の順慶が父光秀に味方せず、居城の郡山城からついに動かなかったことや、父の悲惨な最期について、後日、知らされた秀姫は、順慶と光秀を結ぶきずなとして嫁いで来た自分の無力さを悟り、一時は絶望感を抱いたが、父光秀の立場を理解し、義父としての愛情を示す順慶の人柄にうたれるようになる。「青苔記」にはそのような順慶の人間性が描出されている。

筒井順慶といえば、〝洞ヶ峠をきめこむ〟などと後世から嘲笑され、日和見主義者（オポチュニスト）の典型的な人物とされており、狡猾（こうかつ）で腹黒い悪役に仕立てられているが、「青苔記」で明らかなように、順慶が洞ヶ峠に陣をしいたという事実はない。当時の良質の史料、俗書のたぐいにも彼が洞ヶ峠にいたということは記録されておらず、とんだところでヌレ衣（ぎぬ）を着せられたのである。では、なぜ、洞ヶ峠の日和見の一件が後世になって流布されたのであろうか。日和見は順慶だけではない。光秀の娘秀姫の妹、お玉が結婚した細川忠興や、その父細川幽斎でさえも秀吉に味方しているのに、順慶が日和見主義者のそしりをうけたのは、順慶の養子で秀姫の夫、定次が、のちに改易（かいえき）され、廃絶していることもその一因だといえよう。権力を喪失した者は、とかく残酷な噂をたてられがちなものだ。三日天下の光秀が悲惨な最期を遂げたことも、順慶にたいする風当たりをいっそう強めたようだ。おなじ日和見主義者仲間にしても、細川家の場合は、長い間にわたって権力の座を確保したのみならず、忠興夫人のガラシャお玉の哀切な最期がそれを救っているのである。

順慶が洞ヶ峠に布陣し、日和見主義をきめこんだという後世の通説に疑念を抱き、史実を探って描いた「青苔記」の作者の史観は、皇国史観浸透（しんとう）の時代に育ち、昭和二十年の敗戦によって、史観、価値観の百八十度の転換に遭遇した戦中派世代のひとりである永井路子の貴重な体験に根ざしている。戦後、史観、価値観が大きく転換したのを機縁として、真の歴史に関心をもち、すべての通史を疑い、歴史小説を手がけるようになったのだとおもわれる。この終戦を機縁としてつちかい、はぐくんできた永井路子の史観は、永井文学の諸作品を貫くものにほかならない。

永井路子は、昭和三十七年から三十八年にかけて、「悪禅師」、「黒雪賦」、「いもうと」をそれぞれ、文芸雑誌「近代説話」に掲載したのち、「覇樹」を加えてまとめた『炎環』で昭和三十九年、第五十二回直木賞に選ばれた。「悪禅師」、「黒雪賦」、「いもうと」が掲載された「近代説話」は、懸賞などで世に出た書き手を集め、海音寺潮五郎、子母沢寛らの作家を精神的支柱として、文学のもつ説話性を回復し、面白い小説を自由に発表できる雑誌であった。「近代説話」から、寺内大吉、司馬遼太郎、伊藤桂一、黒岩重吾、永井路子らの直木賞作家が輩出したので、一時期、名の知られた雑誌で大衆文学の質的向上に寄与した。

『炎環』（文春文庫）は源頼朝の周辺にいた人物、すなわち、頼朝の異母弟で、義経の同母兄の全成（「悪禅師」）、頼朝の忠臣梶原景時（「黒雪賦」）、北条政子の妹の保子（全成と結婚して実朝の乳母となって、阿波局という乳母の名前でよばれた）（「いもうと」）、政子の弟の北条四郎義時（「覇樹」）を主人公として、頼朝の旗揚げから承久の変によって武士が日本を制覇するまでの四十年間を時代背景にそれぞれの立場から描き、彼らが権力の座をめぐって陰湿な野望を抱く有様を、骨肉の相剋図の中に描いた作品である。作者は『炎環』の「あとがき」で次のように述べている。

「――『近代説話』に発表したものに最後の一篇を書き加えたこの四篇は、それぞれ長篇の一章でもなく、独立した短篇でもありません。一台の馬車につけられた数頭の馬が、思い思いの方向に車を引張ろうとするように、一人一人が主役のつもりでひしめきあい傷つけあううちに、いつの間にか流れが変えられてゆく――そうした歴史というものを描くための一つの試みとして、こんな形をとってみました。」

歴史というものは、一人の権力者である英雄によって推移してゆくのではなく、その周辺にいる無名にひとしいと思われていた人々の矛盾相剋によるせめぎあい、ぶつかりあいによって、歴史が突き動かされ、歴史の流れが形成されてゆくという史観で『炎環』は貫かれており、さらに、歴史には定説がないので、通説にたいして疑いをもって史実を探るべきだという、この作品にこめられている作者の歴史解釈は、昭和二十年の敗戦によって皇国史観に基く歴史解釈が崩れたのを直接の原因として、歴史はさまざまな視点から理解できるとおもいいたったことと無縁ではないのである。永井路子がいわば、オムニバス形式による連作小説ともいうべき『炎環』を書くための準備段階で、その当時の乳母の存在の重要性を知ったことは、歴史の上で果した女性の役割の重要性をあらためて認識し、歴史を左右した女性の力を発掘するという女性史への関心をたかめる結果となった。

永井路子がその当初、関心を持った人物は梶原景時だったが、彼の周辺を調べている際、景時を失脚させるために暗躍する実朝の乳母夫婦である全成、保子（阿波局）の存在を知った。彼等は実朝を将軍に据えて、東国の王者、黒衣の宰相たらんとする野心のために、頼朝の子の頼家を支える乳母夫（乳母の夫）の一人であった梶原景時を失脚させた。景時は讒言で人を陥れる者として嫌われていた。頼家には数人の乳母と乳母夫がいた。父親の頼朝の乳母は比企尼で、その娘が頼家の乳母になり、その夫、つまり乳母夫が比企能員で、頼家の第一の腹心であった。梶原景時のほかに、平賀義信も頼家の乳母夫だった。

ここで、乳母の存在の重要性についてふれると、こんにちでは乳母については全く忘れられているが、その当時の習慣として養い君にとって乳母は重要な存在で、むしろ実母よりも親しい関係にある場合が少なくなかった。有力者になると、頼家の例のように、数人の乳母がいた。武家の有力者にかぎらず、天皇の子供が生まれた時にも、乳母が付いて母親がわりに育てた。お乳がよく出る女性が授乳のほかに育児面も担当したのだが、有夫の乳母は夫の乳母夫やその子供（乳母子）ともども、育てた。そして、その養い君が天皇や将軍になったときには、乳母一族は側近となって、政治的な権力を掌握するようになる。実朝の乳母と乳母夫である全成と保子、さらに、保子の実家である北条氏は、頼家の乳母、乳母夫を次々に倒し、実朝を将軍にすることに成功したが、実朝は頼家の遺子の公暁に暗殺されてしまう。通説によると、実朝を暗殺した黒幕は北条政子の弟の四郎義時で、彼が公暁をそそのかして実朝を殺させたという。この通説の根拠となったのは「吾妻鏡」である。新井白石、頼山陽らは北条義時説を主張している。

永井路子は義時説に疑念を抱いた。その当時の乳母が果した役割について気づいていたので、乳母夫として実朝を担いで将軍にした北条氏がなぜ、実朝を殺したのかと思ったのだ。「吾妻鏡」を熟読し、その記述の表裏に通じている永井路子は、その疑問をいっそう深め、公暁の周辺を探ると、この事件は公暁の単独犯行ではなくて、公暁に付いていた乳母夫の三浦義村がその黒幕だということがわかった。したがって、実朝暗殺事件は、表面的には実朝と公暁の争いだが、乳母の存在を考えると、公暁の乳母夫の三浦義村と、実朝の乳母の弟、北条義時との、東国の王者の権力の座をめぐる対決だという明快な結論になる。この新しい歴史解釈は、歴史家によって高く評価されており、石井進は中央公論社版の「日本の歴史・鎌倉幕府」でそれを紹介している。永井路子は通説とされている義時説に疑いをもち、史実探求の過程で、乳母の重要性に気づき、無名にひとしいとおもわれていた人々によって歴史が突き動かされてゆくという歴史解釈ないし史観を、『炎環』のなかで提示しているのである。乳母にたいする着眼は、永井路子をして女性の力が不当に過小評価されてきた従来の歴史を見直しさせる結果となり、歴史の謎を解く鍵でもあった。

『炎環』の延長線上にある作品は、長編「北条政子」（角川文庫）である。前者が鎌倉時代の諸問題を外側からの視点で構造的に描いているのにたいして、後者は主人公政子の内面の軌跡をとらえている点では、後に書かれた長編で、政子と同様、夫にかわって幕政にたずさわった日野富子を描いた「銀の館」（文春文庫）、信長の妹お市の方を描出した「流星」（文春文庫）などの作品と相通じるものがある。これらの長編に描かれている主人公は、いずれも現代の女性とも共通する心理の持主なので、作者の現代感覚に富んだ歴史解釈を読みとることが可能だ。『炎環』と同じく、乳母と乳母夫の政治権力についてふれている作品は、平清盛の妻の時子を描いた長編「波のかたみ」（中央公論社刊）である。「北条政子」の主人公に似て、ごく普通の女性であった時子が清盛と結ばれることによって、政治という権謀の世界を生き抜き、清盛の死後、したたかな女性に変身してゆく過程や、平忠盛とその子の清盛夫妻が、二代にわたって乳母、乳母夫として、政治権力を手中におさめ、勢力を伸張する軌跡がとらえられていて印象的な作品だ。

処女作の「三條院記」において、権力者の藤原道長によって譲位を余儀なくされた三条天皇の側から、力弱き存在としての天皇の悲哀、摂関政治の世界の冷酷非情さをとらえた作者は、三十年後の昭和五十七年に、こんどは道長を主人公とする長編「この世をば」（新潮文庫）を書いた。平安王朝の絵巻物では優雅に見えるが、裏側では血族間の権力争いが渦巻いていた時代に、摂関兼家の末子に生まれた道長は、おっとりとした性格で目立つ存在ではなかった。彼には長兄道隆の才覚も、次兄道兼の策謀も持ち合わせていなかったが、姉で一条天皇の生母である詮子が後楯になってくれたことや、疫病の流行による競争相手、上位者の死などの強運に恵まれ、政権を手中にしたのち、藤原氏の全盛時代を築く。道長は彰子をはじめ五人の娘を後宮に送り込んで、三代の天皇の外戚となり、摂政、太政大臣、従一位と、政権と名誉をほしいままにしたのであるが、この長編に描かれている道長の人物像は、先にふれたように、幸運な平凡児として造型されており、人間味ゆたかだ。道長とは対照的に、父の兼家、次兄の道兼、姉の詮子はいずれも、したたかな人物である。

　兼家は円融天皇に娘の詮子を入内させ、天皇が亡くなるや、詮子の生んだ皇子懐仁を即位させようと企て、道兼と組んで謀計によって天皇になったばかりの花山天皇を譲位させてしまう。花山天皇に次いで即位した懐仁、すなわち、一条天皇は、そのとき、わずか七歳であった。こうして兼家は権勢の座につく。娘の詮子は一条天皇の皇母となったので、兼家は天皇の外祖父となり、摂政として権力をふるえる。摂政とは天皇の後見、というよりも天皇代行となることで、人臣の辿りつける最高位をきわめたことだ。兼家は有頂天になって喜ぶが、その時期はわずか四年で終った。彼があっけなく死んでしまったからだ。兼家の死後、政治感覚にたけて大物タイプの詮子は、わが子の一条天皇にたいする発言力が強かったので、兄道隆の子の伊周が関白になりそうだと察知するや、その地位を望まぬ道長をあおり立てて、鬼女にも似た強気で一条天皇をかきくどき、道長を関白にしてしまう。詮子は伊周が虫が好かなかったらしいのだ。詮子は道長の娘彰子の入内や立后のときにも大いに力となっている。

　父兼家と同様、権力の座についた道長は、彰子に待望の皇子が生まれると、平衡感覚を備えた政治力で全盛を誇る存在となる。摂関政治の頂点をきわめた道長は、権力の権化とみなされてきたが、「この世をば」では、周囲に気を使い、平衡感覚で対処する道長像に作者の人物史観があらわれている。処女作の「三條院記」においては、娘の妍子の立后を三条天皇に迫る道長は奸智にたけ、強気な人物として描かれており、最愛の女御である宣耀殿（娍子）の立后を望む三条天皇を、きわめて弱気な天皇としてとらえているが、「この世をば」の末尾に近い章においては、娍子の立后を望んで譲位しない三条天皇は、執念のある、しぶとい天皇として描出されている。立后と譲位をめぐる道長と三条との虚々実々のかけひきのやりとり、相剋には興味をひかれた。作者によると、二人の対決が不幸だったのは、彼らの権力機構を形造る環が完璧性を欠いていたことにあるという。

「たとえば、一条と道長の間には、一条に対して強力な発言力を持つ母后、詮子がいた。そして一条と道長の間の潤滑油として奔走にあけくれる蔵人頭行成がいた。が、三条の母后はすでに世を去っていた。蔵人頭は二人とも器量が不足し、調整役がつとめられない。この両者を欠いたことが、三条と道長の相剋をはてしないものにした。母后と能吏――じつは彼らはこの時代の影の主役なのだ。が、日本の長い伝統に根ざす母后の問題は、まだ歴史的に解明されていない。官僚機構とその政治機能の問題も、とかく権力者の名の蔭にかくれて霞みがちである。この三条をめぐる事件は、いわばこれらの問題を逆光で浮きあがらせているともいえるのである。」(「この世をば」下巻「恋しかるべき」の章より)

ここに引用した作者の見解は、注目に値する。ことに母后の問題を重視したい。長編小説「この世をば」の魅力のひとつは、一条天皇の母后となった詮子が、つよい政治力を発揮し、道長を終始、バックアップしていることにある。摂関政治はとかく、摂政や関白の独裁によって行なわれたと考えがちである。だが、この作品を注意して読めばわかることなのだが、天皇、大臣に加えて、母后と皇后が複雑にからみあい、それぞれ影響力を持ちあっており、天皇にたいする母后の発言力の強さなども政治に与える影響力が大きかった。したがって、摂関政治イコール摂政、関白による独裁政治とはいいがたい。日本には、昔から天皇と母后が共同統治をしてきたという歴史があるので、母后の権力や発言力は無視できない。「この世をば」には、母后にたいする作者の見解が散見されるとともに、その当時の為政者の意識には、母親中心の結束が核になっていたことや、母系、女系の連帯感の重要性についてもふれている。「この世をば」の主人公道長が、出世の階梯をのぼり、バランス感覚を発揮して、同族社会の熾烈な争いを乗り切って行けたひとつの原因は、権力機構を形成する一条天皇と母后詮子との環があったからである。

これまでにふれてきた作品は、いずれも、中世の時代に素材を得た小説である。中世、ことに鎌倉時代を扱った永井路子の歴史小説には定評がある。さらに、平安時代を描いた力作「この世をば」が中世を素材とした諸作品に加わることによって、中世の時代と世界を描いた永井路子の歴史小説は、いっそう良き評価を与えられるようになった。昭和五十九年十月、難解な史料をもとに、複雑な中世社会のすがたを歴史小説に導入して新風をもたらした功績によって、第三十二回菊池寛賞を受賞したことは、記憶に新しい。

これからふれる「美貌の女帝」は、古代史に素材を得た長編歴史小説である。この小説の主人公、元正女帝は三十六歳の未婚の身で、即位した女性だ。彼女が美女であったことは、「氷高皇女『沈静婉孌』にして……」と、「続日本紀」に記述されているので、後に女帝となっても美貌の持ち主であったにちがいない。

壬申の戦いの覇者、天武天皇とその妻で女帝となった持統の間に生まれた皇子である草壁を父とし、天智天皇の娘で持統の異母妹の阿閉を母とする美貌の皇女氷高は、恋の歌を贈られた十四歳のとき、母の阿閉によって、栄光ときびしい運命を予言された。それは欽明朝以来、ほぼ百五十年間、蘇我氏の娘たちが常に天皇の后か母となってきたという、蘇我の女系の継承者である一族の運命でもあった。飛鳥から藤原に遷都が行なわれた日、氷高と従兄の長屋はおたがいに愛し合うようになるが、蘇我一族にからむ愛憎、相剋を知るにつけ氷高の心は重くなる。氷高の父草壁は若くして亡くなったので、氷高の弟の文武は持統女帝から譲位されて、文武天皇となり、持統は退位後、太上天皇（上皇）となる。そして、文武天皇の死後、阿閉が譲位をうけて元明天皇となった。それらの譲位が行なわれる過程で、藤原鎌足の子の不比等が台頭して勢力を伸ばし、帝位にまつわる蘇我の伝統はゆさぶられるが、蘇我の娘たちはさまざまに抵抗して、両者の間にせめぎあいがくり返され、壬申の戦いに遠因をもつ双方の対立はいっそう激化する。

祖母持統の遺志に沿って母の元明女帝を助けようと決意した氷高は、長屋との恋を断念し、氷高の妹の吉備皇女が長屋と結ばれる。藤原京から平城京への遷都が不比等の圧力によって実行されたのち、さまざまな政治的かけひきが行なわれたが、元明は不比等の娘宮子の子で皇太子に擬せられていた首（後の聖武天皇）の即位を認めず、氷高に位を譲る。歴代の女帝はすべて四十代、それも妻であり、母であったので、未婚の天皇の即位は、異例中の異例だった。元正女帝は自らの女の幸せを犠牲にして、女帝の継承を守り抜くために栄光の座である帝位に就かされた。譲位したのち、太上天皇となった母の元明とひそかに企てた政治改革によって元正は、長屋王を重用し、新羅との外交を深め、大宝令を改訂するなど、祖母の持統路線にそうべく、勁さをひめた柔軟な手腕を発揮したが、藤原氏との争いは、不比等の死後も曲折を経て、さらに続いた。

太上天皇元明が病に倒れた際、亡き文武帝に似た首を、わが子の再来と見て、二人の魂の合一を思った元明は、首の中に藤原氏の血が流れているという厳然たる事実を思うと、魂をひき裂かれる思いではあったが、政治的な妥協を考えて、臨終のときに、首をわが子として皇位に就くことを認めるとともに、以前に勅命で皇孫の待遇にした吉備、長屋王の男児らも彼女の子として認め、後に天皇の位に就くようにという意味の遺言をしたのち、崩御する。神亀元年（七二四）、元正は複雑微妙な意味を文字にこめた詔を出して、首に譲位し、首は聖武天皇となる。元正は母の元明と同様、太上天皇となる。聖武はその年、わが母宮子に大夫人の称を贈ることを明らかにしたが、長屋王が反対したことから長屋王は藤原氏にとって目ざわりな存在となった。

そのころ、元正は重病になった折、元明と同じく、皇嗣を指示した。元正が健康を回復するまでの間に藤原氏の勢力は強化され、聖武は藤原氏と手を組み、独自の路線を歩みはじめるや、藤原不比等の三男宇合らは長屋王が国家を傾けようとしているという密告のあったのを口実にして、長屋王、妻の吉備内親王、男児らを謀殺してしまう。この事件が起きた神亀六年（七二九）八月、年号は天平と改まった。そして、聖武と同様、藤原氏の出身で聖武の後宮に入った安宿媛が皇后に立后し、光明皇后となった。長屋王、吉備内親王らが謀殺されたことは、元正太上帝にとっての大きな不幸であった。元明と元正は、聖武天皇の即位を、認めざるをえなかったのだが、聖武の皇嗣として、皇孫待遇にした長屋王と吉備内親王との間の男児を皇位に就けて、吉備はかつての文武とその母元明と同じ形で統治権を握るという望みも抹殺されたことになる。しかし、この不幸を、いたずらに歎き悲しみ続ける元正ではなかった。歎きの中で朽ちはてることが許されないならば、無理にも心勁く誇りをもって生きねばならないと覚悟を決める元正であった。

作者は、たおやかで、野心のない美しい女性の氷高が、望みもしなかったにもかかわらず、蘇我の娘として生まれたがために、血の継承者、栄光の継承者として、女帝以外の道を歩むことを許されなかった宿命の軌跡を練達の筆致でとらえ、作者独自の史観を提示している。最も注目に値するのは、欽明天皇から元正天皇までの約五十年間、蘇我氏の女性たちは、常に天皇の后、あるいは天皇の母であり、みずから女帝になる女性もいたので、推古女帝以来、元正天皇までの女帝には、蘇我氏の血が流れているということや、元正天皇が譲位した藤原氏を母とする聖武天皇の即位によって、蘇我系であった女帝の伝統が断絶されたという点に着眼し、しかも、聖武天皇の正后となった光明皇后も藤原氏の出身なので、聖武天皇の即位は、それまで蘇我系の女系を継ぐ皇后、母后、女帝の系譜の上に大変更がなされたという提示をしていることだ。

この史観は、従来の女帝についての考え方にたいする作者の異説に裏づけられている。これまでのわが国の女帝史では、女帝が卑弥呼の系統をひくシャーマン、つまり巫女であったという考え方や、男性の天皇にある事情があって即位できないために、中継ぎとして女帝が便宜的に立てられたという考え方が定説であった。後者の考え方は、皇位の継承者が幼い場合などには、ある年齢に達するまで、一時的に女帝が即位するという考え方だ。このような説にたいして作者は、卑弥呼の時代と女帝の時代に四百年の隔りがあり、神を祀り、神事に奉仕するのは女性とは限らず、男性の天皇もよく行なっていることを指摘し、飛鳥時代から奈良朝までの間、十六代の天皇のうち半分の八代まで女性なので、その女帝がすべて中継ぎだというのはおかしいという。

永井路子の異説によると、女帝を巫女的な存在、あるいは、中継ぎとして考える根底には、「女性は政治に関与しないもの」という意識があり、女帝の業績の中には、巫女や中継ぎとしての業績とは到底、考えられないものが多い。その好例は持統女帝だという。そして、持統女帝との関連で、彼女の後を継いだ元明、元正女帝について考えた永井路子は、とかく影の薄い存在としてみられがちであった元正女帝に着目し、元正が母の元明とともに、持統路線に沿った政治的手腕を発揮したことを評価すると同時に、持統路線を踏襲した元正に対抗して、壬申の乱の敗北の報復、復権を成し得たのは、藤原不比等であったことなどにおもいいたったのである。

永井路子が古代の天皇の后、母后、女帝を蘇我氏の女系、母系の系譜としてとらえ、元正女帝が聖武に譲位したために、その系譜は断絶したという史観は、きわめてユニークである。これは蘇我入鹿暗殺事件、さらには倉山田石川麻呂の失脚、自殺事件によって蘇我氏一族が全滅することなく、その命脈は古代の天皇の后、母后、女帝に伝わったが、藤原氏が台頭し、藤原氏出身の聖武が天皇に即位することによって断絶したという古代天皇制にたいする新しい歴史解釈だ。このような考え方をする歴史家や作家はいなかった。永井路子は誰も着眼しなかったこの史観に立脚し、従来の巫女、中継ぎとしての女帝説にとらわれない長編「美貌の女帝」の構想を思いつき、蘇我氏の女系の伝統を守ろうとする持統、元明、元正の三代にわたる女帝が、そのために苦悩、努力したこと、ことに元明、元正二人の女帝が聖武の即位を拒否しつづけ、力尽きた結果、譲位せざるをえなかった顚末を、蘇我、藤原の権力の座をめぐるかけひき、対立の抗争図の中にあざやかに描出している。作者はこの長編歴史小説において、元明女帝は聖武の身を気づかい、大事をとって即位を見送り、わが娘元正を即位させた、という従来の通説を否定し、むしろ聖武即位への最後の抵抗手段として元正を押し出したのだ、そう考えなければ、その当時の感覚ではすでに成年に達していた聖武の即位が見送られたという不思議な事態は説明しがたい。このような歴史解釈を永井路子は、この作品でうち出しているのである。

この長編「美貌の女帝」で、注目すべきもうひとつの点は、古代日本では太上天皇と天皇、天皇と皇后、あるいは母后と皇太子などの共同統治が伝統的に行なわれていたということである。持統、元明、元正いずれの女帝も孫や娘に譲位したのちは、太上天皇として天皇とともに、国政にかかわりをもって共同統治を行なっている。史上稀にみるスケールの大きい女帝で、政治家としても有能だった持統は、草壁（氷高、文武らの父）の母后として、位にこそは就いていないが、天皇の母方の代表者として、母系色の強いその当時、政治面でも少なからぬ発言力を持つ存在で、共同統治者であった。持統は夫の天武天皇との共同統治によって、古代国家の体制を固め、天武の崩御を契機として、実力を発揮したのち、即位して女帝となった。皇太子の草壁の死後、孫の文武に譲位後、太上天皇となり、文武天皇と共同統治を行ない、文武が崩御したのち、天皇となった娘の元明の良き共同統治者でもあった。太上天皇の称を受けて共同統治者となったのは、持統をもって最初とする。太上天皇としての持統の存在と役割は、日本女帝史にあらたな側面を付与するものであったといえよう。

女帝として男性の天皇以上に有能であった持統天皇の例を考えると、女帝が巫女的存在、あるいは、中継ぎとして低く評価されてきた従来の通説にたいして、永井路子が異説を立てるのは当然のことだとおもえる。「美貌の女帝」の中で、作者は太上天皇と天皇、天皇と母后、あるいは、天皇と皇太妃などの共同統治という形がそのころは自然であったことの例を、具体的に描出し、いかに、女性の果した役割が重要であったかについて認識させてくれる。この共同統治の伝統は、中世にも引き継がれ、摂関政治の平安時代には、「この世をば」の一条天皇とその母后、東三条院詮子との共同統治がその好例なのだが、実際に行なわれて、母后としての発言力は強く、天皇や摂関を動かす力となっていたのである。この母后の存在は、もっと注目されてしかるべき問題だ。母后の発言力を考えることは、溯（さかのぼ）れば、日本の古代の母権のありように、あるいは女帝の問題に行きあたるにちがいない。

女帝の問題には謎が多い。従来の巫女的存在ないしは中継ぎ的存在としてのとらえ方では、飛鳥時代から奈良朝にかけて、女帝が集中していることの原因を解明できないのみならず、女帝即位の問題はその時期の朝廷の権力構造によって根本的に規定されるという視点が欠落しかねない。女帝の謎を解明し、その本質に迫るためには、彼女らの生きた時代の動向の中で、朝廷の権力機構を探り、女帝ひとりひとりを追跡調査することが必要だ。永井路子が、そのような視点と調査をふまえて、「美貌の女帝」を執筆し、女帝の謎にチャレンジしたのは意義深いことだ。

『炎環』、「この世をば」、「美貌の女帝」を読んで気づくことは、乳母、母后、女帝たちの存在と役割の重要性を、作者が指摘し、歴史を左右した女性の力を発掘し、見直そうとする女性史的観点が見られることである。古代において、女帝や母后が、太上天皇、共同統治者として、政治にかかわった伝統は、中世では天皇と母后の共同統治という形で継承されたが、平安朝の中期以後、天皇の外戚にかわって乳母とその一族が政治権力にタッチしたという、女系、母系の系譜を重要視する作者の史観を認識させられるからである。

ここまでは、永井路子の主な小説にふれてきたが、永井路子の文学を論じるうえで重要なことは、鎌倉時代を扱った一連の小説の原点、帰結ともいうべき「つわものの賦」(文春文庫)、鑑真の授戒とその受容の問題を描いた女流文学賞受賞作「氷輪」(中公文庫)、最澄の誕生から死までの軌跡を描き、最澄への回帰を訴えた吉川英治文学賞受賞作「雲と風と」(中央公論社刊)などの史伝形式の作品を抜きにしては、永井文学は語れないということである。永井路子は文芸雑誌「近代説話」から世に出た作家だ。この雑誌からは、永井路子と同様、司馬遼太郎も出ている。「近代説話」は海音寺潮五郎や子母沢寛らを精神的支柱とした雑誌であることについては、前述したが、海音寺潮五郎という作家の文業のひとつの大きな功績は、明治中期のころ流行した史伝文学を戦後、復活させたことである。明治の中期、山路愛山、福本日南などの在野の史伝、史論家によって隆盛をみせた史伝文学の系譜は、大正、昭和期に、白柳秀湖、田村栄太郎らに継承されたが、大衆的な基盤を得られず、衰微の一途をたどり、敗戦後、海音寺潮五郎が、幸田露伴との関連で、「武将列伝」、「悪人列伝」などの史伝を書くことによって、忘れられていた史伝文学の命脈を復活させたのである。

幸田露伴は自己の該博(がいはく)な歴史知識を生かし、作者としての意見や批判を直接的にうち出せる文学形式として、史伝の形をとって人物評論や史料の比較考証による人物叙述をおこなった。山路愛山の史伝や幸田露伴の史伝をふまえて、史伝を書き、戦後、史伝文学を復活したのは海音寺潮五郎なのだ。この海音寺に才能を認められて作家になったのは司馬遼太郎だ。司馬は既成の小説概念にとらわれることなく、自在な小説形式によって多くの作品を手がけた。史伝体の小説をいくつか書いていたので、わたくしは、そのころ、司馬は海音寺の史伝文学の系譜を継承する作家であろうと新聞に書いたことがある（「史伝の系譜」——「夕刊　読売新聞」昭53・4・8）。だが、その後の司馬遼太郎は史伝的な作品から離れ、次第に小説も書かなくなり、最近では史論、エッセイなどを執筆して文明史論家としての相貌を顕著にしている。司馬遼太郎は、海音寺が史伝大作「西郷隆盛」を書き、大佛次郎が「天皇の世紀」を執筆したように、史伝の大作を書くことはないにちがいない。それでは海音寺が復活した史伝文学の命脈を継承する作家は誰なのか。

わたくしは、永井路子に期待しているのである。「つわものの賦」を読んだとき、この作品は個人的な人物を叙述した史伝ではないが、山路愛山の「源頼朝」や幸田露伴の「頼朝」、「為朝」などの史伝の系譜に連なる作品で、歴史そのものを史伝形式で叙述していること、しかも作者独自の歴史解釈が散見できるという点でひきつけられた。その後、「氷輪」、「雲と風と」を読んだ際、史伝の形式で書かれたこれらの作品は、戦後の史伝文学のベストテンに数えられる力作だと思った。「氷輪」、「雲と風と」で最も興味深いのは、「筆者はこう考えている」、「私は……という見方を取らない」など、推理、解釈にあたって、作者が作品の中に顔を出して、直接的な表現で、明快に叙述したり、史料の比較、検討をおこなっていることだ。このスタイルは史伝の形式である。だが、この史伝形式を知っている人が少なすぎるという印象をわたくしは受けた。「雲と風と」が刊行されたのち、この作品を書評した評論家、歴史家、作家などの有識者が、わたくしの読んだかぎりでは、「雲と風と」を史伝、ないしは史伝形式の作品だと評した人は誰もいなかった。大河小説、伝記小説、評伝小説だと評していた評者が多かった。史伝文学というジャンルが存続していることを知る有識者がいないのは残念なので、わたくしは文学関係者の注意を喚起すべく、このことについて、今年度の「文芸年鑑」の中でふれておいた。

永井路子は司馬遼太郎と同じく既成の小説概念にとらわれない作家なので、直木賞受賞作の『炎環』というオムニバス形式のユニークな連作小説によって文壇的地位を確立したのち、正統派の歴史小説を手がける一方、史伝の形式を応用した作品や史伝を執筆し、新しい手法を導入した現代小説「茜さす」（読売新聞社刊）を手がけている。最新作「茜さす」は、現代と古代を交差させた手法で、主人公の女子大生が、卒論を書いている過程で、持統女帝に興味を持ち、持統女帝の愛や自立の苦しみを現代女性のそれと重ねて描き出した作者はじめての現代小説の長編である。わたくしは永井路子の既成の小説概念にとらわれない独自の作品形式、ことに明治以来の山路愛山、幸田露伴らの史伝文学の系譜に連なり、新しい史観や歴史解釈をちりばめた、独自の史伝形式による「つわものの賦」、「氷輪」、「雲と風と」などの作品を高く評価しているので、それらの作品を論じたかったのだが、今回は、紙幅の関係上、それができなかったので、次の機会にゆずりたい。

（文芸評論家）

文春文庫

美 貌 の 女 帝

定価はカバーに
表示してあります

1988年8月10日　第1刷
1994年11月25日　第13刷

著　者　永井路子

発行者　堤　　堯

発行所　株式会社 文藝春秋

東京都千代田区紀尾井町3—23　〒102
TEL　03・3265・1211

落丁、乱丁本は、お手数ですが小社営業部宛お送り下さい。送料小社負担でお取替致します。

印刷・凸版印刷　製本・加藤製本

Printed in Japan
ISBN4-16-720017-1

文春文庫・永井路子の歴史小説

美貌の女[illegible]
壬申の乱か[illegible]時代、元正女帝がわが身を[illegible]何だったのか？

噂の皇子（みこ）
三条帝の第[illegible]ら奇妙な噂がささやかれて[illegible]描く八つの短篇。

恋のうき[illegible]
時は平安。[illegible]い——盗賊の一味の男が出[illegible]体は？　七短篇。

炎環
源頼朝の挙[illegible]灯がともった。鎌倉武士た[illegible]く直木賞受賞作。

北条政子
伊豆の小豪[illegible]に恋をした政子。歴史の激流[illegible]女の人生の哀歓。

流星　お市[illegible]
天下への野望を抱く織田信長の美貌の妹・お市の方。戦国の世でお市が背負った苛酷で数奇な運命を描く。

乱紋　(上)(下)
お市の娘お茶々、お初、おごう。三姉妹のたどった運命の光と影を、末娘おごうを中心に鮮かに映し出す。

朱なる十字架
逆臣明智光秀の娘という業を負い、キリシタンに道を求めて愛と苦悩に生きた細川ガラシヤ夫人お玉の生涯。

一豊の妻
仲人口にのせられて夫婦になり、互いに呆れた千代と一豊だったが。ユーモラスな表題作ほか五篇。

銀の館　(上)(下)
足利義政の室として権勢をほしいままにした日野富子。その意外な実像と、当時の庶民の姿を生き生きと描く。